博碩文化

Excel
365
商務應用

吳燦銘 著

必學的16堂課

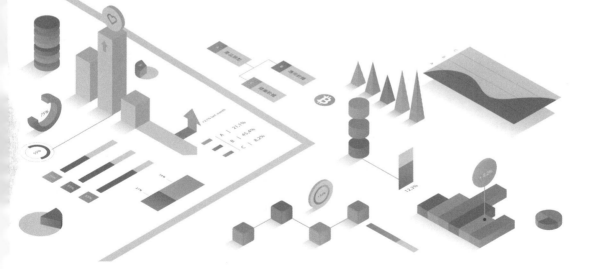

A | 21.1%
B | 45.6%
C | 8.2%

多元管理表單＋財務會計實戰＋投資理財分析
＝財會行政管理達人

超實用
貼心小技巧
分享

| 設定摘要資訊｜頁首設定按鈕功能｜取消格線｜樞紐分析表資料來源｜
| 修改預設工作表數量｜進階篩選選項運用｜使用分頁預覽模式｜
| 設定跨頁標題｜認識股票圖示說明｜

博碩官網下載
即學即用範例檔

作　　　者：吳燦銘 著
責任編輯：Cathy

董 事 長：陳來勝
總 編 輯：陳錦輝

出　　　版：博碩文化股份有限公司
地　　　址：221 新北市汐止區新台五路一段 112 號 10 樓 A 棟
　　　　　　電話 (02) 2696-2869 傳真 (02) 2696-2867

發　　　行：博碩文化股份有限公司
郵撥帳號：17484299　戶名：博碩文化股份有限公司
博碩網站：http://www.drmaster.com.tw
讀者服務信箱：dr26962869@gmail.com
訂購服務專線：(02) 2696-2869 分機 238、519
（週一至週五 09:30～12:00；13:30～17:00）

版　　　次：2023 年 10 月初版

建議零售價：新台幣 680 元
I S B N：978-626-333-636-0
律師顧問：鳴權法律事務所 陳曉鳴律師

國家圖書館出版品預行編目資料

Excel 365 商務應用必學的 16 堂課 / 吳燦銘
作 . -- 初版 . -- 新北市：博碩文化股份有限
公司，2023.10

面；　公分

ISBN 978-626-333-636-0(平裝)

1.CST: EXCEL(電腦程式)

312.49E9　　　　　　　　　　112017395

Printed in Taiwan

歡迎團體訂購，另有優惠，請洽服務專線
博碩粉絲團 (02) 2696-2869 分機 238、519

　　陸陸續續寫過多本的 Excel 實用範例書，Excel 每改版一次，就會針對新增的功能和讀者的來函意見做為新書的寫作指標。坊間雖然也出了類似以商用實務為主題的書籍，但是不是實例介紹的過於簡單，就是以艱深而又複雜的函數和 VBA 語法譁眾取寵。作者不是自賣自誇，有多年的會計行政的實務經驗支持，只要認真學習本書的所有內容，已經足以應付中小企業行政會計實務上的所有工作。

　　本書在架構安排上每一章都是實際範例，但在章節內容安排上仍由淺入深、循序漸進。同時讀者也可以針對欲學習的主題單獨進行，在每一章所提供的獨立、完整的範例檔案下，您可以優先學習您所需要的內容。老師在授課時，也可以單獨挑選欲施教的主題，完全不用擔心範例不連貫的情形。

　　最後希望讀者能在學習本書內容後，將 Excel 的功能融會貫通、活用在日常工作或者生活上。無論未來 Excel 版本如何變更，基本的功能應該不會有太大的變化。祝福各位讀者有個愉快而又輕鬆的 Excel 學習之旅。

目錄 contents

PART **1** 管理表單基礎篇

01 **辦公室員工輪值表**

02　在職訓練成績計算、排名與查詢

03 業務績效與獎金樞紐分析

04 員工出勤記錄時數統計

05 季節與年度員工考績評核

PART **2** 財務會計實戰篇

07 人事薪資系統應用

08 人事薪資資料列印

09 應收票據管理應用

PART **3** 投資理財活用篇

13 財務預算管理

14 投資理財私房專案規劃

15 購屋資金籌備計畫

16 股票交易資訊分析與試算

A Excel 小技巧

B Excel 函數說明（PDF 電子檔，附於官網的範例檔內）

Excel 功能快速上手

學習重點

- Excel 的基本操作
- 介紹儲存格資料格式
- 資料排序與篩選功能
- 認識圖表功能

本章簡介

Excel 是常用的商業試算表軟體,透過它可以進行資料整合、統計分析、排序篩選以及圖表建立等功能。不論在商業應用上得到專業的肯定,甚至在日常生活、學校課業也處處可見。基本上,Excel 具備以下三種基本功能:

- **電子試算表**:具有建立工作表、資料編輯、運算處理、檔案存取管理及工作表列印等基本功能。

- **統計圖表**:能夠依照工作表的資料,進行繪製各種統計圖表,如直線圖、立體圖或圓形圖等分析圖表,並可透過附加的圖形物件妝點工作表,使圖表更加出色。

- **資料分析**:依照建立的資料清單,進行資料排序的工作,並將符合條件的資料,加以篩選或進行樞紐分析等資料庫管理操作。

範例成果

	A	B	C	D	E	F	G	H
1	月份	產品代號	產品種類	銷售地區	業務人員編號	單價	數量	總金額
2	1	G0350	電腦遊戲	日本	A0901	5000	1000	5000000
3	1	F0901	繪圖軟體	日本	A0901	10000	2000	20000000
4	1	G0350	電腦遊戲	韓國	A0902	3000	2000	6000000
5	1	A0302	應用軟體	韓國	A0903	8000	4000	32000000
6	1	G0350	電腦遊戲	美西	A0905	4000	500	2000000
7	1	F0901	繪圖軟體	美西	A0905	8000	1500	12000000
8	1	A0302	應用軟體	美西	A0905	12000	2000	24000000
9	1	F0901	繪圖軟體	東南亞	A0908	4000	3000	12000000
10	1	G0350	電腦遊戲	東南亞	A0908	2000	5000	10000000
11	1	A0302	應用軟體	東南亞	A0908	5000	6000	30000000
12	1	F0901	繪圖軟體	美東	A0906	8000	2000	16000000
13	1	G0350	電腦遊戲	美東	A0906	4000	1000	4000000
14	1	F0901	繪圖軟體	英國	A0906	9000	500	4500000
15	1	A0302	應用軟體	英國	A0906	13000	600	7800000
16	1	F0901	繪圖軟體	德國	A0907	9000	700	6300000
17	1	G0350	電腦遊戲	德國	A0907	5000	12000	60000000
18	1	F0901	繪圖軟體	義大利	A0909	5000	5000	25000000
19	1	G0350	電腦遊戲	義大利	A0909	2000	3000	6000000
20	1	A0302	應用軟體	義大利	A0909	8000	8000	64000000

Chart1　銷售業績　Sheet2　S ...　⊕

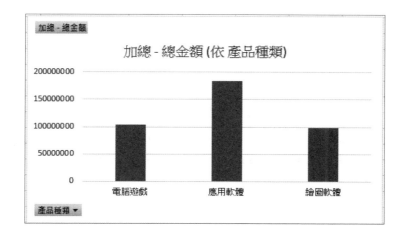

0-1 Excel 的基本介紹

當啟動 Excel 365 軟體後，會自動開啟一個新檔案，稱之為「活頁簿」，預設檔案名稱為「活頁簿 1」，並依序命名，副檔名為.xlsx。每個活頁簿檔案均會預設工作表，可利用視窗下方的工作表標籤，以滑鼠點選的方式進行切換，每張工作表皆是由「直欄」與「橫列」交錯所產生的「儲存格」組成。其工作環境如下圖所示：

快速存取工具列
功能表
功能區
名稱方塊
資料編輯列
工作表
狀態列
標題列
工作表索引標籤

➔ **工作表**：在新的活頁簿可以看到 1 張空白工作表，使用者也可透過「檔案 / 選項」進行變更要預設多少張工作表。預設的工作表名稱依序為「工作表 1」、「工作表 2」、「工作表 3」，顯示於活頁簿底端的工作表標籤列，當滑鼠點選特定的工作表標籤時，該工作表就會成為「作用工作表」。

↗ **儲存格**：最基本的工作單位。當輸入或執行運算時，每個「儲存格」都可視為個別的獨立單位。「欄名」是依據英文字母順序命名，「列號」則以數字來排列，欄與列交叉的定位點則稱為「儲存格位址」或「儲存格參照」，例如 B3（第三列 B 欄）、E10（第十列 E 欄）等。選取儲存格可利用滑鼠直接點選，或者使用鍵盤方向鍵切換，被選取的儲存格則稱為「作用儲存格」。

↗ **名稱方塊**：用來顯示作用儲存格的位址、定義的範圍名稱，或是被選取的儲存格範圍。

功能區中顯示了大部分常用的工具鈕，如果想要加大工作區域，可以將滑鼠游標移到功能區中，按下滑鼠右鍵，選取「最小化功能區」指令，或者按下 ∧「摺疊功能區」鈕來隱藏功能區。

若要恢復顯示功能區，只需將滑鼠移到功能區標籤，按下滑鼠右鍵，取消勾選「摺疊功能區」指令，即可重新顯示功能區。

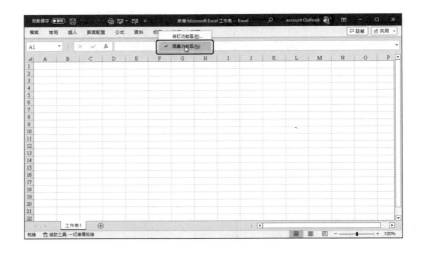

0-1-1　儲存格中輸入資料

　　如果要在儲存格中開始輸入資料，必須先以滑鼠點選儲存格使其成為「作用儲存格」，然後直接使用鍵盤輸入資料即可。如下圖所示：

作用儲存格名稱

點選儲存格後直接輸入資料內容

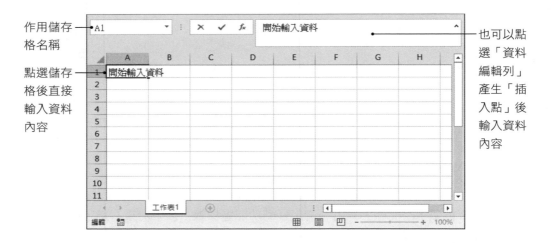

也可以點選「資料編輯列」產生「插入點」後輸入資料內容

正在輸入或修改資料時，狀態列上會顯示「輸入」或「編輯」字樣，當資料內容輸入完畢，即按下 Enter 鍵完成輸入，狀態列上的字樣也會轉變為「就緒」。

儲存格移動方式

輸入鍵	儲存格方式
Enter 鍵	往下移動一格
Tab 鍵	往右移動一格
Shift 鍵與 Tab 鍵	往左移動一格
方向鍵「↑」、「↓」、「←」、「→」	移動到上下左右各一格的位置
Shift 鍵與 Enter 鍵	往上移動一格

0-1-2 編修儲存格內容

如果整個儲存格內容需要修改，只要重新選取要修改的儲存格，直接輸入新資料，按下 Enter 鍵就可以取代原來內容。如果需要保留原有的內容或僅作部分的修改，則先選取該儲存格後，在「資料編輯列」中按下滑鼠左鍵產生插入點，隨後移動插入點的位置來新增文字。別忘記使用 BackSpace 鍵可刪除插入點左邊的字元、Delete 鍵可刪除插入點右邊的字元、方向鍵可移動插入點等。

0-1-3 儲存格選取功能

工作表中的儲存格可以藉由不同的「選取」方法，同時選取單一或多個儲存格成為「作用範圍」，以方便同時進行編輯。當您針對這些儲存格進行相同的編輯動作時，事先選取的儲存格「作用範圍」會呈反白狀，常用的選取方法有以下五種：

作用範圍	操作說明
單一選取範圍	如果是單一儲存格，則直接以滑鼠點選即可。或者是類似矩形區域的相鄰儲存格，先選取第一個儲存格，再按 Shift 鍵來選取此相鄰區域的最後一個儲存格。
多重選取範圍	當作用範圍不是相鄰區域時，稱為「多重範圍」，這時可按住 Ctrl 鍵來一一選取。
全欄選取	按滑鼠左鍵，在欄號上拖曳選取。
全列選取	按滑鼠左鍵，在列號上拖曳選取。
工作表選取	以滑鼠按下工作表左上方的「全選鈕」。

接著以實際的範例來練習儲存格內容選取與複製：

範例　**選取與複製功能的應用**（檔名：銷售業績.xlsx）

Step. 01

❷ 按「複製」鈕複製選取的內容

❶ 選取 A1 至 H1 儲存格，使其成為「作用儲存格」

<u>Step</u>, 02

❸ 按「貼上」鈕貼上選取的內容

❶ 選取的儲存格會有閃爍的虛線外框

❷ 將作用儲存格移至此位置

<u>Step</u>, 03

❶ 儲存格內容（包含格式）完全被複製到新的位置

❷ 按下方的「智慧標籤」鈕會出現指令選單

Tips	移動儲存格的功能也類似，只是將「複製」指令換成「剪下」指令。

0-2 儲存格資料格式

　　每個儲存格的資料，Excel 都會給予一種「資料格式」，不同的「資料格式」在儲存格上會有不同的表現方式。如果使用者沒有特別指定，Excel 會自行判斷資料內容的格式，給予應有的呈現方式。不過使用者可以透過手動的方式來修改儲存格的資料格式。通常儲存格中能夠輸入的資料型態區分為「常數」與「公式」兩種，在本節中將分別為您介紹。

0-2-1 常數輸入方式

　　常數型態的資料內容輸入後，就不會再改變，其中又包含有文字、數值及日期三種基本資料型態：

資料型態	功能說明	注意事項
文字	首先以滑鼠選取儲存格，然後輸入中 / 英文內容即可。	預設為靠左對齊，如果在儲存格中輸入阿拉伯數字（如 123），則會當成數值，要當成文字必須加上「'」符號（如 '123）。
數值	輸入方式與文字資料相同，不過當數值過大時，系統會自動以「科學記號法」來表示，如果儲存格的欄寬不足，在儲存格中會以連續的「#」符號來表示。	預設為靠右對齊，尤其分數資料與日期資料相似，為了區別起見，在輸入分數時，左邊一定要補齊數字。例如「1/2」，要輸入為「0 1/2」，否則會成為日期資料「1 月 2 日」。
日期 / 時間	當在儲存格上輸入日期 / 時間資料的方法時，要特別注意所使用的格式，如果不依照格式輸入，那麼輸入的資料將被視為文字型態。	預設為靠右對齊，也是屬於數值資料，彼此間也可做運算。

以下將示範如何將儲存格的西元日期格式轉換成為民國日期格式：

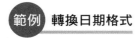 **轉換日期格式**

Step. 01

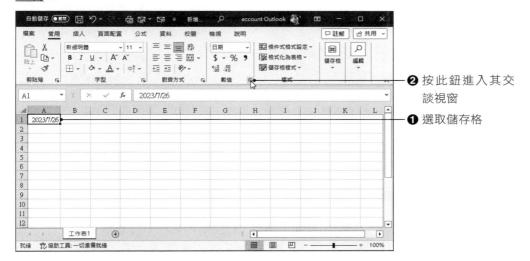

➋ 按此鈕進入其交
談視窗

➊ 選取儲存格

Step. 02

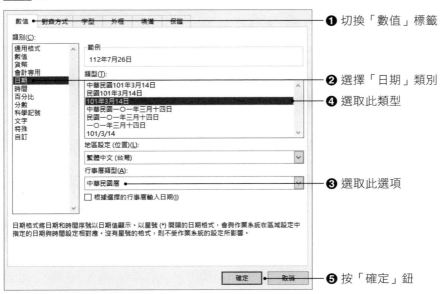

➊ 切換「數值」標籤

➋ 選擇「日期」類別

➍ 選取此類型

➌ 選取此選項

➎ 按「確定」鈕

Step. 03

——顯示指定的日期格式

Tips　按 Ctrl + ; 鍵，就可自動加入今天的日期，按 Ctrl + Shift + ; 鍵，可自動輸入目前的時間。

0-2-2　儲存格參照位址

　　「公式」與「函數」的輸入方式，更是 Excel 使用者一定要會的兩項功能。首先來瞭解何謂「儲存格參照位址」。在 Excel 工作表中，每一個儲存格都有「獨一無二」的儲存格位址，這個位址是由工作表中以「欄名＋列號」的方式組合而成的。儲存格參照位址又可區分為以下三種：

儲存格位址類型	內容說明
相對參照位址	公式中所使用的儲存格位址，會因為公式所在位置不同而有相對性的變更，表示法如「B3」。
絕對參照位址	公式內的儲存格位址不會因為儲存格位置的改變而變更位址，例如經過公式複製後，仍指向同一位址的儲存格。表示法是在相對參照位址前加上「$」符號，如「$B$3」。
混合參照位址	綜合上述兩種表示方式，我們可混合使用。也就是當僅需固定某欄參照，而列必需改變參照，或是僅需固定某列參照，而欄必需改變參照時。表示方式如「$B3」或「B$3」。

　　例如「B 欄」與「2 列」交叉的儲存格位置,即稱為「B2」儲存格參照位址,當公式或函數中要表示此儲存格時,只要填入此參照位址(B2),即可進行相關的動作,如下圖所示:

作用儲存格照位址
也會顯示在「名稱
方塊」欄位中

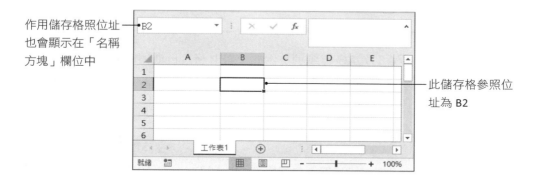

此儲存格參照位
址為 B2

0-2-3 公式與函數簡介

　　在 Excel 中可利用公式來幫我們進行數據的運算,Excel 的公式形式可以分為以下三種:

公式形式	功能說明	範例說明
數學公式	這種公式是由數學運算子、數值及儲存格位址組成。	=C1*C2/D1*0.5
文字連結公式	公式中要加上文字,必須以兩個雙引號(")將文字括起來,而文字中的內容互相連結,則使用(&)符號。	="平均分數"&A1
比較公式	是由儲存格位址、數值或公式兩相比較的結果。	=D1>=SUM(A1:A2)

　　而「函數」就是 Excel 中預先定義好的公式,除了能夠簡化複雜的公式運算內容外,使用者也能夠更清楚儲存格內容所代表的意義。函數的基本格式如下:

=函數名稱(引數1,引數2…,引數N)

Tips 所謂「引數」是指要傳入函數中進行運算的內容，可以是參照位址、儲存範圍、文字、數值、其他函數等。例如 =SUM(B3:E3)，其中 B3、E3 則稱為引數。一般函數中的引數個數最多可達 30 個，如果函數中沒有引數，也一定要有小括號存在。

Excel 的內建函數可分為多種類別，例如：有財務、日期與時間、數學與三角函數、統計、查閱與參照、資料庫、文字、邏輯、資訊、工程…等。以下是 Excel 中常用函數介紹：

函數語法	函數說明	運算實例
MAX (引數 1, 引數 2…)	求取指定範圍中的最大值。	MAX(A2:B3)，求 A2 到 B3 範圍內的最大值。
MIN (引數 1, 引數 2…)	求取指定範圍中的最小值。	MIN(A5:B3)，求 A5 到 B3 範圍內的最小值。
AVERAGER (引數 1, 引數 2…)	計算所引數範圍內的平均值。	AVERAGE(B2:D3)，計算 B2、C2、D2、B3、C3、D3 的平均值。
COUNT (引數 1, 引數 2…)	計算指定範圍內，含有數值資料的個數。	COUNT(A1:C3)，計算 A1:C3 儲存格範圍內數值資料的個數。
IF (判斷式, 條件成立時的執行程序, 條件不成立時的執行程序)	可用來測試數值和公式條件，並傳回不同的結果。	IF(D2>=60,"成績及格","成績不及格")，如果 D2 的數值大於等於 60，則顯示 "成績及格"，否則 "成績不及格"。

0-2-4　公式與函數的輸入方式

儲存格中不論是輸入公式或函數，它都必須以「=」符號為開始。例如將 C2 儲存格的內容，以公式「=A2+B2」來代替，那麼 C2 儲存格的值，就是 A2 與 B2 儲存格內容值的和，如下圖所示：

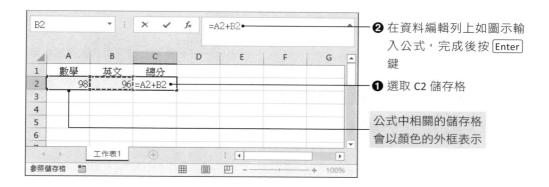

❷ 在資料編輯列上如圖示輸入公式，完成後按 [Enter] 鍵

❶ 選取 C2 儲存格

公式中相關的儲存格會以顏色的外框表示

當公式輸入完成後，儲存格上會自動顯示公式計算結果，而在資料編輯列上則顯示完整的公式內容。

至於函數的輸入方法與公式大同小異，同樣以「＝」符號開始，有兩種方式：

↗ **手動輸入函數**：選取儲存格後，以鍵盤輸入函數名稱及相關引數內容，輸入後，按 [Enter] 鍵完成。

↗ **使用函數精靈**：使用函數精靈輸入函數，能夠幫助使用者選擇想要的函數，對於相關引數的輸入也有詳細的說明，示範如下：（檔名：成績.xlsx）

Step 01

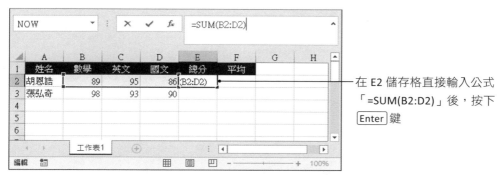

在 E2 儲存格直接輸入公式「=SUM(B2:D2)」後，按下 [Enter] 鍵

<u>Step</u> 02

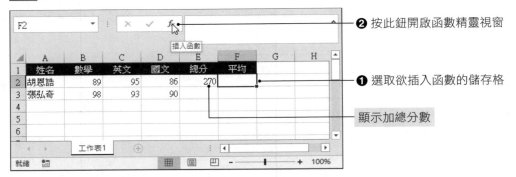

❷ 按此鈕開啟函數精靈視窗

❶ 選取欲插入函數的儲存格

顯示加總分數

<u>Step</u> 03

❶ 輸入欲達成任務的關鍵字

❷ 按此鈕開始搜尋合適的函數

<u>Step</u> 04

❶ 顯示出建議採用的函數

此為函數的簡略說明

按此鈕可檢視函數的完整說明

❷ 按「確定」鈕

<u>Step</u>, 05

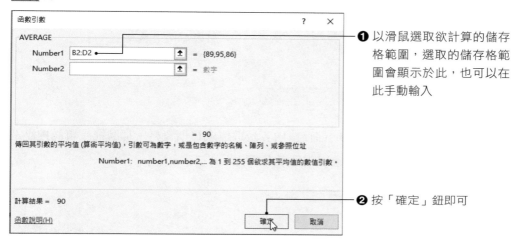

❶ 以滑鼠選取欲計算的儲存格範圍，選取的儲存格範圍會顯示於此，也可以在此手動輸入

❷ 按「確定」鈕即可

<u>Step</u>, 06

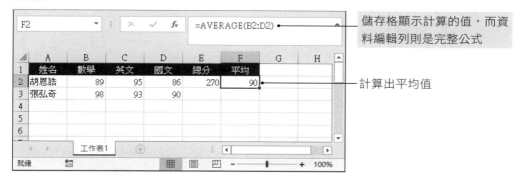

儲存格顯示計算的值，而資料編輯列則是完整公式

計算出平均值

0-2-5　自動填滿功能

「作用儲存格」下方有一個小方點稱為「填滿控點」，主要的功用是複製儲存格資料到其他相鄰儲存格，簡化輸入的程序。填滿的方式有四種：

↗ **文字填滿**：選取儲存格範圍後，拖曳右下方「填滿控點」，即能夠快速複製相同文字內容到其他儲存格：

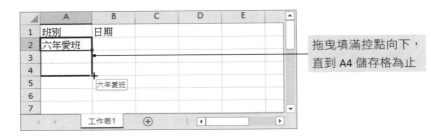

以下內容向右對應：
拖曳填滿控點向下，
直到 A4 儲存格為止

↗ **數列填滿**：如果所選取的儲存格內容是數值或日期資料，那麼拖曳填滿控點進
　行複製時，則會以數列遞增或遞減方式填入資料。

以遞增方式填入日期資料

↗ **清單數列填滿**：儲存格中的內容如果含有一些國字數列（如子、丑、寅…或週
　一、週二、週三…），遇到這些文字時，可以使用拖曳的方式快速依序填滿。

<u>Step</u> **01**

拖曳填滿控點向右，
直到 G2 儲存格為止

<u>Step</u> **02**

依照清單順序填滿儲存格

↗ 公式（或函數）填滿：公式（或函數）也可以利用填滿控點功能，將公式（或函數）填滿到所選取的儲存格。

Step. 01

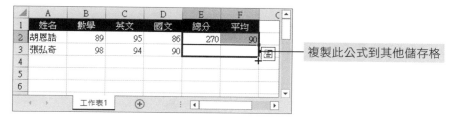

複製此公式到其他儲存格

Step. 02

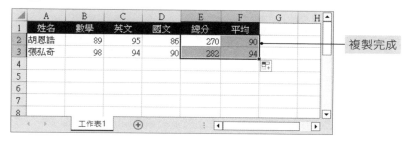

複製完成

0-3 資料排序與篩選功能

　　Excel 的資料「排序」與「篩選」功能，為資料分析時相當重要的工具。除了可以讓您快速找到某一資料外，更可以瞭解各資料記錄間的相對關係。

0-3-1 資料排序

　　Excel 的排序功能可以讓資料內容依照某一欄位由大到小或由小到大依序來排列。排序方法有兩種，介紹如下：

↗ 以滑鼠選取要進行排序的欄位，然後按下「遞增排序」鈕 ⬛ 或「遞減排序」鈕 ⬛ ，即可將所選取的資料進行排序。

↗ 第二種方式可以同時進行多個條件的排序，只要點選「資料 / 排序」工具鈕，
開啟「排序」視窗，則可依照指定的層級進行排序。

> **Tips**　Excel 可設定超過三個以上的排序層級，會以「排序方式」的欄位內容為優
> 先排列的依據，接著再以「次要排序方式」等排序層級依序往下排序。

現在請您開啟範例檔，實際地以「總金額」欄位來進行資料的排序處理：

範例　資料排序處理（檔名：軟體銷售.xlsx）

<u>Step</u> **01**

❷ 點選「資料 / 排序」工具鈕

❶ 將作用儲存格移入資料欄位內

Step. 02

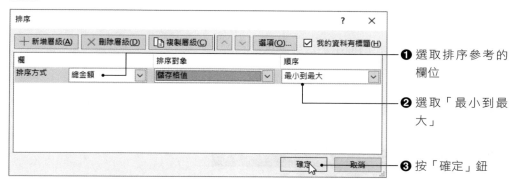

❶ 選取排序參考的欄位

❷ 選取「最小到最大」

❸ 按「確定」鈕

Step. 03

▲	A	B	C	D	E	F	G	H	
1	月份	產品代號	產品種類	銷售地區	業務人員編號	單價	數量	總金額	
2	1	G0350	電腦遊戲	巴西	A0906	1000	500	500000	
3	1	G0350	電腦遊戲	美西	A0905	4000	500	2000000	
4	1	F0901	繪圖軟體	阿根廷	A0906	5000	500	2500000	
5	1	G0350	電腦遊戲	美東	A0906	4000	1000	4000000	
6	1	F0901	繪圖軟體	英國	A0906	9000	500	4500000	
7	1	G0350	電腦遊戲	日本	A0901	5000	1000	5000000	
8	1	G0350	電腦遊戲	韓國	A0902	3000	2000	6000000	
9	1	G0350	電腦遊戲	義大利	A0909	2000	3000	6000000	
10	1	F0901	繪圖軟體	德國	A0907	9000	700	6300000	
11	1	A0302	應用軟體	英國	A0906	13000	600	7800000	
12	1	G0350	電腦遊戲	東南亞	A0908	2000	5000	10000000	

| ◀ | ▶ | 銷售業績 | Sheet2 | Sheet3 | ⊕ | ⋮ | ◀ | ▶ |

— 所有的記錄以「總金額」由小至大依序排列

0-3-2 資料篩選

「資料篩選」功能為將使用者所指定的資料，依照符合規定的清單過濾，並顯示於工作表上，不符合的資料則隱藏於幕後，篩選的方式有兩種：

↗ **自動篩選**：選取要篩選的儲存格清單，並點選「資料 / 篩選」工具鈕，接著直接點選欄位旁的「展開鈕」，由下拉清單中選擇篩選條件，可使用一個或多個欄位來進行篩選，可將結果顯示在原工作表上。

↗ **進階篩選**：選取要篩選的儲存格清單，並點選「資料 / 進階」工具鈕，在「進階篩選」視窗中，可以設定「資料範圍」來指定資料清單的範圍，與「準則範

圍」來指定「篩選條件區」的範圍，結果可顯示在原工作表或其他工作表上，適用於較複雜的篩選動作。

現在請重新開啟範例檔示範自動篩選功能：

 範例 **自動篩選功能**（檔名：軟體銷售.xlsx）

Step 01

❷ 點選「資料 / 篩選」工具鈕

❶ 將作用儲存格移入資料欄位內或選取作用範圍

Step 02

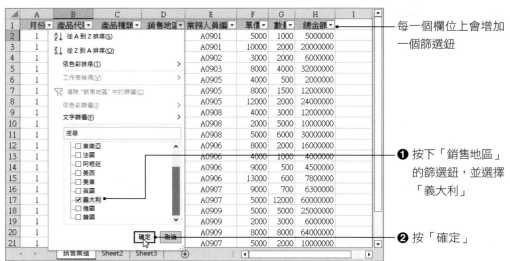

每一個欄位上會增加一個篩選鈕

❶ 按下「銷售地區」的篩選鈕，並選擇「義大利」

❷ 按「確定」

<u>Step</u> **03**

只列出「義大利」
的銷售記錄，而隱
藏其他的記錄

有執行篩選的篩選鈕會變成有「漏斗」圖示的圖樣

　　當每個欄位建立自動篩選鈕時，您可以同時設定多個欄位來進行篩選，這些不同欄位的篩選條件會以「交集」的方式來過濾資料記錄。例如，您可以找出「A0906 人員銷售的繪圖軟體」的銷售記錄：

可同時使用多個篩選
條件

0-4 認識圖表功能

　　只有單純的數值資料並不能表達彼此間的關係，所謂：「文不如圖，圖不如表。」透過圖表的呈現要比只使用數字更具說服力。而 Excel 的圖表功能，能夠把工作表上的數據資料輕易地製作成專業圖表，讓使用者更能輕易辨別資料間的差異性，可以說是結合「數據資料」與「圖形比較」的表現方式。

0-4-1 圖表元件介紹

　　首先工作表中必須輸入資料數據才能建立圖表，接著執行「插入 / 圖表」功能區塊，啟動「圖表精靈」視窗即可繪製圖表。Excel 提供了如長條圖、橫條圖、折線圖等十四種圖形。首先來介紹圖表的各種組成元件：

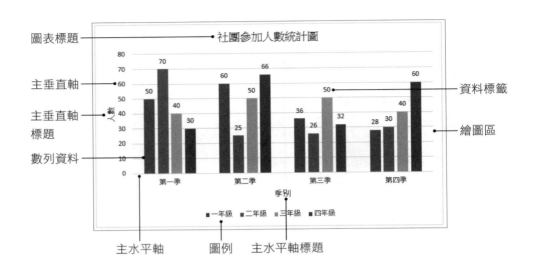

圖表元件	功能
圖表區	整張圖表範圍。
圖表標題	顯示圖表的名稱。
主垂直軸	顯示資料數值的座標軸。
主水平軸	顯示資料類別的座標軸。
資料標籤	標示數列的數值內容，或同時顯示數列的類別名稱。
圖例	用來辨識圖表中資料數列或類別圖樣。
繪圖區	顯示圖表的背景顏色及樣式。

0-4-2 圖表的建立

現在請開啟範例檔來實作一份簡易的長條圖圖表：

 建立圖表（檔名：社團人數統計.xlsx）

Step 01

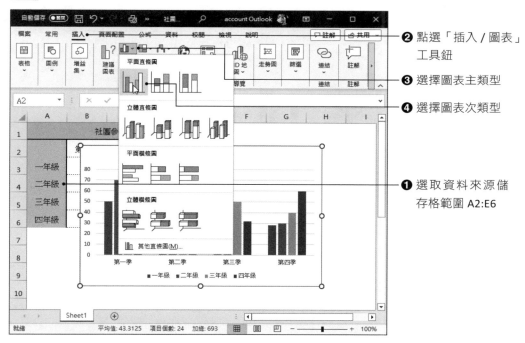

❷ 點選「插入/圖表」工具鈕

❸ 選擇圖表主類型

❹ 選擇圖表次類型

❶ 選取資料來源儲存格範圍 A2:E6

Step 02

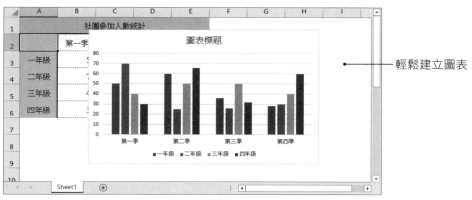

輕鬆建立圖表

0-4-3　圖表的編輯

　　當圖表建立後，使用者可以針對各組成元件的字型大小、配色、文字內容等屬性，來改變系統預設的狀態。當編輯圖表各元件屬性時，只要在該元件上按滑鼠右鍵，即能啟動該元件的對應設定工具列與指令快顯清單。例如在「圖表標題」元件上按滑鼠右鍵一下，即可開啟「文字格式設定」工具列與指令快顯清單：

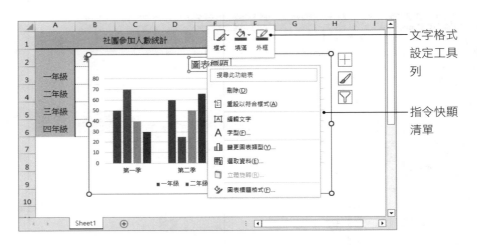

文字格式設定工具列

指令快顯清單

Tips　Excel 中資料來源與圖表之間的互動性是相當高的。當圖表建立完成後，如果修改資料來源儲存格中的數據，圖表本身會立即改變以符合目前最新的資料數據。

0-4-4　樞紐分析表簡介

　　樞紐分析表就是依照使用者的需求而製作的互動式資料表，可以藉由樞紐分析表中的欄位改變，得到不同的檢視結果。也就是一種動態圖的檢視效果。例如主管要一份今年 3-5 月的產品銷售金額統計表，並可依所銷售區域來做分類查詢，這就是一份樞紐分析表。

樞紐分析表是由四種元件組成，分別為欄標籤、列標籤、值及報表篩選，如下圖所示：

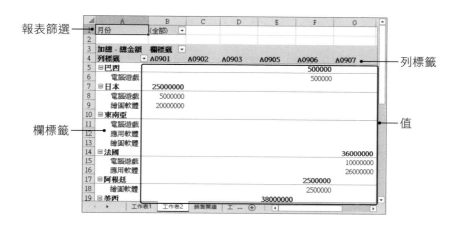

↗ **欄標籤與列標籤**：通常為使用者用來查詢資料的主要根據。

↗ **值**：由欄與列交叉產生的儲存格內容，即顯示資料的欄位。

↗ **報表篩選**：並非樞紐分析表必要的組成元件，可自由設定想查看的區域或範圍。

樞紐分析表的建立相當簡單，只要點選「插入／樞紐分析表」工具鈕並進行資料欄位與內容的設定即可完成。不過要建立樞紐分析表之前，必須先瞭解資料分析的依據與詳盡規劃所要建立的表格內容。

<樞紐分析表範例圖>

Q&A 學習評量

是非題

( ) 1. 當啟動 Excel 軟體後,會自動開啟一個新檔案,稱之為「活頁簿」。

( ) 2. 工作表皆是由「直欄」與「橫列」交錯所產生的「儲存格」組成。

( ) 3. 被選取的儲存格稱為「名稱方塊」。

( ) 4. 若要恢復顯示功能區,只需將滑鼠移到功能區標籤,按下滑鼠右鍵,重新執行「最小化功能區」指令。

( ) 5. 當資料內容輸入完畢,即按下 Enter 鍵完成輸入,狀態列上的字樣也會轉變為「輸入」。

( ) 6.「作用儲存格」下方有一個小方點稱為「填滿控點」。

( ) 7. Excel 中可設定超過三個以上的排序層級。

( ) 8.「資料篩選」功能為將使用者所指定的資料,依照符合規定的清單過濾,並顯示於工作表上,不符合的資料則隱藏於幕後。

( ) 9. 樞紐分析表就是依照使用者的需求而製作的互動式資料表。

( )10. 樞紐分析表是由四種元件組成,分別為欄標籤、列標籤、值及報表篩選。

選擇題

( ) 1. Excel 具備的基本功能不包括?

    (A) 電子試算表   (B) 統計圖表   (C) 資料分析   (D) 圖形建模

( ) 2. 當作用範圍不是相鄰區域時,可同時按住哪一個鍵來一一選取?

    (A) Ctrl   (B) Shift   (C) Alt   (D) Caps Lock

( ) 3. 關於儲存格選取功能，哪一項操作不正確？

(A) 如果是單一儲存格，則直接以滑鼠點選即可

(B) 按滑鼠左鍵，在欄號上拖曳可以全欄選取

(C) 以滑鼠按下工作表左上方的「全選鈕」可以選取整張工作表

(D) 先選取第一個儲存格，再按 Ctrl 鍵來選取此相鄰區域的最後一個儲存格

( ) 4. 常數型態的資料內容不包括何種資料型態？

(A) 文字　　　　　　(B) 公式　　　　　　(C) 日期　　　　　　(D) 數值

( ) 5. 下列哪一個組合鍵可以在儲存格中輸入今天的日期？

(A) Ctrl + Shift + P　　　　　　　　(B) Ctrl + ;

(C) Ctrl + P　　　　　　　　　　　(D) Ctrl + Shift + ;

( ) 6. 儲存格中不論是輸入公式或函數，都必須以什麼符號為開始？

(A) =　　　　　　　(B) +　　　　　　　(C) -　　　　　　　(D) /

( ) 7. 在 Excel 中，要選取類似矩形區域的相鄰儲存格，先選取第一個儲存格，再按哪一個鍵來選取此相鄰區域的最後一個儲存格？

(A) Shift　　　　　(B) Alt　　　　　(C) Ctrl　　　　　(D) Esc

( ) 8. 第一次於儲存格上輸入資料時，狀態列上會顯示下列何者？

(A) 編輯　　　　　(B) 就　　　　　(C) 修改　　　　　(D) 輸入

( ) 9. 下列何者是合法的日期輸入格式？

(A) 2016-2-11　　(B) 2016/2/11　　(C) 16_2_11　　(D) 16/02/11

( )10. 關於工作表的敘述，下列哪些正確？（複選）

(A) 預設開新檔案時，會於活頁簿顯示預設工作表

(B) 工作表內包含多個儲存格

(C) 工作表的預設名稱為工作表 1、工作表 2、工作表 3…等

(D) 工作表切換鈕可用來切換活頁簿內的工作表標籤

問答題

1. Excel 具備哪三種基本功能？

2. 簡述 Excel 活頁簿與工作表的組成及特點。

3. 填入下表中儲存格移動方式。

輸入鍵	儲存格方式
	往下移動一格
	往右移動一格
	往左移動一格
	往上動一格

4. 按 Delete 鍵與執行「常用 / 清除 / 全部清除」指令，這兩者清除指令有何不同？

5. 工作表中的儲存格內容有哪些選取方法？

6. 在 Excel 儲存格中能夠輸入的資料型態有哪兩大類？

7. 請說明儲存格有哪三種參照位址的方式？

8. 請說明下列函數的作用：

    Sum：

    Average：

    Max：

    Min：

    Count：

9. 請填入下列名稱：

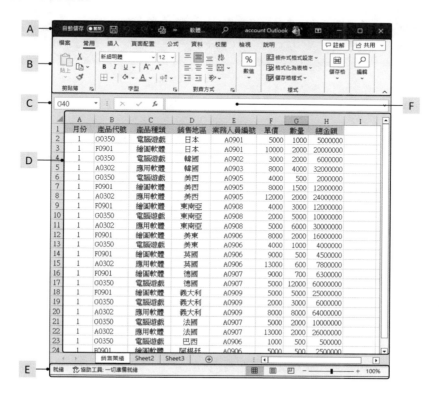

10. Excel 的公式形式可以分為哪三種？

11. 試舉出至少五種 Excel 的函數類別？

12. 函數的輸入方法有哪兩種？

13. 自動填滿的方式有哪四種？

14. 要在儲存格輸入 99 年 2 月 5 日，若要以西元表示應輸入？若是民國則要輸入？

15. 請舉出結束 Excel 程式的三種方式。

16. 在儲存格輸入數值，其預設的對齊方式為何？

17. 如何將儲存格內容清除，使其呈現空白的狀態？

18. 試著將儲存格的數值格式，變更成小數位數為 0 的貨幣格式。

現代人的生活可以說跟數字息息相關，我們幾乎每天都必須處理更多的數字資料與金融資訊。從公司計算利潤與損失的財務報表、會計處理大量的資產負債表，個人支票簿帳號管理、家庭預算的計畫與學生成績的統計等。

所謂的「試算表」（Spreadsheet），是一種表格化的計算軟體，它能夠以行和列

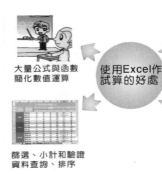

大量公式與函數
簡化數值運算

使用Excel作
試算的好處

進行繁雜的
資料計算

篩選、小計和驗證
資料查詢、排序

豐富圖表有
助統計分析

的格式儲存大量資料，並藉著輸入到表格中的資料，幫助使用者進行繁雜的資料計算和統計分析，以製作各種複雜的電子試算表文件。

至於 Excel 365 則是目前最流行的商用試算表軟體，透過它可以進行資料分析、排序、統計、圖表建立等功能。在日常生活、學校課業、甚至連商業上的應用也處處可見。簡單來說，具備以下三點特色：

▲ 豐富的圖表能力

Excel 擁有各式各樣的彩色化圖表類型，能夠讓您在不同的情境中，使用正確類型的圖表來表達數值的意義，達到易於分析各種數值的能力。例如提供各式的統計圖表，可以讓工作表中的資料轉換成統計圖表，不必再像傳統的人工試算表需要另外繪製。

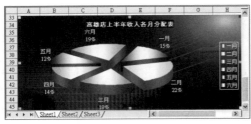
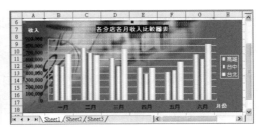

< 精美的圖表功能 >

▲ 智慧型的數字處理能力

Excel 有著公式與函數的輔助處理能力，能將數字運算的過程簡化，並且提供自然語言輸入的功能，讓流程更人性化。

▲ 資料庫的管理

試算表軟體也提供了簡單的資料庫管理，可以讓使用者對輸入的資料作查詢、排序、篩選、小計和驗證的功能，尤其是面對大量的資料時，特別的方便。

本篇的主要目的在說明 Excel 的基本功能，並藉由企業組織內部的日常勤務相關報表的建立與管理，來帶領讀者循序漸進學會各種入門操作模式。

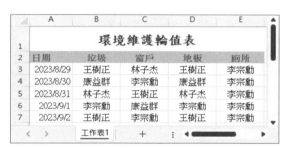 

<輪值表與員工成績查詢表>

<業績績效獎金與員工請假樞紐分析表>

<第一季員工考績表與年度員工考績表>

辦公室員工輪值表

- 如何輸入資料儲存格
- 調整欄寬與欄高
- 自動完成輸入
- 清單輸入
- 儲存格格式設定
- 檔案搜尋
- 檔案儲存與開啟

本章簡介

舉凡學校、公家機關或是一般企業，甚至家庭都需要不同形式的輪值表。而不管是哪一種輪值表，使用表格是最好的表現方式，雖然使用 Microsoft Word 也可以用來製作表格，但是單就輸入資料這方面，就不像 Excel 這麼方便。Excel 的清單選項、填滿控點、自動完成等功能，都是 Word 無法達到的。因此使用 Excel 來製作輪值表實在是最方便不過的事！本章中，將以「環境維護輪值表」為例，為使用者一一說明 Excel 365 中的基本功能。

在製作環境維護輪值表的過程中，將學會如何在工作表中輸入資料、利用填滿控點、自動完成功能及複製熱鍵的使用，讓使用者不費吹灰之力，輕鬆完成表格資料的輸入，並學習在工作表建立之後如何來美化儲存格、儲存檔案或開啟舊檔，以及列印輪值表等等，讓使用者在製作的過程中，自然而然的學習到 Excel 許多不同的技巧。

範例成果

	A	B	C	D	E
1	環境維護輪值表				
2	日期	垃圾	窗戶	地板	廁所
3	2023/8/29	王樹正	林子杰	王樹正	李宗勳
4	2023/8/30	康益群	李宗勳	康益群	李宗勳
5	2023/8/31	林子杰	王樹正	林子杰	李宗勳
6	2023/9/1	李宗勳	康益群	李宗勳	李宗勳
7	2023/9/2	王樹正	李宗勳	王樹正	李宗勳

工作表1 +

1-1 建立輪值表

環境維護輪值表的工作內容，不外乎是「日期」、「人員」、「工作區域」等項目，只要設定好資料欄位位置後，直接在空白活頁簿中輸入文字資料並利用自動填滿、清單等功能，即可快速建立起一個輪值表。

1-1-1 在儲存格中輸入資料

首先請在 Windows 作業系統的開始功表中開啟 Excel 程式視窗。從開啟的空白活頁簿檔案中，直接將滑鼠移到要放置文字資料的儲存格上方，按一下滑鼠左鍵，即可選取此儲存格成為作用儲存格，並開始輸入資料。

範例 在儲存格中輸入資料

<u>Step</u> **01**

─── 在 **A1** 儲存格上按一下滑鼠左鍵

─── 顯示工作表現在處於「就緒」狀態

<u>Step</u> **02**

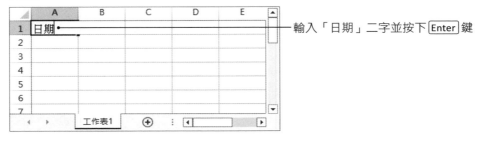

─── 輸入「日期」二字並按下 Enter 鍵

<u>Step</u> 03

在 B1、C1、D1、E1 儲存格中依序輸入「垃圾」、「門窗」、「地板」及「廁所」等字

現在已經學會如何輸入文字於儲存格中了，接下來就來看看如何修改儲存格中的資料。

1-1-2 修改儲存格中的文字

使用者在輸入資料時，如果發現輸入錯誤，只要使用鍵盤上的方向鍵，移動插入點到錯誤的字元後按下 [Backspace] 鍵，或是在錯誤字元前按下 [Delete] 鍵，就可刪除原有的文字了；若要增加字元，只要直接將插入點移至適當位置，再輸入文字即可。如果使用者在輸入資料後，也就是儲存格處於「就緒」狀態時，只要點選錯誤字元的儲存格，並將插入點移至錯誤字元或需要增加字元處，即可進行刪除或增加字元的動作。

 修改儲存格文字（檔名：輪值表-01.xlsx）

<u>Step</u> 01

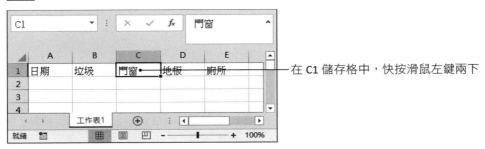

在 C1 儲存格中，快按滑鼠左鍵兩下

Step. 02

將插入點移至「門」字之前,並按下 Delete 鍵

Step. 03

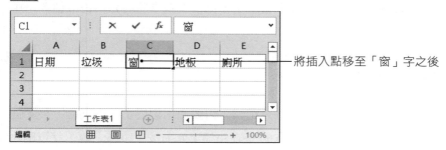

將插入點移至「窗」字之後

Step. 04

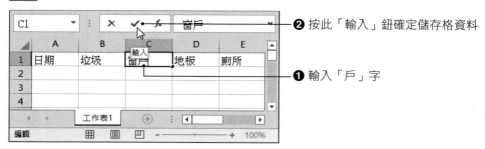

❷ 按此「輸入」鈕確定儲存格資料

❶ 輸入「戶」字

Step. 05

修改完成後儲存格處於「就緒」狀態了!

　　如果想將儲存格中的資料全部刪除，只要在儲存格上按一下滑鼠左鍵，並按下 Delete 鍵，就可將儲存格中的資料全部刪除。

1-1-3　應用填滿控點功能

　　現在已經將工作表中的標題欄位設定完成，接下來就是輸入每個欄位的資料，雖然使用者可以慢慢的將文字資料 Key-in 到工作表中，但是 Excel 提供了一個更好更快的「填滿控點」功能，能夠省去資料輸入時間。接下來，將延續上述範例來說明。

 使用填滿控點（檔名：輪值表-01.xlsx）

<u>Step.</u>01

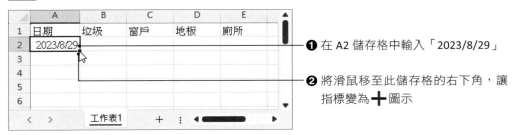

❶ 在 A2 儲存格中輸入「2023/8/29」

❷ 將滑鼠移至此儲存格的右下角，讓指標變為 ➕ 圖示

<u>Step.</u>02

按住滑鼠左鍵往下拖曳至適當位置後，放開滑鼠左鍵

在拖曳時，指標會出現該儲存格的說明標籤

<u>Step</u>、**03**

────────── 自動填滿 A3 至 A6 儲存格資料了！

使用填滿控點後，會在選取範圍的右下角出現 ▦ 自動填滿智慧標籤，可按下此鈕來變更格式。如下圖所示：

1-1-4 運用清單功能

輸入日期資料後，接著請開始輸入每個區域的環境維護人員名字。由於每一個員工會負責不同的工作或是日期，所以可以利用「清單」功能來直接選取人員名稱即可。接下來將延續上述範例來說明，首先請在此範例中依序在 B2、B3、B4 及 B5 中，輸入四個不同的環境維護人員名稱。

範例 **使用清單功能選取**（檔名：輪值表-01.xlsx）

Step. 01

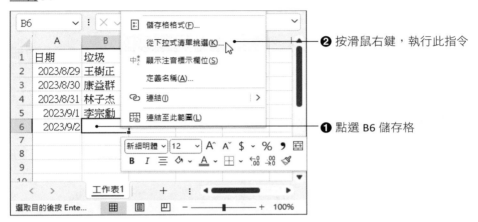

❷ 按滑鼠右鍵，執行此指令

❶ 點選 B6 儲存格

Step. 02

看！出現可選擇的清單，請選擇人員名字

Step. 03

所選取資料已經出現於儲存格中！

　　請注意！清單只會顯示同一個欄位曾經輸入的資料，供使用者選取，至於同一列曾輸入資料則不會顯示在清單中。

1-1-5　使用自動完成功能

　　除了使用清單來選取人員名字外，Excel 還提供了自動完成功能，讓使用者能夠簡化輸入動作。接著延續上述範例來說明。

 使用自動完成簡化輸入（檔名：輪值表-01.xlsx）

<u>Step</u> **01**

━━ 在 C6 儲存格上，快按滑鼠左鍵兩下，並輸入「李」字

<u>Step</u> **02**

━━ 立即填入曾經輸入資料的剩餘字元！

　　按下 Enter 鍵可將提示的文字資料存入儲存格中。若不是使用者想要的文字資料，只要繼續輸入即可。

1-1-6　複製儲存格

　　雖然自動完成功能會自動幫使用者輸入剩餘的字元，但是如果有名字類似的人，就比較麻煩了！這時使用者就可運用複製儲存格的功能，直接複製到另一個儲存格，而不需輸入任何字。接著延續上述範例來說明。

 複製儲存格（檔名：輪值表-01.xlsx）

<u>Step</u> 01

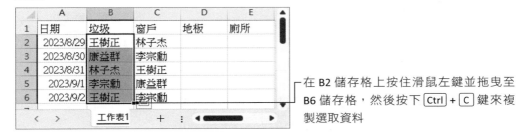

在 B2 儲存格上按住滑鼠左鍵並拖曳至 B6 儲存格，然後按下 Ctrl + C 鍵來複製選取資料

<u>Step</u> 02

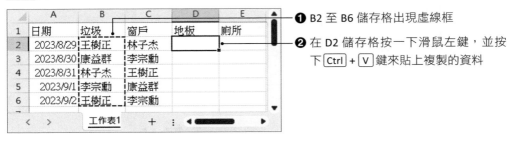

❶ B2 至 B6 儲存格出現虛線框

❷ 在 D2 儲存格按一下滑鼠左鍵，並按下 Ctrl + V 鍵來貼上複製的資料

　　除了使用快速鍵外，亦可在選取資料後，點選「常用」標籤中的「複製」鈕來複製選取資料，再點選放置的儲存格後，按下「常用」標籤中的「貼上」鈕來將複製的資料貼入儲存格中。

貼上儲存格資料後，可在貼上的儲存格右下方，看到「貼上標籤」 🗐(Ctrl)▾ 選項，可按下此智慧標籤，選擇貼上資料的方式。如下圖所示：

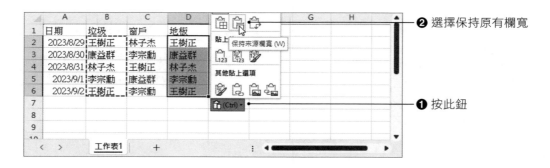

如果原來的儲存格欄寬比要貼上的儲存格欄寬大時，就可選擇「保持來源欄寬」，使貼上的欄寬加大，避免儲存格不能顯示完整資料。

1-2 輪值表格式化

輸入完工作表的資料內容後,如果覺得輪值表過於單調,不妨幫輪值表加上一些變化及色彩吧! Excel 提供了儲存格格式化的功能,不論使用者想要對儲存格進行字型、顏色、字體大小或背景變化,都可以在「儲存格格式」對話視窗中進行設定。

1-2-1 加入輪值表標題

輪值表內容已經輸入完成了,接下來當然要幫輪值表加上一個標題,才不會使輪值表看起來過於單薄。

 加入標題(檔名:輪值表-02.xlsx)

Step 01

❶ 選取第 1、2 列

❷ 由「常用」標籤按下「插入」鈕,再執行此指令

Step. 02

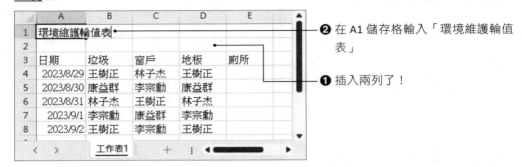

❷ 在 A1 儲存格輸入「環境維護輪值表」

❶ 插入兩列了！

Step. 03

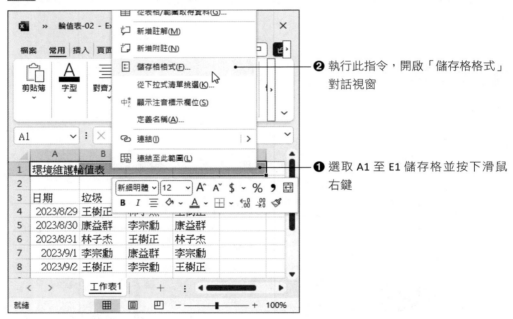

❷ 執行此指令，開啟「儲存格格式」對話視窗

❶ 選取 A1 至 E1 儲存格並按下滑鼠右鍵

Step 04

❶ 切換至「對齊方式」標籤

❷ 按此下拉鈕並選擇「置中對齊」

❸ 勾選此「合併儲存格」項

❹ 按此鈕確定

Step 05

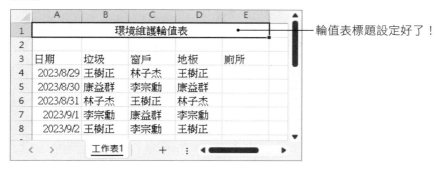

輪值表標題設定好了！

在使用「插入」指令時，若選取的並非一整欄或一整列，則會出現插入對話視窗，如右圖：

由此可讓使用者選擇將選取的儲存格直接往右移動、往下移、或是將選取儲存格整列的往下移動、整欄往右移動。

1-2-2　變化標題字型與背景顏色

雖然已經幫輪值表加上標題，但整個標題看起來還是不夠亮眼，讓我們再來變換一下輪值表標題的字型與背景顏色吧！在此延續上述範例來做說明。

範例 **改變標題字型與背景顏色**（檔名：輪值表-02.xlsx）

Step 01

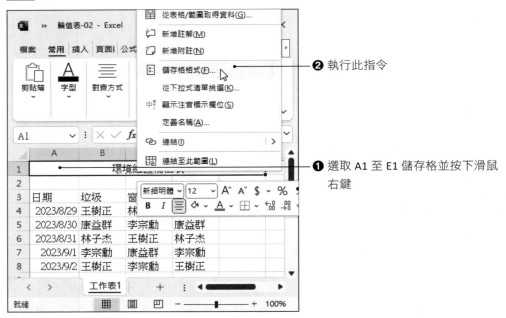

❷ 執行此指令

❶ 選取 A1 至 E1 儲存格並按下滑鼠右鍵

Step. 02

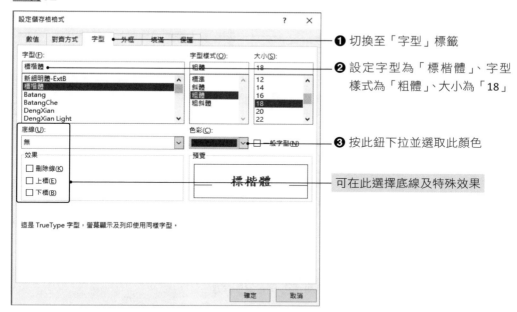

❶ 切換至「字型」標籤

❷ 設定字型為「標楷體」、字型
樣式為「粗體」、大小為「18」

❸ 按此鈕下拉並選取此顏色

可在此選擇底線及特殊效果

Step. 03

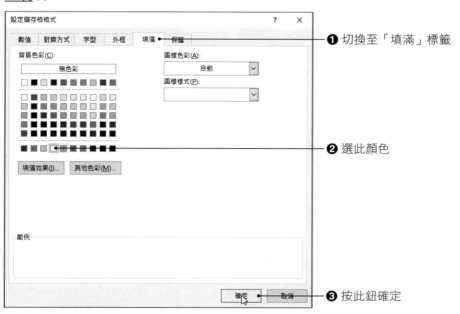

❶ 切換至「填滿」標籤

❷ 選此顏色

❸ 按此鈕確定

<u>Step</u>**04**

看，整個標題看起來都不一樣了！

　　讀者可以試著將輪值表變換字型大小、顏色及對齊方式，讓輪值表看起來更加美觀。

1-3 調整輪值表欄寬與列高

　　如果想要將儲存格調整成適當的欄寬與列高，只要直接將滑鼠指標移至欄位名稱或列位名稱間，等到指標變為 狀或 ✚ 狀後，即可拖曳欄寬或列高。

範例 **調整欄寬與列高**（檔名：輪值表-03.xlsx）

<u>Step</u>**01**

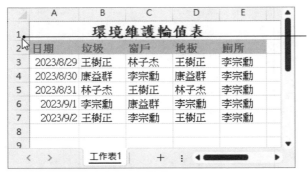

將滑鼠指標移至第 1 列與第 2 列間，
讓指標變為 ✚ 狀

<u>Step</u> 02

拖曳同時會顯示拖曳的高度及像素，
按住滑鼠左鍵，往下拖曳至適當位置

<u>Step</u> 03

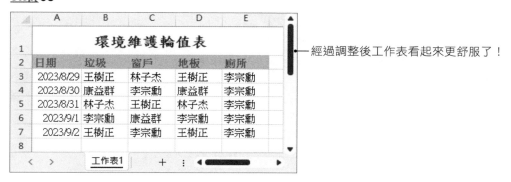

經過調整後工作表看起來更舒服了！

　　欄位的調整也是相同，等到滑鼠指標呈現 ✛ 狀，就可以滑鼠來拖曳欄位寬度了。

1-3-1 指定欄寬與列高

　　使用滑鼠來拖曳欄寬及列高雖然方便，但是如果要讓每一欄或列調整成一樣的寬度或高度，就有其困難度。這時就可使用指定方式來調整選取欄位或列位的寬度與高度。在此延續上述範例來做說明。

範例 **指定欄寬與列高**（檔名：輪值表-03.xlsx）

Step. 01

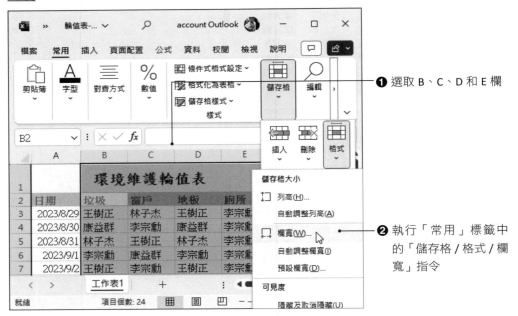

❶ 選取 B、C、D 和 E 欄

❷ 執行「常用」標籤中的「儲存格 / 格式 / 欄寬」指令

Step. 02

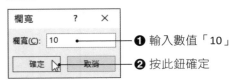

❶ 輸入數值「10」

❷ 按此鈕確定

Step. 03

❷ B、C、D 及 E 欄位變寬了！

❶ 在任一儲存格按一下滑鼠左鍵

至於列位的高度也是一樣，只要先選取好列，再由「常用」標籤執行「格式／列高」指令，並在列高對話視窗輸入適當數值即可。

1-4 儲存檔案與開啟檔案

建立好環境維護輪值表後，當然要儲存起來，下次要製作相同的表格時，只要開啟此檔案並加以修改即可。

1-4-1 第一次儲存檔案

如果是已經儲存過的檔案，只要按下快速存取工具列上的「儲存檔案」🖫 鈕，或者是點選「檔案」標籤後，執行「儲存檔案」指令即可儲存。如果此檔案為第一次存檔，Excel 就會顯示如下的視窗，按下「瀏覽」鈕，會開啟「另存新檔」對話視窗，讓使用者選擇儲存檔案的位置，如下圖：

Step.01

按「瀏覽」鈕

<u>Step</u> 02

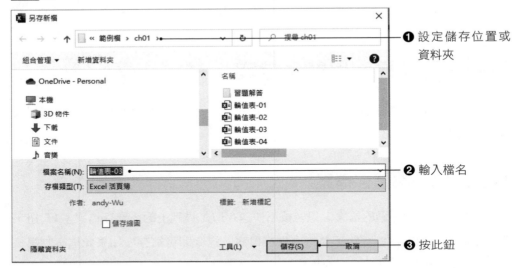

❶ 設定儲存位置或資料夾

❷ 輸入檔名

❸ 按此鈕

1-4-2　另存新檔

如果每個月份的環境維護輪值表都必須保留下來，只要將修改過的檔案儲存成另一個檔案即可。首先點選「檔案」標籤後，執行「另存新檔」指令，就會開啟「另存新檔」對話視窗，只要選好存放檔案的資料夾，輸入檔名：輪值表-04.xlsx，並按下「儲存」鈕就可以了！

1-4-3　開啟舊檔

當需要製作下一月份的環境維護輪值表時，只要點選「檔案」標籤後，執行「開啟舊檔」指令，可快速選取最近使用過的活頁簿。

由此可以快速選擇最近使用過的活頁簿

或是按下「這台電腦」鈕,再按下「瀏覽」鈕使開啟「開啟舊檔」對話視窗,然後依照存放位置來開啟資料夾及檔案。

Step、01

❶ 點選「這台電腦」

❷ 按下「瀏覽」鈕

<u>Step</u> 02

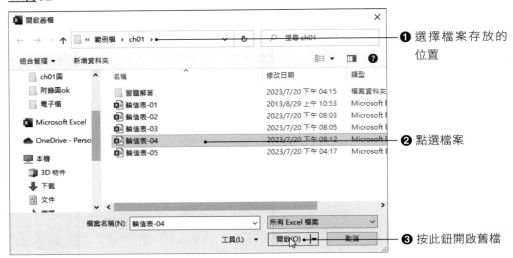

❶ 選擇檔案存放的位置

❷ 點選檔案

❸ 按此鈕開啟舊檔

<u>Step</u> 03

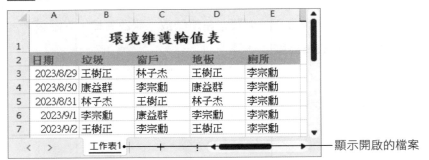

顯示開啟的檔案

1-5 列印環境維護輪值表

當建立好檔案之後，最主要的就是把檔案給列印出來，首先確定印表機是否開啟且與電腦連結。Excel 365 列印的功能隱藏在「檔案」標籤中，並把列印功能的對話方塊直接顯示在列印功能頁面中，使用起來更加方便。

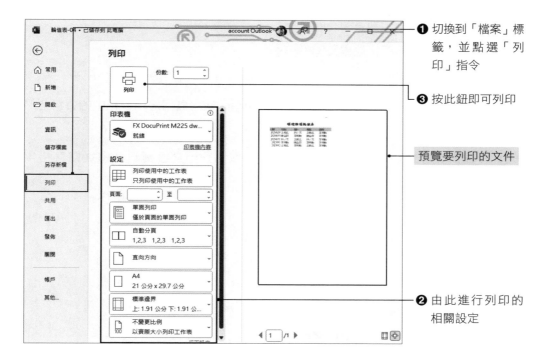

❶ 切換到「檔案」標籤，並點選「列印」指令

❸ 按此鈕即可列印

預覽要列印的文件

❷ 由此進行列印的相關設定

學習評量

是非題

( )　1. 當填滿控點呈現 ✛ 時，可拖曳複製儲存格。

( )　2. 清單可顯示同一列曾輸入的資料。

( )　3. 複製選取資料的快速鍵為 Ctrl + V 。

( )　4. 當滑鼠游標變為 ✛ 時，即可調整列高。

( )　5. 在儲存格上按一下滑鼠左鍵，並按下 Delete 鍵，就可將儲存格中的資料全部刪除。

( )　6. 輸入文字後，可在資料編輯列，按下取消鈕，文字資料就會從儲存格中消除。

選擇題

( )　1. 第一次於儲存格上輸入資料時，狀態列上會顯示下列何者？

　　　(A) 編輯　　　　　　(B) 就緒　　　　　　(C) 修改　　　　　　(D) 輸入

( )　2. 於儲存格上輸入資料後按 Enter 鍵，其用意與何按鈕相同？

　　　(A) ▥　　　　　　(B) ✔　　　　　　(C) ✗　　　　　　(D) ✛

( )　3. Excel 會在作業背景裡不斷地檢查同一欄中內容並自動顯示相符的部分，此功能稱為：

　　　(A) 自動完成　　　(B) 清單輸入　　　(C) 資料驗證　　　(D) 自動填滿

( )　4. 清單輸入功能乃是蒐集何處的資料來顯示於清單中？

　　　(A) 同欄位中的上下儲存格　　　　　(B) 同列中的左右儲存格

　　　(C) 不同欄位中的上下儲存格　　　　(D) 不同列中的左右儲存格

( )　5. 拖曳作用儲存格何處可快速複製資料內容？

　　　(A) 整個儲存格　　　(B) 外框線　　　(C) 填滿控點　　　(D) 儲存格內容

問答題

1. 請建立一個如右圖的家具展覽輪值表：

提示：(1) 首先建立標題「家具展覽輪值表」，此標題需要將 A1 至 E1 儲存格合併，再將此標題「置中」於儲存格中。

(2) 建立五個欄位，分別為「日期」、「展覽主持人」、「銷售人員」、「會計」及「送貨人員」，並將這些欄位的文字置中。

(3) 利用填滿控點方式將日期複製完畢。

(4) 在 B7 儲存格中，使用「清單」功能，填入「王華正」名字。

(5) 在 C7 儲存格中，使用「自動完成」功能，填入「蔡昌異」名字。

(6) 在 D3 儲存格輸入「蕭雅琴」，在 E3 儲存格中輸入「黃伯正」，最後以複製儲存格的方式將 D 欄及 E 欄的儲存格填寫完畢。

(7) 最後幫標題、文字及儲存格變換顏色。

2. 請開啟範例檔「輪值表-05.xlsx」，將其欄寬及列高調整至適當位置，並將所有儲存格格式變換成「置中對齊」模式，如右圖：

3. 如何變更欄寬為指定精確的欄寬大小，而不是用滑鼠拖曳的方式。

4. 在 Excel 中要插入儲存格，需要先選取一個儲存格或範圍，再叫出「插入」對話方塊，請問在這個對話方塊，有哪幾種插入的選項？

5. 如何用滑鼠調整適當欄寬與列高？

6. 如何將選取的多個儲存格合併為單一儲存格？

7. 如何指定工作表列印的紙張大小為 "A4"？

02 在職訓練成績計算、排名與查詢

學習重點

- 運用數列填滿輸入員工編號
- 自動加總
- 計算平均值
- 複製公式
- 使用 RANK.EQ() 函數與數列填滿來排名次
- 運用 VLOOKUP() 函數搜尋個人成績
- 以 COUNTIF() 函數計算合格與不合格人數

本章簡介

有些企業會定期舉行在職訓練,在訓練過程中通常會有測驗,藉此瞭解職員受訓的各種表現,因此不妨製作一個在職訓練成績計算表,來統計每個受訓員工的成績,藉以獎勵或懲罰職員。

製作在職訓練成績計算表過程中,將講解如何計算各項成績平均及總分計算,如何顯示出合格人數、名次排名,及查詢個人成績資料,讓管理者充分利用在職訓練成績計算表來做獎勵或處分的依據。

範例成果

	A	B	C	D	E	F	G	H	I	J
1	員工編號	員工姓名	電腦應用	英文對話	銷售策略	業務推廣	經營理念	總分	總平均	名次
2	910001	王楨珍	98	95	86	80	88	447	89.4	2
3	910002	郭佳琳	80	90	82	83	82	417	83.4	8
4	910003	葉千瑜	86	91	86	80	93	436	87.2	4
5	910004	郭佳華	89	93	89	87	96	454	90.8	1
6	910005	彭天慈	90	78	90	78	90	426	85.2	6
7	910006	曾雅琪	87	83	88	77	80	415	83	9
8	910007	王貞琇	80	70	90	93	96	429	85.8	5
9	910008	陳光輝	90	78	92	85	95	440	88	3
10	910009	林子杰	78	80	95	80	92	425	85	7
11	910010	李宗勳	60	58	83	40	70	311	62.2	12
12	910011	蔡昌洲	77	88	81	76	89	411	82.2	10
13	910012	何福謙	72	89	84	90	67	402	80.4	11

員工成績計算表　員工成績查詢

	A	B	C	D	E
1	請輸入員工編號：		910006		
3	查詢結果如下：				
4		員工姓名	曾雅琪	總分	415
5		電腦應用	87	平均	83
6		英文對話	83	名次	9
7		銷售策略	88		
8		業務推廣	77		
9		經營理念	80		
11	合格人數		12		
12	不合格人數		0		

員工成績查詢

2-1 以填滿方式輸入員工編號

　　規模大的公司中，可能會有同名同姓的人，所以需要以獨一無二的員工編號來協助判定員工。除了以拖曳填滿控點的方式來輸入員工編號外，還可以使用其他的方法快速完成。

 範例 運用填滿方式來填入員工編號（檔名：在職訓練-01.xlsx）

Step. 01

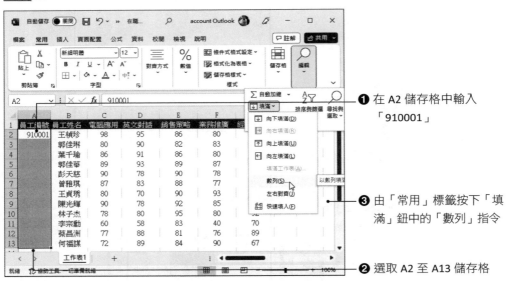

❶ 在 A2 儲存格中輸入「910001」

❸ 由「常用」標籤按下「填滿」鈕中的「數列」指令

❷ 選取 A2 至 A13 儲存格

Step. 02

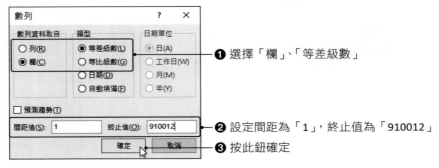

❶ 選擇「欄」、「等差級數」

❷ 設定間距為「1」，終止值為「910012」

❸ 按此鈕確定

<u>Step</u> 03

◢	A	B	C	D	E	F	G
1	員工編號	員工姓名	電腦應用	英文對話	銷售策略	業務推廣	經營理念
2	910001	王楨珍	98	95	86	80	88
3	910002	郭佳琳	80	90	82	83	82
4	910003	葉千瑜	86	91	86	80	93
5	910004	郭佳華	89	93	89	87	96
6	910005	彭天慈	90	78	90	78	90
7	910006	曾雅琪	87	83	88	77	80
8	910007	王貞琇	80	70	90	93	96
9	910008	陳光輝	90	78	92	85	95
10	910009	林子杰	78	80	95	80	92
11	910010	李宗勳	60	58	83	40	70
12	910011	蔡昌洲	77	88	81	76	89
13	910012	何福謙	72	89	84	90	67

工作表1 ⊕

> 已經依照間距設定，自
> 動填滿員工編號了！

在數列對話視窗中，還可設定資料選取自「列」或是「欄」、類型、日期單位、間距值與終止值等功能。如下圖：

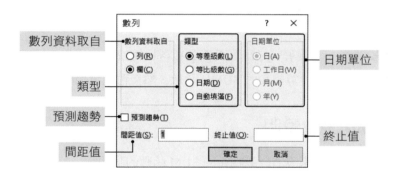

- ↗ **數列資料取自**：可在此選擇資料是選取自「欄」或「列」，依照選取的欄或列來決定資料的來源。

- ↗ **類型**：分別為「等差級數」、「等比級數」、「日期」及「自動填滿」四種類型。

名稱	說明
等差級數	以等差級數方式來增加數值或減少數值。
等比級數	以等比級數方式來增加數值或減少數值。
日期	如果勾選此項，則「日期單位」選項作進一步選擇。
自動填滿	由 Excel 自動填滿選取的儲存格。

↗ **日期單位**：分別為「日」、「工作日」、「月」及「年」。Excel 會依照選取的日期單位來增加或減少日期數值。例如在此選取「月」，Excel 就會依照比例增加或減少月份的數值。

↗ **預測趨勢**：如果勾選此項，Excel 會自動填入預測儲存格的數值。

↗ **間距值**：在此填入使用者想要的間距值，此間距值需為數值，可為正數或負數。如果填入正數，則會依照比例來增加儲存格數值；如果為負數，則會依照比例來減少儲存格數值。

↗ **終止值**：可設定終止值，不論選取範圍多大，填入的數值會到此終止值為止。

只要在此設定好數列方式，以後只要直接在填滿控點智慧標籤中選擇「以數列方式填滿」，就會依照此數列方式來進行填滿動作。

2-2 計算總成績

輸入員工編號後，緊接著就是計算員工各項科目總成績，用來瞭解誰是綜合成績最佳的員工。首先說明計算總和的 SUM() 函數，然後再以實例講解。

2-2-1 SUM() 函數說明

計算總成績前，首先來看看計算總和的 SUM 函數的語法。

▌**SUM() 函數**

語法：SUM(number1,number2)

說明：函數中 number1 及 number2 代表來源資料的範圍。

例如：SUM(A1:A10) 即表示從 A1+A2+A3... 至 +A10 為止。

2-2-2 計算員工總成績

在瞭解 SUM() 函數後，接下來將延續上述範例來繼續說明如何計算員工總成績。

 範例 **以自動加總計算總成績**（檔名：在職訓練-01.xlsx）

<u>Step</u> 01

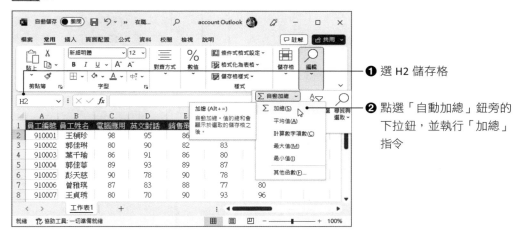

❶ 選 H2 儲存格

❷ 點選「自動加總」鈕旁的下拉鈕，並執行「加總」指令

<u>Step</u> 02

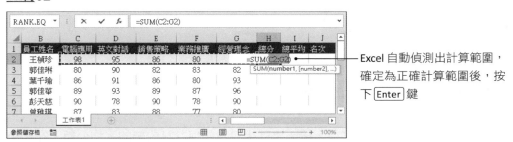

Excel 自動偵測出計算範圍，確定為正確計算範圍後，按下 Enter 鍵

<u>Step</u> 03

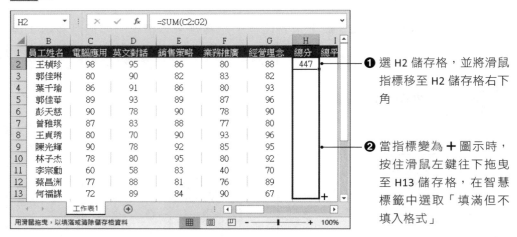

❶ 選 H2 儲存格，並將滑鼠指標移至 H2 儲存格右下角

❷ 當指標變為 ➕ 圖示時，按住滑鼠左鍵往下拖曳至 H13 儲存格，在智慧標籤中選取「填滿但不填入格式」

<u>Step</u> 04

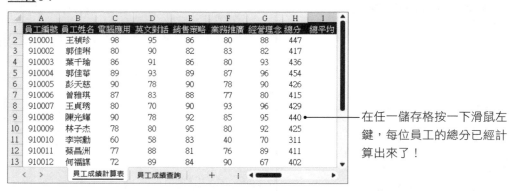

在任一儲存格按一下滑鼠左鍵，每位員工的總分已經計算出來了！

2-3　員工成績平均分數

計算出員工的總成績之後，接下來就來看看如何計算成績的平均分數。在此小節中，將先說明計算平均成績的 AVERAGE() 函數，然後再以實例講解。

2-3-1 AVERAGE() 函數說明

在計算平均成績前，先來看看計算平均分數的 AVERAGE() 函數。以下為 AVERAGE() 函數說明。

▶ **AVERAGE() 函數**

語法：AVERAGE(number1,number2)

說明：函數中 number1 及 number2 引數代表來源資料的範圍，Excel 會自動計算總共有幾個數值，在加總之後再除以計算出來的數值單位。

2-3-2 計算員工成績平均

使用 AVERAGE() 函數與使用 SUM() 函數的方法雷同，只要先選取好儲存格，再按下 Σ▾ 自動加總鈕並執行「平均」指令即可。以下將延續上一節範例來說明。

範例 **計算成績平均**（檔名：在職訓練-01.xlsx）

Step 01

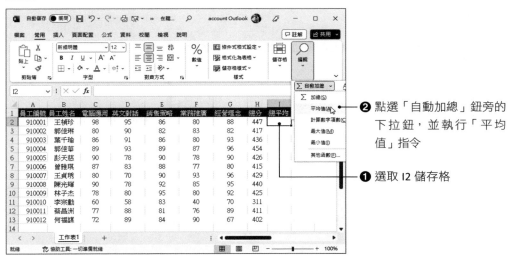

❷ 點選「自動加總」鈕旁的下拉鈕，並執行「平均值」指令

❶ 選取 I2 儲存格

<u>Step</u>, **02**

將 AVERAGE 函數中的資料範圍 (C2:H2) 改為 (C2:G2)，並按下 Enter 鍵

<u>Step</u>, **03**

❷ 按填滿控點智慧標籤鈕並點選「填滿但不填入格式」的選項

❶ 拖曳 I2 儲存格右下角的填滿控點至 I13 儲存格

<u>Step</u>, **04**

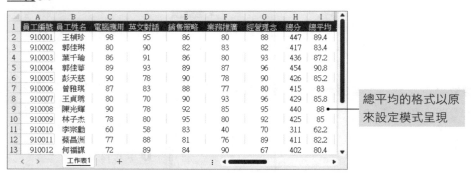

總平均的格式以原來設定模式呈現

只要善用填滿控點智慧標籤，所拖曳的儲存格就可以不同的方式呈現。

2-4 排列員工名次

知道了總成績與平均分數之後，接下來將瞭解員工名次的排列順序。在排列員工成績的順序時，可以運用 RANK.EQ() 函數來進行成績名次的排序。

2-4-1 RANK.EQ() 函數的說明

在排名次前，首先來看看排列順序的 RANK.EQ() 函數。

▶**RANK.EQ() 函數**

語法：RANK.EQ(number,ref,order)

說明：RANK.EQ() 函數功能主要是用來計算某一數值在清單中的順序等級。

以下表格為 RANK.EQ 函數中的引數說明。

引數名稱	說明
number	判斷順序的數值。
ref	判斷順序的參照位址，如果非數值則會被忽略。
order	用來指定排序的方式。如果輸入數值「0」或忽略，則以遞減方式排序；如果輸入數值非「0」，則以遞增的方式來進行排序。

2-4-2 排列員工成績名次

知道 RANK.EQ() 函數的意義之後，緊接著就以實例來說明。

範例 **排列員工成績名次**（ 檔名：在職訓練-01.xlsx ）

Step_01

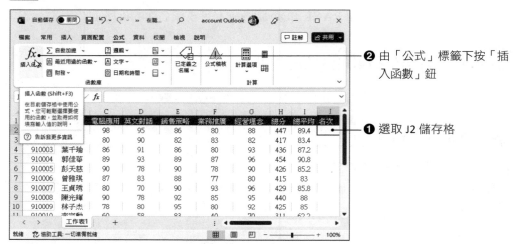

❷ 由「公式」標籤下按「插入函數」鈕

❶ 選取 J2 儲存格

Step_02

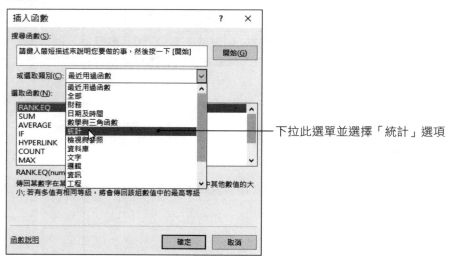

下拉此選單並選擇「統計」選項

<u>Step</u> 03

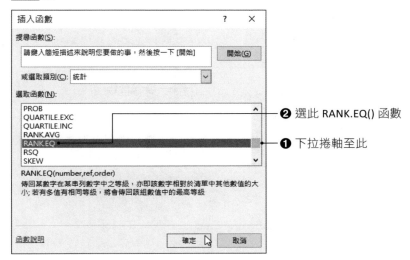

➋ 選此 RANK.EQ() 函數

➊ 下拉捲軸至此

<u>Step</u> 04

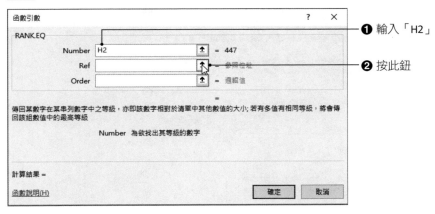

➊ 輸入「H2」

➋ 按此鈕

Step. 05

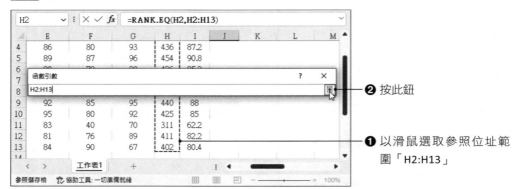

❷ 按此鈕

❶ 以滑鼠選取參照位址範圍「H2:H13」

Step. 06

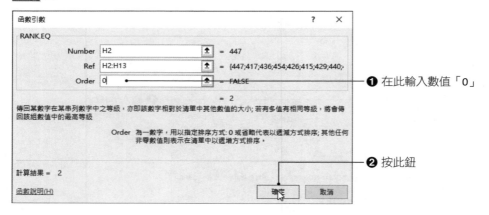

❶ 在此輸入數值「0」

❷ 按此鈕

Step. 07

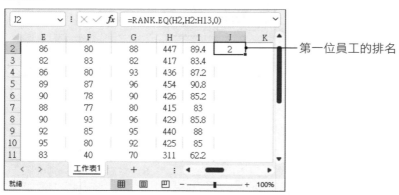

第一位員工的排名

Step. 08

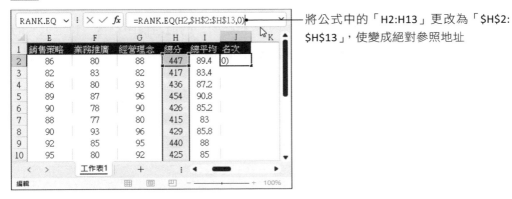

將公式中的「H2:H13」更改為「$H$2:$H$13」，使變成絕對參照地址

Step. 09

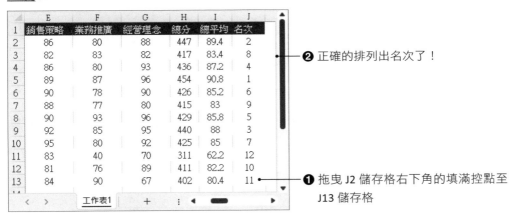

❷ 正確的排列出名次了！

❶ 拖曳 J2 儲存格右下角的填滿控點至 J13 儲存格

很簡單吧！不費吹灰之力就已經把在職訓練成績計算表的名次給排列出來了！

2-5 查詢員工成績

當建立好所有員工成績統計表後，為了方便查詢不同員工的成績，需要建立一個成績查詢表，讓使用者只要輸入員工編號後就可直接查詢到此員工的成績資料。

而在此查詢表中，需要運用到 VLOOKUP() 函數。因此在建立查詢表前，先來認識 VLOOKUP() 函數。

2-5-1　**VLOOKUP()** 函數說明

　　VLOOKUP() 函數是用來找出指定「資料範圍」的最左欄中符合「特定值」的資料，然後依據「索引值」傳回第幾個欄位的值。

▶ **VLOOKUP() 函數**

語法：VLOOKUP(lookup_value,table_array,col_index_num,range_lookup)

說明：以下表格為 VLOOKUP() 函數中的引數說明。

引數名稱	說明
lookup_value	搜尋資料的條件依據。
table_array	搜尋資料範圍。
col_index_num	指定傳回範圍中符合條件的那一欄。
range_lookup	此為邏輯值，如果設為 True 或省略，則會找出部分符合的值；如果設為 False，則會找出全符合的值。

　　看完 VLOOKUP() 函數的說明後，可能還是覺得一頭霧水。別擔心，以下將以舉例的方式，讓各位瞭解。

　　函數舉例：以下為各廠牌車子的價格：

	A	B	C
1	001	賓士	200 萬
2	002	BMW	190 萬
3	003	馬自達	80 萬
4	004	裕隆	60 萬

　　如果設定的 VLOOKUP() 函數為：

VLOOKUP(004,A1:C4,2,0)

在最左欄尋找 "004"　代表搜尋範圍　傳回第 2 欄資料　表示需找到完全符合的條件

　　所以此 VLOOKUP() 函數會傳回「裕隆」二字。

2-5-2 建立員工成績查詢表

認識了 VLOOKUP() 函數，請開啟範例檔「在職訓練-02.xlsx」。

範例 **建立員工成績查詢表**（檔名：在職訓練-02.xlsx）

Step. 01

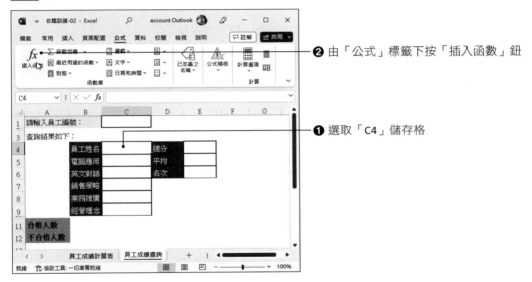

❷ 由「公式」標籤下按「插入函數」鈕

❶ 選取「C4」儲存格

Step. 02

下拉此鈕並選擇「查閱與參照」類別

Step, 03

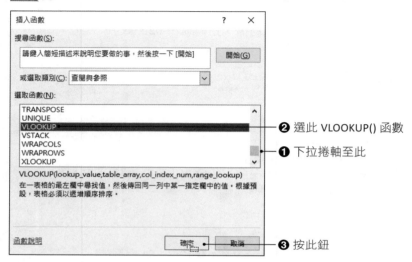

❷ 選此 VLOOKUP() 函數

❶ 下拉捲軸至此

❸ 按此鈕

Step, 04

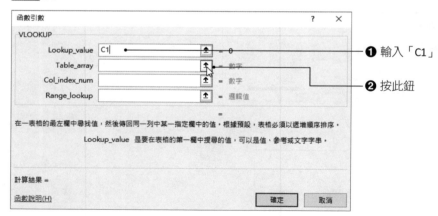

❶ 輸入「C1」

❷ 按此鈕

Step, 05

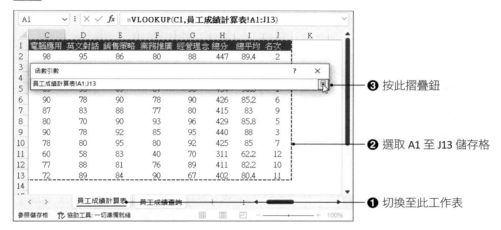

❸ 按此摺疊鈕

❷ 選取 A1 至 J13 儲存格

❶ 切換至此工作表

Step, 06

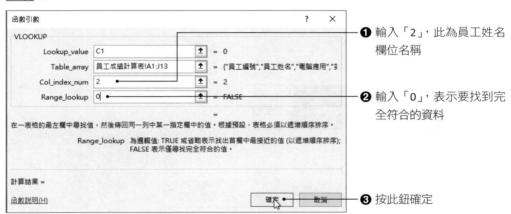

❶ 輸入「2」，此為員工姓名欄位名稱

❷ 輸入「0」，表示要找到完全符合的資料

❸ 按此鈕確定

Step, 07

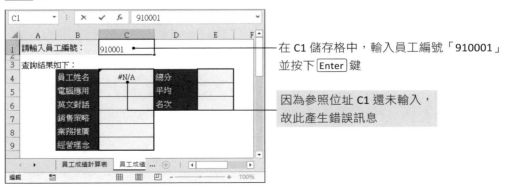

在 C1 儲存格中，輸入員工編號「910001」並按下 Enter 鍵

因為參照位址 C1 還未輸入，故此產生錯誤訊息

<u>Step</u>. **08**

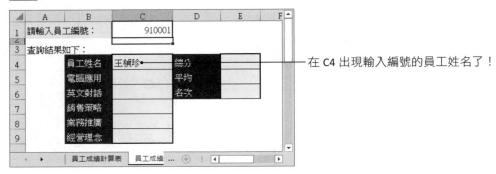

在 C4 出現輸入編號的員工姓名了！

接下來只要對照項目名稱，依序將 VLOOKUP() 函數中的「Col_index_num」引數值依照參照欄位位置改為 3、4、5.. 等即可。例如電腦應用在第 3 欄，就改為 VLOOKUP(C1, 員工成績計算表 !A1:J13,3,0) 即可。

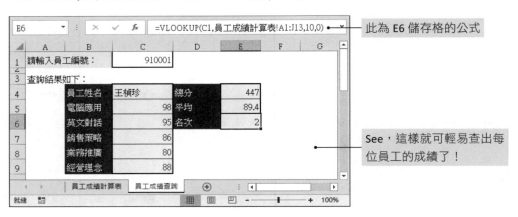

此為 E6 儲存格的公式

See，這樣就可輕易查出每位員工的成績了！

Tips 此範例完成結果，筆者儲存為範例檔「在職訓練-03.xlsx」，讀者可開啟並切換至「員工成績查詢」工作表參考核對。

2-6 計算合格與不合格人數

　　為了提供成績查詢更多的資料，接下來將在員工成績查詢工作表中加入合格與不合格的人數，讓查詢者瞭解與其他人的差距。在計算合格與不合格人數中，必須運用到 COUNTIF() 函數，所以首先將講解 COUNTIF() 函數的使用方法。

2-6-1 COUNTIF() 函數說明

　　COUNTIF() 函數功能主要是用來計算指定範圍內符合指定條件的儲存格數值。

▶ **COUNTIF() 函數**

語法：COUNTIF(range,criteria)

說明：以下表格為 COUNTIF() 函數中的引數說明。

引數名稱	說明
range	計算指定條件儲存格的範圍。
criteria	此為比較條件，可為數值、文字或是儲存格。如果直接點選儲存格則表示選取範圍中的資料必須與儲存格吻合；如果為數值或文字則必須加上雙引號來區別。

2-6-2 顯示成績合格與不合格人數

　　瞭解 COUNTIF() 函數之後，接下來就以實例來說明。請開啟範例檔「在職訓練-03.xlsx」。

範例 **顯示合格與不合格人數**（檔名：在職訓練-03.xlsx）

<u>Step.</u> 01

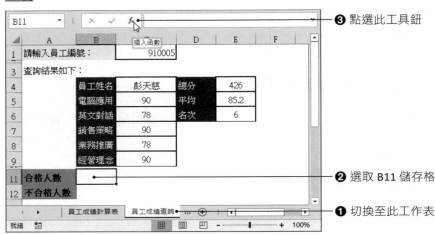

❸ 點選此工具鈕

❷ 選取 B11 儲存格

❶ 切換至此工作表

<u>Step.</u> 02

❶ 輸入「COUNTIF」

❷ 按此鈕開始搜尋

<u>Step</u> 03

❶ 搜尋到 COUNTIF() 函數

❷ 按此鈕

<u>Step</u> 04

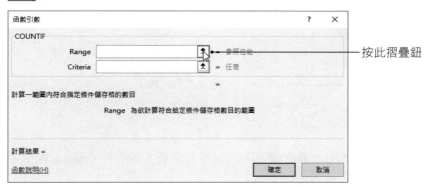

按此摺疊鈕

<u>Step</u> 05

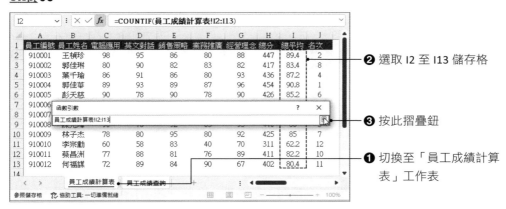

❷ 選取 I2 至 I13 儲存格

❸ 按此摺疊鈕

❶ 切換至「員工成績計算
　　表」工作表

Step. 06

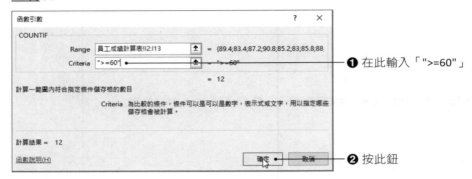

❶ 在此輸入「 ">=60" 」

❷ 按此鈕

Step. 07

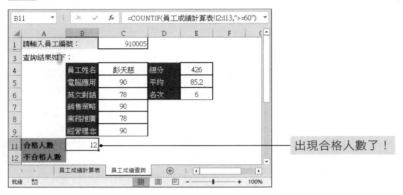

出現合格人數了！

　　至於不合格人數的作法與上述步驟雷同，只要在步驟 6 將引數 Criteria 欄位中的值改為「 "<60" 」，，即可。其成果如下圖：

　　如果使用者想看設定結果可直接開啟範例檔「在職訓練-04.xlsx」來觀看。

學習評量

是非題

(　) 1. RANK.EQ() 為統計類別的函數。

(　) 2. HLOOKUP() 函數是用來找出指定「資料範圍」的最左欄中符合「特定值」的資料，然後依據「索引值」傳回第幾個欄位的值。

(　) 3. 由「插入」標籤選擇「填滿／數列」指令，可開啟數列對話框。

(　) 4. SUM() 函數可用來求出數值的差數。

(　) 5. COUNTIF() 函數功能主要是用來計算指定範圍內符合指定條件的儲存格數值。

(　) 6. 在數列對話視窗中，還可設定資料選取自「列」或是「欄」、類型、日期單位、間距值與終止值等功能。

(　) 7. RANK.EQ() 函數功能主要是用來計算某一數值在清單中的順序等級。

(　) 8. VLOOKUP() 函數是用來找出指定「資料範圍」的最左欄中符合「特定值」的資料，然後依據「索引值」傳回第幾個列位的值。

選擇題

(　) 1. 儲存格中公式或是函數都是以何種符號開始？

    (A) #　　　　　　(B) =　　　　　　(C) &　　　　　　(D) *

(　) 2. 下列何者非 Excel 所提供的函數類別？

    (A) 股票　　　　　(B) 統計　　　　　(C) 資訊　　　　　(C) 財務

(　) 3. 下列何者非數列對話框內的類型選項？

    (A) 等差級數　　　(B) 等比級數　　　(C) 數值　　　　　(D) 日期

(　) 4. COUNTIF 為何種類別函數？

    (A) 統計 　　　　　　　　　　　(B) 財務

    (C) 數學與三角函數 　　　　　　(D) 邏輯

(　) 5. RANK.EQ() 函數中的 order 引數如果為「1」則表示？

    (A) 由小到大　　　(B) 由大到小　　　(C) 隨意排序　　　(D) 以上皆非

(　) 6. 函數格式中包含哪些部分？

    (A) 函數名稱　　　(B) 括號　　　　(C) 引數　　　　(D) 以上皆是

(　) 7. VLOOKUP 函數中的「Col_index_num」引數為：

    (A) 搜尋資料的條件依據

    (B) 搜尋資料的範圍

    (C) 邏輯值

    (D) 指定傳回範圍中符合條件的那一欄

(　) 8. 在 MS Excel 的工作表中，儲存格 A1 到 A5 的值分別為 5、3、2、4、1，則在儲存格 B1 輸入下列何種內容所得到的數值最小？

    (A) =AVERAGE(A1:A5)

    (B) =COUNT(A1:A5)

    (C) =IF(A1<A4,A3,A2)

    (D) =RANK.EQ(A4,A1:A5)

(　) 9. 在 MS Excel 中，如果要在儲存格 B6 中計算儲存格 B2 至 B5 四筆數額的平均值，則下列公式何者正確？（複選）

    (A) =AVERAGE(B2+B3+B4+B5)

    (B) =AVERAGE(B2:B5)

    (C) =AVERAGE(B2,B3,B4,B5)

    (D) =(B2+B3+B4+B5)/4

問答題

1. 請開啟範例檔「學生成績.xlsx」，並切換至「成績計算表」工作表，如下圖：

	A	B	C	D	E	F	G	H
1	學生姓名	座號	英文	數學	國文	總分	平均	名次
2	陳光輝	1	98	95	86			
3	林子杰		80	90	82			
4	李宗勳		86	91	86			
5	蔡昌洲		89	93	89			
6	何福謀		90	78	90			
7	王楨珍		87	83	88			
8	王貞琇		80	70	90			
9	郭佳琳		90	78	92			
10	葉千瑜		78	80	95			
11	郭佳華		60	58	83			
12	彭天慈		77	88	81			
13	曾雅琪		72	89	84			

成績計算表　成績查詢

完成檔案：學生成績 OK.xlsx

	A	B	C	D	E	F	G	H
1	學生姓名	座號	英文	數學	國文	總分	平均	名次
2	陳光輝	1	98	95	86	279	93	1
3	林子杰	4	80	90	82	252	84	8
4	李宗勳	7	86	91	86	263	88	3
5	蔡昌洲	10	89	93	89	271	90	2
6	何福謀	13	90	78	90	258	86	5
7	王楨珍	16	87	83	88	258	86	5
8	王貞琇	19	80	70	90	240	80	11
9	郭佳琳	22	90	78	92	260	87	4
10	葉千瑜	25	78	80	95	253	84	7
11	郭佳華	28	60	58	83	201	67	12
12	彭天慈	31	77	88	81	246	82	9
13	曾雅琪	34	72	89	84	245	82	10

成績計算表　成績查詢

- 請以數列方式將此成績計算表中的座號填滿，其間距值為「3」，終止值為「34」。
- 請使用「SUM() 函數」設定總分分數。
- 請使用「AVERAGE() 函數」設定學生平均分數。
- 使用「RANK.EQ() 函數」排列學生名次。

2. 承上題，切換至「成績查詢」工作表，如下圖：

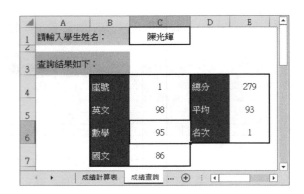

在此範例中，必須以輸入的學生姓名為查詢的目標，也就是說當使用者輸入學生的姓名之後，就會出現此學生的「座號」、「英文成績」、「數學成績」、「國文成績」、「總分」、「平均」及「名次」。

（提示：使用 VLOOKUP() 函數）

3. 在數列對話視窗中，有哪幾種填滿類型？

4. 插入函數的圖示鈕在哪一個索引標籤的功能區。

5. 如何在工作表中進行兩個欄位的排序。

6. 請在 Excel 軟體中找出關於「排序」的線上說明文件。

MEMO

03 業務績效與獎金樞紐分析

學習重點

- 資料篩選與排序
- 小計
- 樞紐分析表與樞紐分析圖的繪製
- HLOOKUP() 函數的運用
- 使用 IF 條件判斷式
- 變更百分比的顯示
- 註解

本章簡介

公司中最重要的就是業務推展，而這個重責大任通常都在業務員身上，因此業務員的業績績效及業績獎金對一個公司來說就顯得格外重要。有了完善的業績績效及業績獎金制度，才能使公司對不同的業績績效有所賞罰。

在本章中，除了製作表格來記錄每個業務員的銷售業績、統計產品銷售資料及相關報表與圖表外，並訂定一套發放業績獎金的制度，讓業務人員達到一定業績時，可領取獎金用來獎勵業務人員。

範例成果

1 2 3		A	B	C	D	E	F	G	H
	1	月份 ▼	產品代碼 ▼	產品種類 ▼	銷售地區 ▼	業務人員編 ▼	單價 ▼	數量 ▼	總金額 ▼
	2	1	A0302	應用軟體	韓國	A0903	8000	4000	32000000
	3	1	A0302	應用軟體	美西	A0905	12000	2000	24000000
	4	1	A0302	應用軟體	英國	A0906	13000	600	7800000
	5	1	A0302	應用軟體	法國	A0907	13000	2000	26000000
	6	1	A0302	應用軟體	東南亞	A0908	5000	6000	30000000
	7	1	A0302	應用軟體	義大利	A0909	8000	8000	64000000
−	8		A0302 合計				59000	22600	183800000
	9	1	F0901	繪圖軟體	日本	A0901	10000	2000	20000000
	10	1	F0901	繪圖軟體	美西	A0905	8000	1500	12000000
	11	1	F0901	繪圖軟體	阿根廷	A0906	5000	500	2500000
	12	1	F0901	繪圖軟體	美東	A0906	8000	2000	16000000
	13	1	F0901	繪圖軟體	英國	A0906	9000	500	4500000
	14	1	F0901	繪圖軟體	德國	A0907	9000	700	6300000
	15	1	F0901	繪圖軟體	東南亞	A0908	4000	3000	12000000
	16	1	F0901	繪圖軟體	義大利	A0909	5000	5000	25000000
−	17		F0901 合計				58000	15200	98300000
	18	1	G0350	電腦遊戲	日本	A0901	5000	1000	5000000
	19	1	G0350	電腦遊戲	韓國	A0902	3000	2000	6000000

銷售業績　　產品銷售排行　　⊕

<銷售產品總數量及金額>

	A	B	C	D	E	F	G
1				業務人員績效獎金表			
2	員工編號	姓名	業績銷售	獎金百分比	累積業績	累積獎金	總業績獎金
3	990001	王楨珍	251,000	25%	190,000	20,000	82,750
4	990002	郭旻宜	60,000	10%	23,000	-	6,000
5	990003	郭佳琳	120,000	15%	12,000	-	18,000
6	990004	曾雅琪	140,000	15%	60,000	20,000	41,000
7	990005	彭天慈	150,000	20%	190,000	20,000	50,000
8	990006	陸麗晴	320,000	25%	20,000	20,000	100,000
9	990007	王貞琇	40,000	5%	170,000	20,000	22,000
10	990008	陳光輝	180,000	20%	50,000	20,000	56,000
11	990009	林子杰	48,000	5%	120,000	-	2,400
12	990010	李宗勳	40,000	5%	180,000	20,000	22,000

獎金標準　　累積銷售業績　　績 …　⊕

<業績績效獎金>

3-1 製作產品銷售排行榜

　　利用前面所學的資料編輯技巧，就可以簡單又快速地建立一份業績表。接下來必須知道哪一項產品銷售量最好，讓管理者清楚瞭解公司的整個產品及人員的業績狀況。

3-1-1 篩選資料

　　建立業績表格時最重要的一件事，就是這份表格必須讓人隨時可以掌握每一種資料。而 Excel 中就有一種篩選功能，可以讓工作表只顯示指定條件的資料，隱藏其餘非指定條件資料。以下範例將利用此功能篩選出這個月份，業務人員編號「A0906」所有的業務狀況。

範例 **使用自動篩選功能**（檔名：業績表-01.xlsx）

Step. 01

由「資料」標籤按下「篩選」鈕

Step. 02

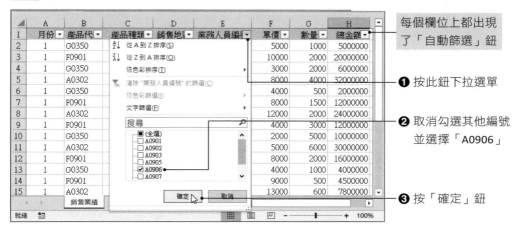

每個欄位上都出現
了「自動篩選」鈕

❶ 按此鈕下拉選單

❷ 取消勾選其他編號
並選擇「A0906」

❸ 按「確定」鈕

Step. 03

作用中的自動篩選
鈕會顯示 ▼ 漏斗
圖案

工作表只顯示業務人員編號「A0906」的資料

Tips　　如果想要顯示全部資料，只要按下篩選下拉鈕，並執行「清除 " 業務人員編號 " 的篩選」指令，或重新勾選「全部」資料即可。如果要想要恢復原來的工作表，只要再執行一次「篩選」指令，就可以消除篩選鈕。

學習園地　進階篩選選項

◆ 按下篩選下拉鈕後，會依照儲存格數值格式不同出現「文字篩選」或「數字篩選」指令，在此則可設定更為進階的篩選設定。例如執行「前 10 項」指令，將會產生「自動篩選前 10 項」對話視窗。下圖為「文字篩選」的進階篩選選項：

進階篩選選項

◆ 如執行「數字篩選 / 自訂篩選」或「文字篩選 / 自訂篩選」指令，則會出現自訂自動篩選對話視窗，讓使用者自行訂定條件。如下圖：

可下拉此鈕選擇不同的運算子

可選擇「且」或「或」邏輯運算子

可下拉此鈕選擇欄位中的數值或自行輸入數值

3-1-2 業績表資料排序

　　瞭解如何篩選各位業務員的資料後，再來對業績表進行排序的動作。在進行排序之前，必須先瞭解排序對話視窗中的排序概念。

　　工作表中都有設定欄位名稱，當開始進行排序後，如果遇到欄位中有相同數值時，該如何判定先後分出高下呢？ Excel 的排序對話視窗中，提供「排序層級」的方式來解決這樣的問題。

　　接下來，請開啟範例檔「業績表-02.xlsx」，來看看 Excel 如何排序複雜的業績資料。

範例 **將資料 / 記錄排序**（檔名：業績表-02.xlsx）

Step.01

點選「排序」工具鈕

Step.02

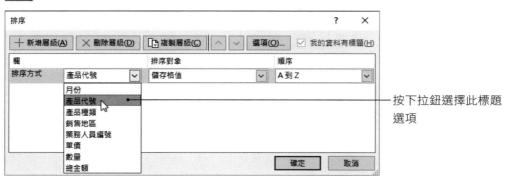

按下拉鈕選擇此標題選項

Step、03

❷ 按此鈕新增第二順位排序規則

❶ 設定如圖第一順位排序規則

Step、04

❶ 使用步驟 3 相同的方法設定第二與第三順位排序規則

❷ 所有順位排序規則設定完成後按此鈕

Step、05

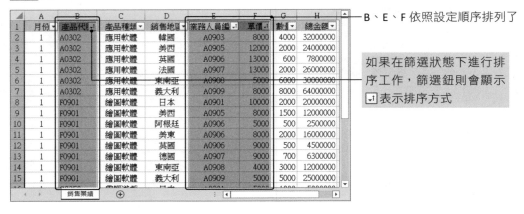

B、E、F 依照設定順序排列了

如果在篩選狀態下進行排序工作，篩選鈕則會顯示 .ﬀ 表示排序方式

　　步驟 4 中可以視實際需求來設定更多順位的排序規則，但如果設定的太多，也有可能會過於複雜或失去了要表達的涵義。

3-1-3 小計功能

設定排序之後，接下來運用「小計」功能，將每樣產品的業績總金額加起來，就可看出每樣產品銷售的總金額了！以下延續上述範例來做說明。

範例 **使用小計功能**（檔名：業績表-02.xlsx）

Step 01

由「資料」標籤按下「小計」鈕

Step 02

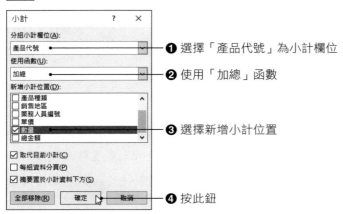

❶ 選擇「產品代號」為小計欄位

❷ 使用「加總」函數

❸ 選擇新增小計位置

❹ 按此鈕

<u>Step</u> **03**

	A	B	C	D	E	F	G	H
1	月份	產品代號	產品種類	銷售地區	業務人員編號	單價	數量	總金額
2	1	A0302	應用軟體	韓國	A0903	8000	4000	32000000
3	1	A0302	應用軟體	美西	A0905	12000	2000	24000000
4	1	A0302	應用軟體	英國	A0906	13000	600	7800000
5	1	A0302	應用軟體	法國	A0907	13000	2000	26000000
6	1	A0302	應用軟體	東南亞	A0908	5000	6000	30000000
7	1	A0302	應用軟體	義大利	A0909	8000	8000	64000000
8			A0302 合計				22600	
9	1	F0901	繪圖軟體	日本	A0901	10000	2000	20000000
10	1	F0901	繪圖軟體	美西	A0905	8000	1500	12000000
11	1	F0901	繪圖軟體	阿根廷	A0906	5000	500	2500000
12	1	F0901	繪圖軟體	美東	A0906	8000	2000	16000000
13	1	F0901	繪圖軟體	英國	A0906	9000	500	4500000
14	1	F0901	繪圖軟體	德國	A0907	9000	700	6300000
15	1	F0901	繪圖軟體	東南亞	A0908	4000	3000	12000000

銷售業績

此為大綱符號，將資料分成三層

已經計算出每一個產品的銷售總數量及全部金額了！

學習園地 「小計」對話視窗

在小計對話視窗中，還有三個設定選項，分別為「取代目前小計」、「每組資料分頁」及「摘要置於小計資料下方」。

◆ **取代目前小計**：不論執行幾次小計，只要勾選此項，就會以此次小計結果覆蓋之前的小計結果。

◆ **每組資料分頁**：如果勾選此項，則會將每一組小計以分頁的方式列印出來。

◆ **摘要置於小計資料下方**：此項必須在勾選「取代目前小計」狀態下，才可勾選。如果勾選此項，則會將小計列及總計列置於每一組小計的下方，如果不勾選此項則會將小計列置於每一組的上方。

至於要取消小計列，只要再次執行「資料／小計」指令，按下小計對話視窗中的「全部移除」鈕即可移除。

3-1-4 運用大綱功能查看業績表小計結果

　　雖然已經以小計功能計算出每一種產品的銷售量，可是因為產品種類繁多，所以要查看所有的小計結果，就必須不停地移動捲軸來做比較。Excel 為了讓使用者

一下就看出小計結果，所以在建立小計的同時，也已經把「大綱」給建立好了。如下圖所示：

↗ **大綱鈕** `1` `2` `3` ：使用者會看到不同編號的符號，此符號乃依照小計的欄位來做不同層次區別。數字編號越小，顯示資料最精簡，數字越大資料顯示越多。

↗ **顯示鈕** `+` ：按下此鈕，會將隱藏的資料顯示出來。

↗ **隱藏鈕** `−` ：按下此鈕，會將顯示的資料隱藏起來。

瞭解大綱的使用方式之後，以下範例將查看各個產品的銷售金額。

範例 **使用大綱功能**

Step. 01

<u>Step</u>. 02

可以很清楚的看出，哪一種產品的銷售成績最好

3-1-5　製作銷售排行

使用大綱查看出各個產品的銷售量後，接著就來製作產品的銷售排行吧！讓公司藉此排行來決定下一個月的產品製造量，銷售好的產品下個月將增產，而銷售不好的產品則進行減產。

範例　**製作銷售產品總金額排行**（檔名：業績表-03.xlsx）

<u>Step</u>. 01

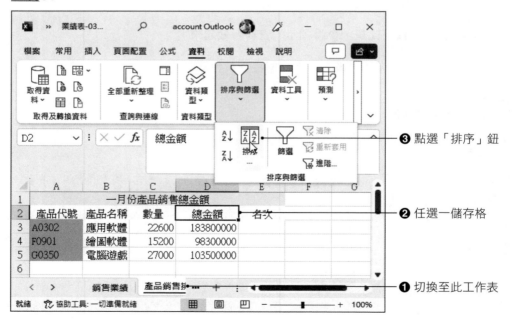

❸ 點選「排序」鈕

❷ 任選一儲存格

❶ 切換至此工作表

Step. 02

❶ 設定「總金額」為第一順位排序規則、「數量」為第二順位

❷ 設定為「最大到最小」，即由數量多排至數量少

❸ 按此鈕

Step. 03

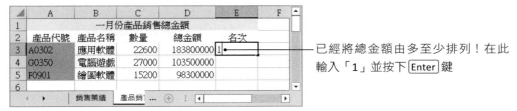

已經將總金額由多至少排列！在此輸入「1」並按下 Enter 鍵

Step. 04

❶ 按住 E3 儲存格的填滿控點，往下拖曳至 E5 儲存格

❷ 按下「填滿控制智慧標籤」並勾選此項

Step. 05

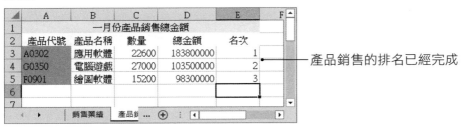

產品銷售的排名已經完成

3-2 建立樞紐分析表

　　產品銷售排行是用來瞭解不同產品的銷售狀況,進而決定產品產量是否需要增減,除此之外,也必須瞭解各個地區的銷售成績,依照各地銷售量的不同來擬定業務推廣計畫。所以在這一小節中,將製作各地銷售情形的樞紐分析表。

3-2-1　認識樞紐分析表

　　何謂「樞紐分析表」?簡單來說,樞紐分析表就是依照使用者的需求而製作的互動式資料表。當使用者想要改變檢視結果時,只需要透過改變樞紐分析表中的欄位,即可得到不同的檢視結果。但是使用者在建立樞紐分析表之前,必須知道資料分析所依據的來源,資料來源可為資料庫的資料表或目前的工作表資料。

　　首先來瞭解樞紐分析表的組成元件為何?樞紐分析表是由四種元件組成,分別為欄、列、值及報表篩選。

- ↗ **座標軸（類別）及圖例（數列）**：通常為使用者用來查詢資料的主要根據。
- ↗ **值**：由欄與列交叉產生的儲存格內容，即樞紐分析表中顯示資料的欄位。
- ↗ **篩選**：並非樞紐分析表必要的組成元件，假如設定此項，可自由設定想要查看的區域或範圍。

3-2-2　樞紐分析表建立

　　建立樞紐分析表的過程中，主要會出現三個步驟，接著將在建立的過程中，同時說明步驟中的各個設定。請開啟範例檔「業績表-04.xlsx」。

 樞紐分析表的建立（檔名：業績表-04.xlsx）

<u>Step</u> 01

<u>Step</u> **02**

● 選此項

自動選取資料範圍

❷ 選此項將樞紐分析表建立於新的工作表中

❸ 按此鈕

 樞紐分析表資料來源

可依照使用者的資料來源而做設定，資料來源可為以下兩種方式：

1. 選取表格或範圍：設定目前活頁簿工作表中的資料清單範圍為資料來源。
2. 使用外部資料來源：設定資料來源為 Excel 外部的檔案或資料庫，如 SQL Server、Access 等等的資料檔案。

<u>Step</u> **03**

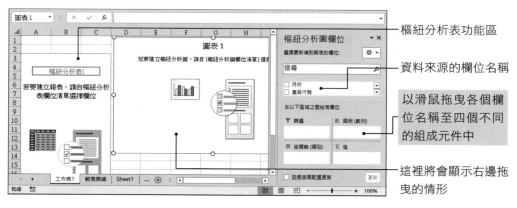

樞紐分析表功能區

資料來源的欄位名稱

以滑鼠拖曳各個欄位名稱至四個不同的組成元件中

這裡將會顯示右邊拖曳的情形

因為要製作各個地區的產品銷售統計表，所以接下來，將「產品代號」欄位名稱拖曳至「列」組成元件欄位中，並將「銷售地區」欄位名稱拖曳至「欄」組成元件欄位，最後再將「總金額」移至「資料」組成元件欄位即可。

Step.04

Step.05

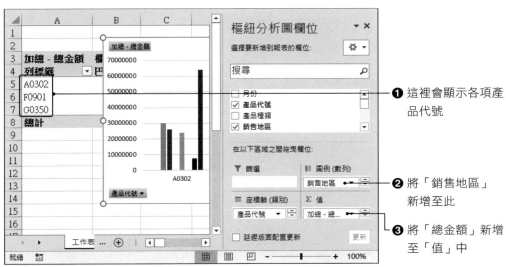

<u>Step</u> 06

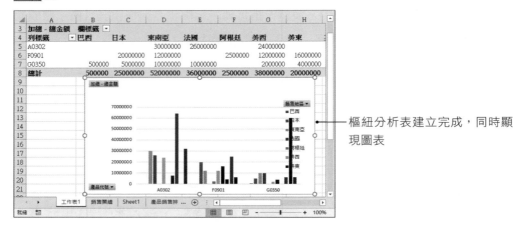

樞紐分析表建立完成，同時顯現圖表

3-2-3　顯示各個地區的銷售平均值

　　樞紐分析表還可依照選取不同的欄位順序來變更顯示結果，如果主管要查看各個區域銷售的「最大值」狀況時，就可以利用欄位的更動，來轉變樞紐分析表的顯示。

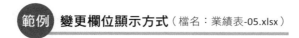

範例 **變更欄位顯示方式**（檔名：業績表-05.xlsx）

<u>Step</u> 01

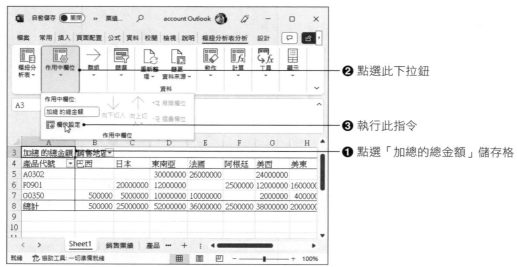

❷ 點選此下拉鈕

❸ 執行此指令

❶ 點選「加總的總金額」儲存格

<u>Step</u> 02

❶ 選此項

❷ 按此鈕

<u>Step</u> 03

總計列中的資料都轉
換成「最大值」了！

只要多練習幾次，熟悉樞紐分析表欄位設定，不管主管要求什麼資料，一定很快就可以製作符合需求的報表。

如果想要新增樞紐分析表的欄位時，只要在樞紐分析表欄位清單中，選擇需要的欄位並拖曳至列標籤、欄標籤、報表篩選及值欄位區域即可新增欄位。至於要刪除樞紐分析表的欄位，只要將表上的欄位拖曳至樞紐分析表以外的地區即可刪除。

3-3 樞紐分析圖的製作

在製作樞紐分析表後，為了方便主管看了密密麻麻的數據及文字，還是不瞭解樞紐分析表的重點所在，不妨另外加上圖表的顯示來配合報表，使主管能清楚的瞭解各個地區銷售的比例。

3-3-1 編輯樞紐分析圖

樞紐分析圖主要是依照樞紐分析表中的資料而形成的，所以當使用者變換樞紐分析表的欄位資料時，樞紐分析圖也會隨之變動。來看看在樞紐分析表中加上一個「業務人員編號」後，樞紐分析圖的變化。請開啟範例檔「業績表-06.xlsx」。

範例 變更樞紐分析表欄位資料（檔名：業績表-06.xlsx）

Step. 01

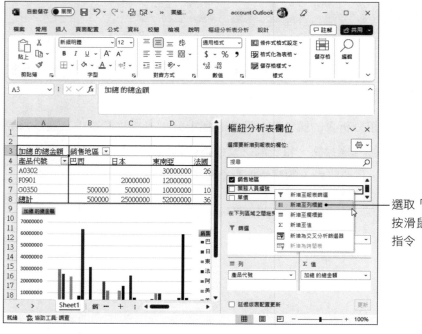

選取「業務人員編號」
按滑鼠右鍵，執行此
指令

Step. 02

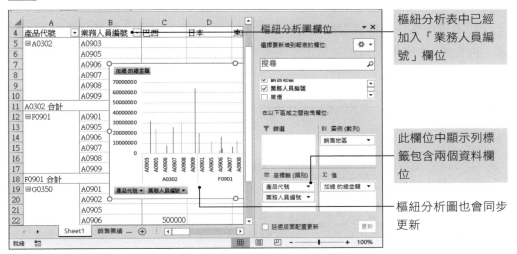

樞紐分析表中已經
加入「業務人員編
號」欄位

此欄位中顯示列標
籤包含兩個資料欄
位

樞紐分析圖也會同步
更新

Step. 03

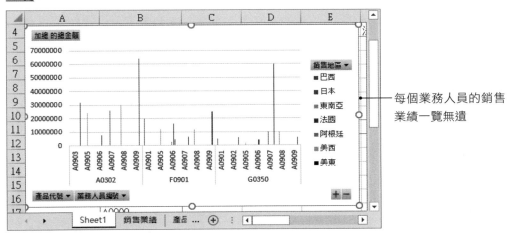

每個業務人員的銷售
業績一覽無遺

3-3-2 移動圖表位置

如果覺得樞紐分析圖與樞紐分析表放置於同一個工作表上顯得有些紛亂，那麼，你也可以將樞紐分析圖複製或移動到新增的工作表中。

範例 **移動圖表位置**（檔名：業績表-06.xlsx）

Step 01

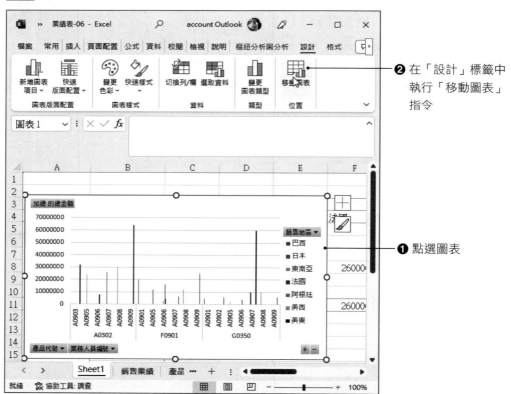

❷ 在「設計」標籤中執行「移動圖表」指令

❶ 點選圖表

Step 02

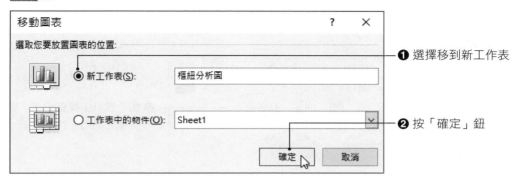

❶ 選擇移到新工作表

❷ 按「確定」鈕

Step 03

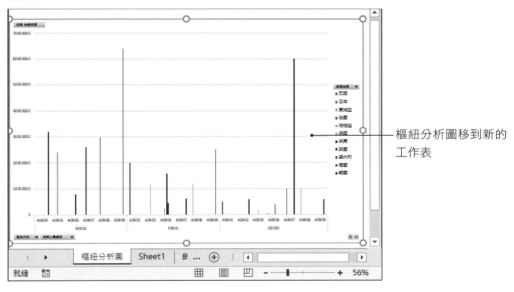

樞紐分析圖移到新的工作表

3-3-3 變換樞紐分析圖表類型

當預設的「群組直條圖」圖表類型無法充分表達資料時，使用者還可將樞紐分析圖變換成別種圖表樣式。以下範例將把樞紐分析圖的類型轉換成立體區域圖。

範例　**變換圖表類型**（檔名：業績表-07.xlsx）

Step. 01

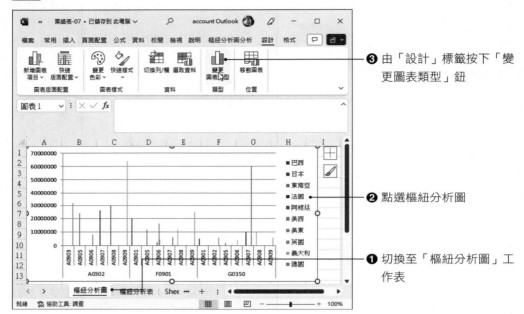

❸ 由「設計」標籤按下「變更圖表類型」鈕

❷ 點選樞紐分析圖

❶ 切換至「樞紐分析圖」工作表

Step. 02

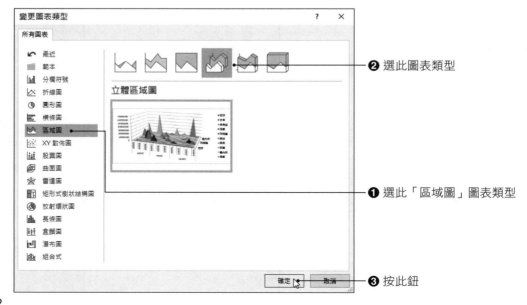

❷ 選此圖表類型

❶ 選此「區域圖」圖表類型

❸ 按此鈕

<u>Step</u>、03

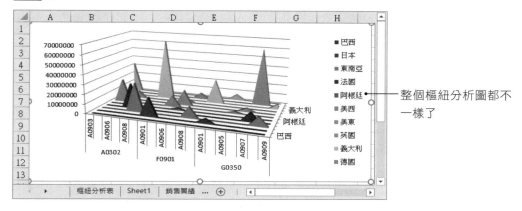

整個樞紐分析圖都不
一樣了

使用者可依照實際需求來加以變化，不論何種資料都可以選擇適當的圖表類型
來進行說明。

3-4 計算業務人員的銷售獎金

公司的產品銷售成績要持續地增長，業務人員的推廣是很重要的因素，因此為
了刺激業務人員能不斷地創造更高的銷售業績，公司必須訂下一個良好的業績獎金
核算制度，藉以獎勵業務人員的士氣。

3-4-1 績效業績獎金的核發方式

建立業績獎金核算表之前，必須瞭解公司業績獎金的發放方式，每個公司有每
個公司的作法，有些公司會依照業績比例來發放獎金，也有些公司只要業務人員每
成交一筆就可抽取固定百分比的獎金。本小節將以依照業績比例的方式來發放業績
基本獎金，並且累積業務人員的銷售總金額，當達到一定標準時，就會再加上累積
獎金，發放的方法如下：

(1) 每個月的基本業績獎金會依照以下的獎金標準表來發放不同百分比的獎金：
就是說當銷售業績為 49999 以下，可發放 5％的獎金、銷售業績介於 50000 ～

99999 之間，則發放 10 ％的獎金，以此類推。當銷售業績超過 200000 以上時，皆發放 25% 的獎金。例如業務人員「王小珍」這個月的銷售業績為 135000，則此業務人員的基本績效獎金為：「135000*15%=20250」。

	A	B	C	D	E	F
1	基本銷售業績獎金標準					
2		49999以下	50000~99999	100000~149999	15000~199999	200000以上
3	銷售業績對照	0	50000	100000	150000	200000
4	獎金比例	5%	10%	15%	20%	25%

獎金標準　累積銷售業績　績效獎 … ⊕

(2) 除了基本績效獎金外，還有累積獎金。當業務人員累積銷售金額達到 20 萬時，公司即會發放 2 萬元的獎金。而為了不重複發放獎金，當發放過獎金後，就會扣除 20 萬的累積銷售金額，讓業務人員在下個月以扣除後的差額繼續累積，但是如果當月累積銷售金額超過 40 萬，還是只會發放一次，其餘金額累計到下一個月的累積銷售業績。例如：業務人員「王小珍」上個月累積銷售金額為「180000」，而這個月的業績銷售金額為「135000」，計算方式如下：

180000+135000 = 315000 = 達到發放累積獎金資格

315000-200000 = 115000 = 下個月繼續以此金額累積

因此業務人員「王小珍」這個月的業績獎金如下：

(135000*15%) + (20000) = 40250

瞭解業績獎金的計算方式後，緊接著來看看如何製作業績獎金計算表。

3-4-2 HLOOKUP() 函數說明

基本績效獎金標準表已經建立完成，接著在另一個工作表中製作業績獎金計算表，而業績獎金計算表需要以 HLOOKUP() 函數來參照基本績效獎金標準表的獎金比例，因此先介紹 HLOOKUP() 函數用法讓使用者瞭解。

HLOOKUP() 函數中的「H」即代表「水平」的意思，所以 HLOOKUP() 函數是在一工作表中的第一列中尋找含有某「特定值」的欄位，傳回同一欄中某一指定儲存格的值。記得在第 2 章中，曾經說明過 VLOOKUP() 函數，此函數名稱中的「V」即代表「垂直」，因此會傳回在參照數值中位於指定範圍中的最左邊欄位中的資料。所以這兩個函數意義是不同的，請使用者不要混淆了！

▶ HLOOKUP() 函數

語法：HLOOKUP(lookup_value,table_array,row_index_num,range_lookup)

說明：以下表格為 HLOOKUP() 函數中的引數說明。

引數名稱	說明
lookup_value	搜尋資料的條件依據。
table_array	搜尋資料範圍。
row_index_num	指定傳回範圍中符合條件的那一列。
range_lookup	此為邏輯值。如果設為 True 或省略，則會找出部分符合的值；如果設為 False，會找出完全符合的值。

看完 HLOOKUP() 函數的說明後，可能還是覺得不瞭解。別擔心，以下將以舉例的方式讓各位明白。

函數舉例：以下為各商店的電子用品價格：

▲	A	B	C	D	▲
1		筆記型電腦	數位相機	行動電話	
2	商店A	40,000	12,000	6,999	
3	商店B	18,000	8,000	4,999	
4	商店C	35,000	6,000	19,999	
5	商店D	60,000	15,000	3,999	▼
◀ ▶	工作表1	⊕	┊ ◀		▶

如果在 B7 儲存格設定的 HLOOKUP() 函數為：

$$\text{HLOOKUP}(A7, A1:D5, 3, 0)$$

找出範圍中第一列與 A7 儲 　代表搜尋範圍　傳回第 3 列資料　找出完全符合的值
存格名稱相同的值

所以此 HLOOKUP() 函數會在 B7 儲存格傳回「4999」數值。

3-4-3　建立獎金百分比

首先使用 HLOOKUP() 函數來參照基本銷售業績獎金標準表，來查出每個業務人員此月可發放的獎金百分比。

範例　**使用 HLOOKUP() 函數**（檔名：業績表-08.xlsx）

Step、01

❸ 點選「插入函數」鈕

❷ 選此 D3 儲存格

❶ 切換至此工作表

Step, 02

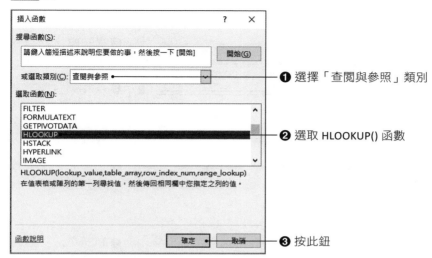

❶ 選擇「查閱與參照」類別

❷ 選取 HLOOKUP() 函數

❸ 按此鈕

Step, 03

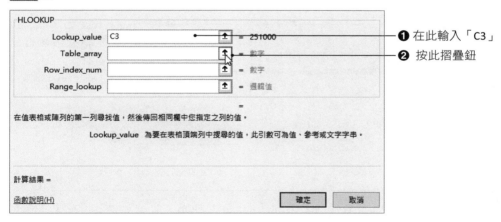

❶ 在此輸入「C3」

❷ 按此摺疊鈕

Step. 04

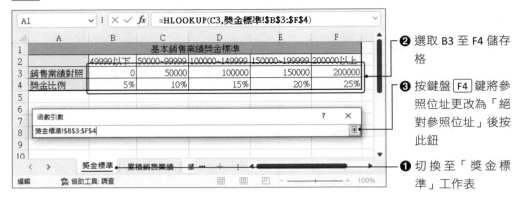

❷ 選取 B3 至 F4 儲存格

❸ 按鍵盤 F4 鍵將參照位址更改為「絕對參照位址」後按此鈕

❶ 切換至「獎金標準」工作表

Step. 05

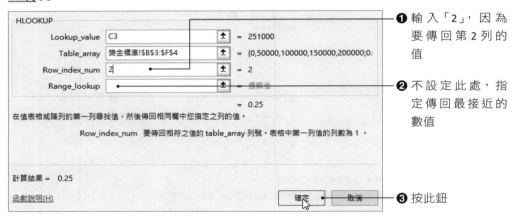

❶ 輸入「2」，因為要傳回第 2 列的值

❷ 不設定此處，指定傳回最接近的數值

❸ 按此鈕

Tips　在此 HLOOKUP() 函數中並不設定「Range_lookup」的引數值，因此會傳回與「Lookup_value」部分符合的值。例如：在「Lookup_value」設定為「9999」，而在指定範圍中有「5000」及「10000」，傳回值為「5000」，因為「9999」與「5000」的位數條件相同，故傳回「5000」。

Step. 06

已經傳回「獎金標準」工作
表中的「獎金比例」了

拖曳複製 D3 儲存格公式至
D12 儲存格

Step. 07

大功告成

　　使用此種方法來傳回每個業績獎金百分比，當「業績銷售」的資料內容進行變
更時，此業績獎金百分比也會隨之改變，讓使用者不必切換兩個工作表來對照獎金
的比例。

3-4-4　變換百分比的顯示方式

　　上述範例中，使用 HLOOKUP() 函數參照傳回的獎金百分比，因為還未設定儲
存格的格式，所以並不是以百分比方式顯示，因此可變換百分比的顯示方式。請開
啟範例檔：「業績表-09.xlsx」。

範例 **變換百分比的顯示方式**（檔名：業績表-09.xlsx）

<u>Step</u> 01

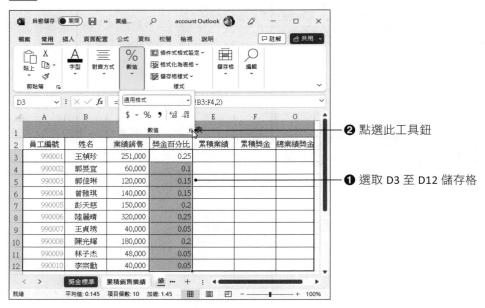

❷ 點選此工具鈕

❶ 選取 D3 至 D12 儲存格

<u>Step</u> 02

❶ 切換至此索引標籤

❸ 將小數位數調整至「0」

❷ 選此「百分比」項

❹ 按此鈕

Step. 03

已經變更數值顯示方式為「%」了！

> **Tips**
> 　直接點選「常用」標籤下的「百分比樣式」鈕，也可以快速達到相同的效果。如下圖：

3-4-5　建立累積業績資料

　　每個月的累積業績會隨著是否領取過累積獎金及每月的業績銷售資料而變動，所以在每個月算出業績獎金後，就必須把累積業績資料先存放在「累積銷售業績」工作表中，好讓下一個月有所依據。因此需要以 VLOOKUP() 函數來參照之前的累積業績資料至績效獎金表中，才可算出是否可以拿到累積獎金。VLOOKUP 函數用法已經在第 2 章講解過，故不在此重複說明。以下將延續上述範例來做說明。

範例 **建立累積業績資料**（檔名：業績表-09.xlsx）

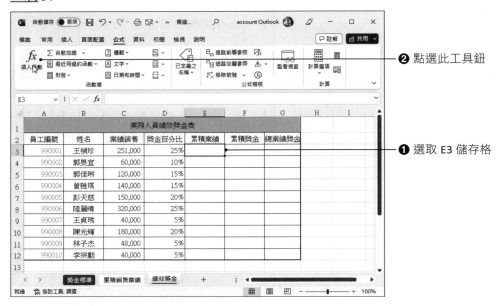

❷ 點選此工具鈕

❶ 選取 E3 儲存格

❶ 設定為查閱與參照

❷ 選擇 VLOOKUP() 函數

❸ 按此鈕

Step. 03

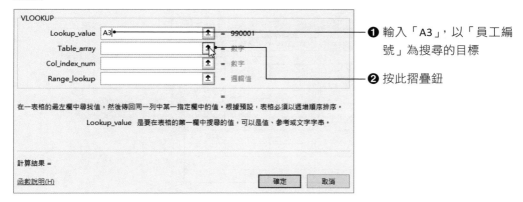

❶ 輸入「A3」，以「員工編號」為搜尋的目標

❷ 按此摺疊鈕

Step. 04

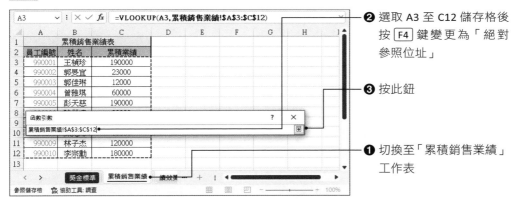

❷ 選取 A3 至 C12 儲存格後按 **F4** 鍵變更為「絕對參照位址」

❸ 按此鈕

❶ 切換至「累積銷售業績」工作表

Step. 05

❶ 輸入「3」，傳回第 3 列資料

❷ 輸入「0」，傳回完全符合的資料

❸ 按此鈕

<u>Step</u> 06

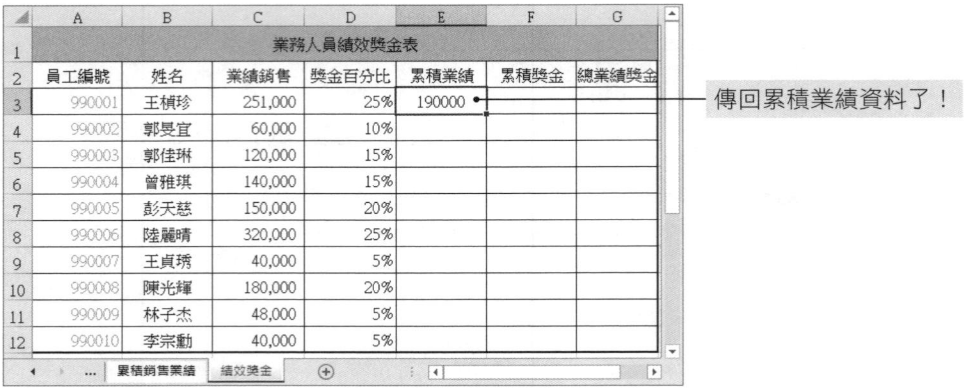

傳回累積業績資料了！

接下來，只要複製 E3 儲存格公式內容至 E12 儲存格之中，即可得到如下圖的成果：

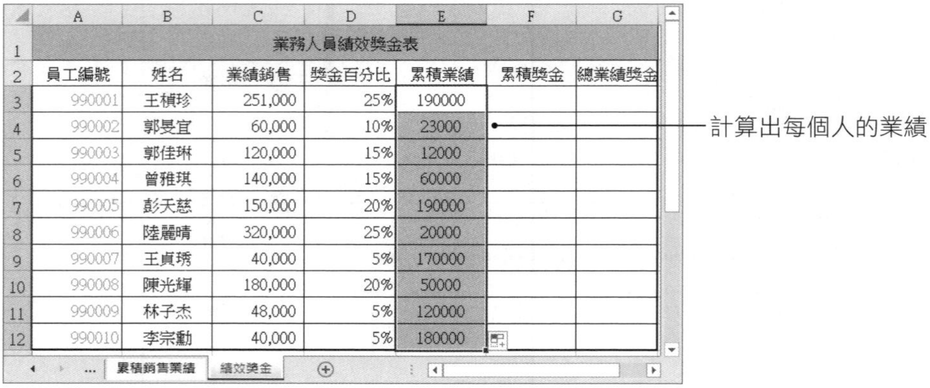

計算出每個人的業績

3-4-6　計算累積獎金

累積獎金的算法是依照之前的累積業績金額再加上這個月的業績銷售金額，如果超過 20 萬就發給累積獎金 2 萬元，扣掉 20 萬的累積業績金額後，就成為下次的累積業績金額，如果當月業績加上累積業績超過 40 萬，還是只發放一次獎金，其餘的業績金額繼續累計到下一個月；如果沒超過 20 萬則沒有累積獎金，此金額將繼續累積。而使用這種方式就必須運用到 IF() 函數來限定累積獎金的發放。以下將先說明 IF() 函數的用法。

IF() 函數

語法：IF(logical_test,value_if_true,value_if_false)

說明：以下表格為 IF() 函數中的引數說明。

引數名稱	說明
logical_test	此為判斷式。用來判斷測試條件是否成立。
value_if_true	此為條件成立時，所執行的程序。
value_if_false	此為條件不成立時，所執行的程序。

舉例：

E2		fx	=IF(D2>=60,"合格","不合格")

	A	B	C	D	E
1	姓名	國文	英文	平均	是否合格
2	林子杰	50	49	49.5	不合格
3	王貞琇	90	80	85	合格
4	陳光輝	92	95	93.5	合格

以上圖的 E2 儲存格為例，此 E2 儲存格在 D2 儲存格（平均）大於或等於 60 分時，即會顯示「合格」二字；反之，當 D2 儲存格的數值不符合條件時，就會顯示「不合格」二字。

瞭解了 IF() 函數後，以下將以範例直接說明。請開啟範例檔「業績表-10.xlsx」。

範例 **使用 IF() 函數計算累積獎金**（檔名：業績表-10.xlsx）

Step 01

❷ 按此「插入函數」鈕

❶ 選此 F3 儲存格

Step. 02

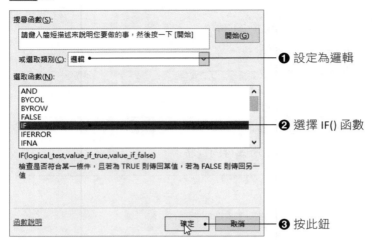

❶ 設定為邏輯

❷ 選擇 IF() 函數

❸ 按此鈕

Step. 03

❶ 輸入「(C3+E3)>=200000」

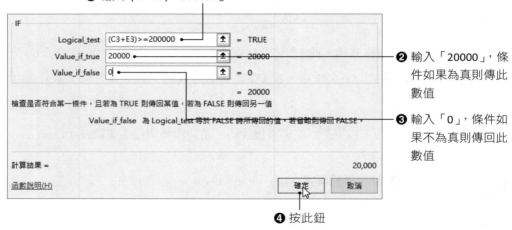

❷ 輸入「20000」，條件如果為真則傳此數值

❸ 輸入「0」，條件如果不為真則傳回此數值

❹ 按此鈕

Step 04

顯示是否可拿到累積獎金！

在此填滿控點按住滑鼠左鍵
往下拖曳至 F12 儲存格

Step 05

全部業務人員的累
積獎金都顯示了！

3-4-7 總業績獎金的計算

　　知道獎金百分比及累積獎金的金額之後，終於可以開始計算總業績獎金了！
「總業績獎金」是以「銷售業績」乘以「獎金百分比」，然後再加上「累積獎金」金
額。所以用「990001」業務人員來說：計算公式為「總業績獎金 =(C3*D3)+F3」。
請開啟範例檔「業績表-11.xlsx」。

範例　**計算總業績獎金**（檔名：業績表-11.xlsx）

<u>Step.</u>**01**

❷ 輸入「=(C3*D3)+F3」並按下 Enter 鍵

❶ 選此 G3 儲存格

<u>Step.</u>**02**

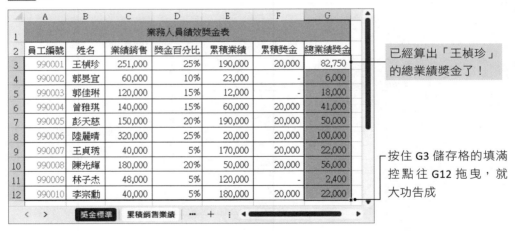

已經算出「王楨珍」的總業績獎金了！

按住 G3 儲存格的填滿控點往 G12 拖曳，就大功告成

　　現在可以清楚地瞭解每一個業務人員應得的業績獎金了！只要在計算業績獎金過後，依照是否領取累積獎金，計算出每個業務人員的累計業績記在累積銷售業績工作表中，當下一個月要計算業績獎金時，只要輸入每個業務人員當月的銷售業績即可算出總業績獎金了！

Q A 學習評量

是非題

( ) 1. % 工具鈕為百分比樣式工具鈕。

( ) 2. 註解一經插入則無法隱藏。

( ) 3. 註解無法變更字型的大小及字體。

( ) 4. 小計功能可以不需自行設計公式，就可為工作表建立統計資料或加上摘要資料。

( ) 5. 篩選功能可用以過濾資料，將符合規定的清單顯示於工作表上，不符合者則隱藏起來。

( ) 6. 建立小計的同時，也會把「大綱」給建立好了。

( ) 7. 大綱鈕是依照小計的欄位來做不同層次區別。數字編號越小，顯示資料最精簡。

( ) 8. 樞紐分析表是由四種元件組成，分別為欄、列、值及報表篩選。

( ) 9.「報表篩選」是樞紐分析表必要的組成元件。

( )10. 樞紐分析表還可依照選取不同的欄位順序來變更顯示結果。

選擇題

( ) 1. 下列敘述何者有誤？

(A) 可同時於多個欄位設定篩選條件

(B) 點選「資料／篩選」工具鈕可使每個欄位產生「自動篩選」鈕

(C) 不同的欄位篩選條件採用「聯集」的方式進行

(D) 以上皆非

( )　2. 應如何取消「自動篩選」模式？

　　　　(A) 再一次點選「資料」標籤的「篩選」鈕

　　　　(B) 下拉自動篩選鈕並選取「取消篩選」選項

　　　　(C) 點選「資料」標籤中的「小計」鈕

　　　　(D) 由「資料」標籤點選「篩選」鈕中的「數字篩選」指令

( )　3. 下列何種功能主要是用來管理工作表中不同的資料，將資料區分成不同層次以方便管理？

　　　　(A) 排序　　　　　　(B) 小計　　　　　　(C) 大綱　　　　　　(D) 篩選

( )　4. 建立大綱前工作表中的清單內容必須先進行何種動作？

　　　　(A) 小計　　　　　　(B) 排序　　　　　　(C) 群組　　　　　　(D) 篩選

問答題

1. 請開啟範例檔「業績表-13.xlsx」。

	A	B	C	D	E	F	G	H
1	月份	產品代號	水果種類	銷售地區	業務人員編號	單價	數量	總金額
2	1	30369	香蕉	日本	R9001	50	32000	1600000
3	1	30587	蘋果	美國	R9030	100	56000	5600000
4	2	30369	香蕉	日本	R9001	60	54000	3240000
5	2	30587	蘋果	美國	R9030	120	25000	3000000

銷售業績

請以「表單」功能新增以下兩筆資料：

3	30880	哈密瓜	日本	R9700	90	35000
3	30369	香蕉	日本	R9001	55	12000

2. 以表單功能輸入之後，就以此表建立一個如下的樞紐分析表：

提示：將「月份」及「水果種類」放置在樞紐分析表的「列標籤」元件中，將「銷售地區」放置在「欄標籤」元件中，並將「總金額」放置在「值」元件裡。

3. 請開啟範例檔「銷售表-03.xlsx」，如下圖，並完成下表中各人員的「獎金百分比」及「業績獎金」。

- 在「績效獎金」工作表的「獎金百分比」欄位中，使用 HLOOKUP() 函數參照出「獎金標準」工作表的業績獎金百分比。
- 計算出「獎金百分比」後，再將「業績銷售」乘以「獎金百分比」，計算出每位員工的「業績獎金」。

4. 樞紐分析表資料來源有哪兩種方式？

5. 簡述如何進行自動篩選的實作。

6. 請問在小計對話視窗中，還有哪三個設定選項？

7. 如何才能在工作表中插入樞紐分析圖？

04

員工出勤記錄
時數統計

學習重點

- 運用資料驗證避免輸入錯誤
- 日期顯示格式的變更
- 運用 VLOOKUP() 函數自動輸入
- 製作樞紐分析表
- 自動格式
- 隱藏欄位

本章簡介

對一家公司而言，員工是最重要的資產，如果這家公司的員工常常請假、曠職或生病，不僅會對其他員工、公司造成影響，也會讓公司因而損失不少生意往來。所以，建立一個「員工每月出勤時數統計表」用來管理員工出席狀況是有其必要的。

在製作員工每月出勤時數統計表的過程中，會運用函數來簡化請假公式的計算，以及請假記錄的建立，最後以出勤記錄製作成樞紐分析表，讓使用者輕易的就可查出各個員工請假的狀況。

範例成果

▲	A	B	C	D	E	F
1	**加總 - 天數**	**欄標籤** ▼				
2	**列標籤** ▼	**公假**	**年假**	**事假**	**病假**	**總計**
3	李向承		1	1.3	2	4.3
4	周宜相	1	0.5	1	0.6	3.1
5	林亦夫	1			1.5	2.5
6	林佳玲			0.5	0.5	1
7	張小雯	2.5	2			4.5
8	張全尊	1	2	0.5	1	4.5
9	許小為			1	0.3	1.3
10	許易堅	2	2		1	5
11	陳益浩	1	1		1	3
12	陳貽宏		2			2
13	楊林憲				3	3
14	楊治宇	1	2	0.2		3.2
15	劉吟秀	3	2			5
16	**總計**	**12.5**	**14.5**	**4.5**	**10.9**	**42.4**

工作表1

＜員工請假樞紐分析表＞

4-1 建立休假制度

　　員工休假可分成支薪與不支薪的假別，不同的假別會有不同的扣錢方式，依照員工請假規範來限定員工請假的假別，建立出勤時數統計表，不但可計算每個月的請假人數、時數等，作為支付薪資的依據，還能評估員工的適任性。

4-1-1　訂定員工請假規範

　　首先，瞭解一下「員工請假規範」的各項請假規定，規定如下：

假別

(1)　事假：因事需由本人親自處理，屬於不給薪的假別。

(2)　病假：因病或生理因素需要治療或休養者，薪水折半。

(3)　分娩假：本人分娩前後，照給薪。

(4)　喪假：親人喪亡，照給薪。

(5)　公假：依政府法令規定應給予公假者，照給薪。

(6)　年假：依照年資每年的假期，照給薪。

時數計算

　　請假單位為「小時」，例如：請假不超過一小時則以一小時計算，以此類推。

年假給假方式

(1)　需年滿一年，才有年假。

(2)　一年以上未滿三年，每年 7 天年假。

(3)　三年以上未滿五年，每年 10 天年假。

(4) 五年以上未滿十年，每年 14 天年假。

(5) 十年以上則每年增加一天，直至 30 天為止。

4-1-2 建立年休表

當一個員工在公司工作年滿一年即會有年假，因年資的不同而有不一樣天數的年假，因此需要先建立好年假表，才能看出員工已經休過幾天年假或已經休完年假。

範例 **使用資料驗證避免輸入錯誤**（檔名：出勤時數-01.xlsx）

Step.01

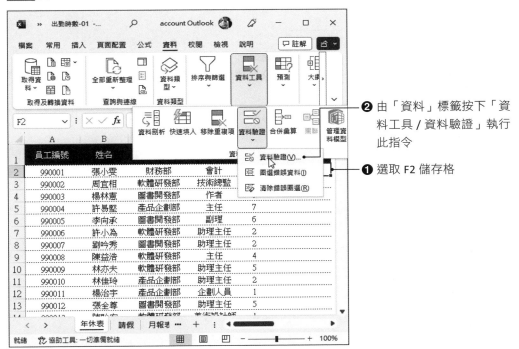

❷ 由「資料」標籤按下「資料工具 / 資料驗證」執行此指令

❶ 選取 F2 儲存格

Step 02

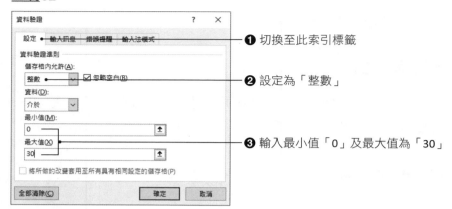

❶ 切換至此索引標籤

❷ 設定為「整數」

❸ 輸入最小值「0」及最大值為「30」

Step 03

❶ 切換至此索引標籤

❷ 勾選此項將在選取資料時顯示提示訊息

❸ 輸入標題及提示訊息文字

可按此鈕清除訊息

Step 04

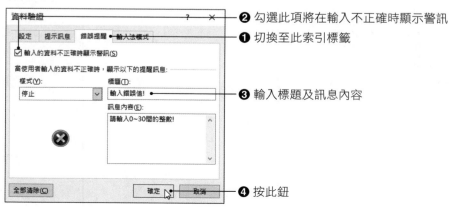

❷ 勾選此項將在輸入不正確時顯示警訊

❶ 切換至此索引標籤

❸ 輸入標題及訊息內容

❹ 按此鈕

Step. 05

選取 F2 儲存格，旁邊出現提示
訊息，在儲存格中輸入「100」
並按下 Enter 鍵

Step. 06

出現警告訊息！

按此鈕重試即可

Step. 07

❶ 依照年休給假方式，在此輸
入「7」

❷ 拖曳此儲存格的填滿控點至
F14 儲存格，並在智慧標籤
中選取「僅以格式填滿」選
項

這樣就不會輸入錯誤了！各位只要將年資依序將比對年休給假方式，填入到年
休天數即可。

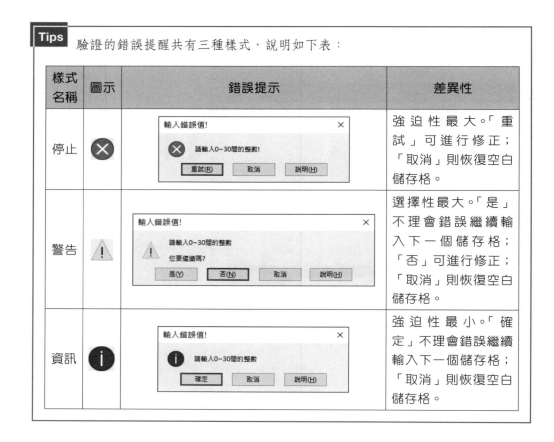

Tips 驗證的錯誤提醒共有三種樣式，說明如下表：

樣式名稱	圖示	錯誤提示	差異性
停止		輸入錯誤值！ 請輸入0~30間的整數！ 重試(R)　取消　說明(H)	強迫性最大。「重試」可進行修正；「取消」則恢復空白儲存格。
警告		輸入錯誤值！ 請輸入0~30間的整數 您要繼續嗎？ 是(Y)　否(N)　取消　說明(H)	選擇性最大。「是」不理會錯誤繼續輸入下一個儲存格；「否」可進行修正；「取消」則恢復空白儲存格。
資訊		輸入錯誤值！ 請輸入0~30間的整數 確定　取消　說明(H)	強迫性最小。「確定」不理會錯誤繼續輸入下一個儲存格；「取消」則恢復空白儲存格。

4-2 建立請假記錄表

接下來，要建立請假清單！筆者已經製作好請假清單，在此清單中有請假日期、員工編號、員工姓名、假別及天數。

4-2-1 設定日期顯示格式

首先來設定請假清單的日期。在 Excel 中，「日期」為一特定格式，所以必須先設定好日期的格式，否則有可能把輸入的「民國」年當作「西元」年來輸入，而不能正常的顯示。

範例 **設定日期顯示格式**（檔名：出勤時數-02.xlsx）

Step. 01

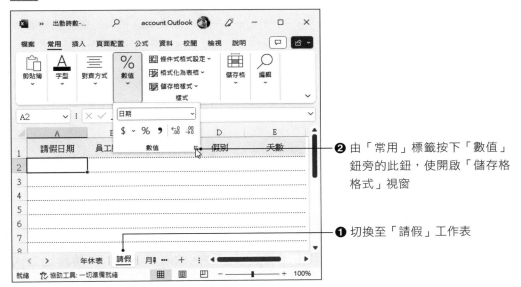

❷ 由「常用」標籤按下「數值」鈕旁的此鈕，使開啟「儲存格格式」視窗

❶ 切換至「請假」工作表

Step. 02

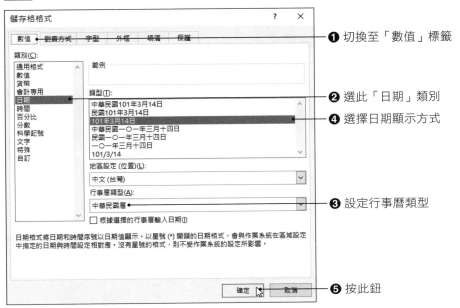

❶ 切換至「數值」標籤

❷ 選此「日期」類別

❹ 選擇日期顯示方式

❸ 設定行事曆類型

❺ 按此鈕

Step. 03

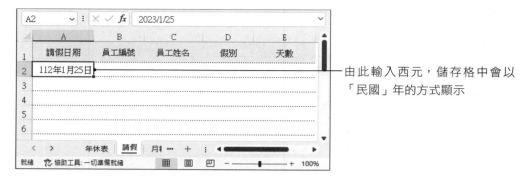

由此輸入西元，儲存格中會以「民國」年的方式顯示

請注意！因為民國年與西元年的年制不同，所以，在此儲存格中必須輸入「西元」年，如此才能正確的轉換為「民國」年。

4-2-2 自動輸入員工姓名

為了不讓使用者重複輸入員工編號及員工姓名的麻煩，所以不妨設定公式讓使用者輸入員工編號的同時，就會自動出現員工姓名。在此範例中，需要使用 VLOOKUP() 函數來參照「年休表」中的 A2 儲存格到 B14 儲存格內容，且需顯示第二欄的內容，所以 VLOOKUP() 函數內容應為「(員工編號欄位 , 年休表 !A2:B14,2,0)」。以下將延續上述範例進行說明。

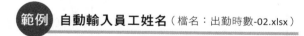

範例 **自動輸入員工姓名**（檔名：出勤時數-02.xlsx）

Step. 01

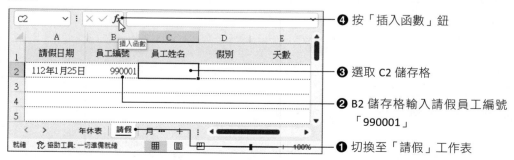

❹ 按「插入函數」鈕

❸ 選取 C2 儲存格

❷ B2 儲存格輸入請假員工編號「990001」

❶ 切換至「請假」工作表

Step **02**

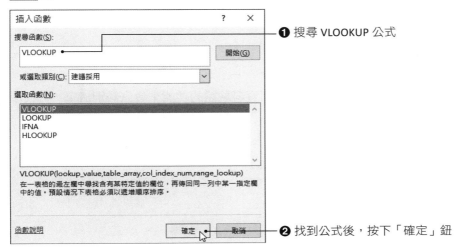

❶ 搜尋 VLOOKUP 公式

❷ 找到公式後，按下「確定」鈕

Step **03**

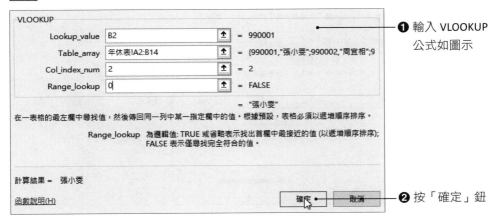

❶ 輸入 VLOOKUP
公式如圖示

❷ 按「確定」鈕

Step **04**

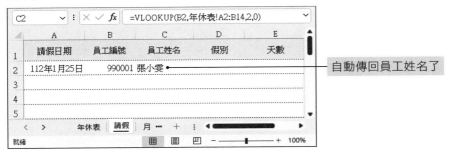

自動傳回員工姓名了

　　只要在其他員工姓名的欄位中，帶入此 VLOOKUP() 函數，就可以省略輸入員工姓名的程序。

4-2-3　假別清單的建立

　　因為有太多不同的假別，所以將運用資料驗證的功能來建立假別清單，方便使用者來進行選取。

範例　**假別清單的建立**（檔名：出勤時數-02.xlsx）

<u>Step.</u>**01**

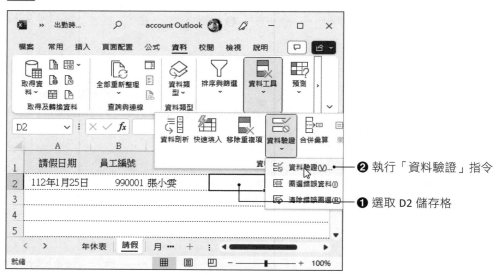

❷ 執行「資料驗證」指令

❶ 選取 D2 儲存格

<u>Step</u> **02**

❶ 切換至「設定」標籤

❷ 按此下拉鈕選擇「清單」

❸ 來源處選擇 G2:G7 儲存格

❹ 按「確定」鈕

<u>Step</u> **03**

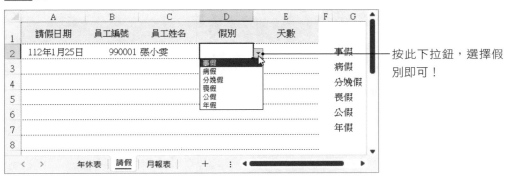

按此下拉鈕，選擇假別即可！

　　使用下拉式選單來選擇清單的方式，可以節省許多輸入資料的時間。至於「天數」欄位的輸入，只要依照員工請假的時數來計算，一小時為 0.1 天，兩小時為 0.2 天，最多到 8 小時為止，如果為 8 小時則以一整天計算。

4-3 製作樞紐分析表

　　在建立了請假表之後，緊接著來看看如何以請假表來建立樞紐分析表。讓使用者可以輕易選取需要的資料來顯示。

4-3-1　建立樞紐分析表

在第 3 章已經講解過如何建立樞紐分析表，所以在此僅以範例說明。

範例　**建立樞紐分析表**（檔名：出勤時數-03.xlsx）

Step. 01

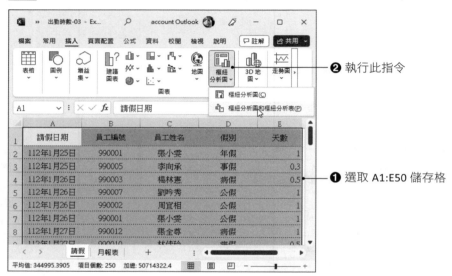

❷ 執行此指令

❶ 選取 A1:E50 儲存格

Step. 02

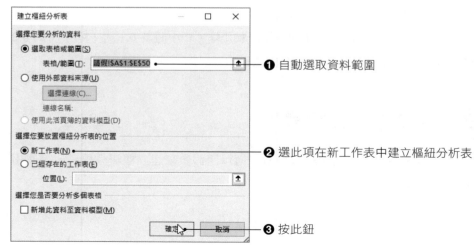

❶ 自動選取資料範圍

❷ 選此項在新工作表中建立樞紐分析表

❸ 按此鈕

<u>Step</u> 03

將上面的欄位分別拖曳到下面的設定欄位中

<u>Step</u> 04

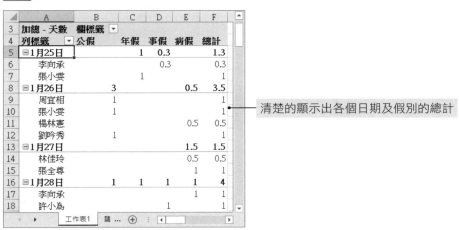

清楚的顯示出各個日期及假別的總計

4-3-2 列出員工個人請假的統計表

建立了樞紐分析表之後，就可從該表中選出員工個人的所有請假資料。在以下範例中，將查出員工姓名「張全尊」請了多少天年休。

範例 **變換樞紐分析表資料**（檔名：出勤時數-04.xlsx）

Step.01

❷ 選擇「上移」指令

❶ 按「員工姓名」下拉鈕

Step.02

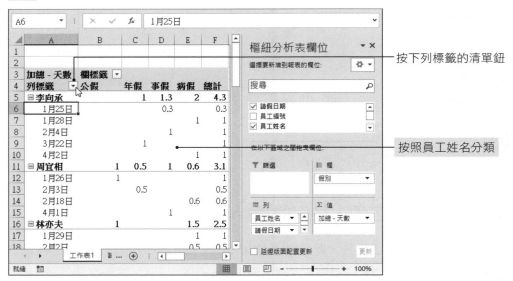

按下列標籤的清單鈕

按照員工姓名分類

<u>Step</u> 03

❶ 取消勾選「全選」後，僅勾選「張全尊」

❷ 按此鈕

<u>Step</u> 04

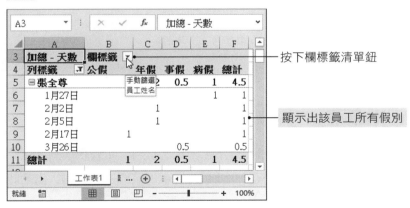

按下欄標籤清單鈕

顯示出該員工所有假別

Step. **05**

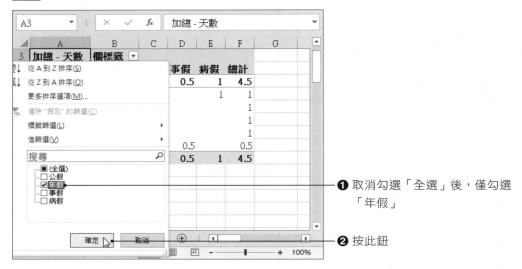

❶ 取消勾選「全選」後,僅勾選「年假」

❷ 按此鈕

Step. **06**

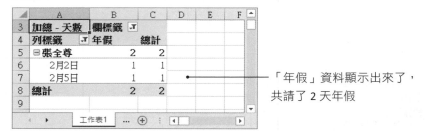

「年假」資料顯示出來了,共請了 2 天年假

4-3-3 依照日期顯示

　　請假表記錄了每一次的請假資料,幾個月下來累積的資料一定會很驚人。這時不妨利用樞紐分析表的分頁功能,把請假日期分頁來顯示。請開啟範例檔「出勤時數-04.xlsx」。

依照日期顯示（檔名：出勤時數-04.xlsx）

Step 01

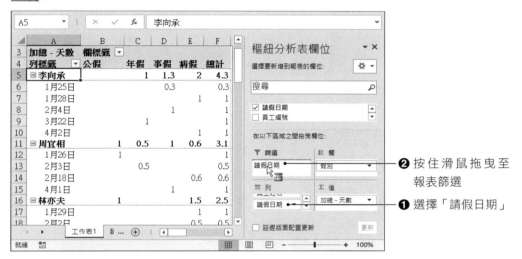

❷ 按住滑鼠拖曳至
報表篩選

❶ 選擇「請假日期」

Step 02

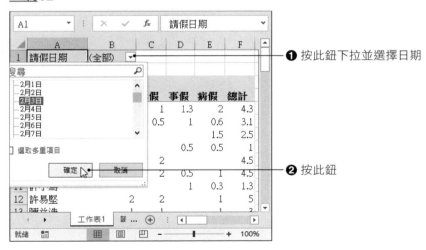

❶ 按此鈕下拉並選擇日期

❷ 按此鈕

Step. 03

顯示出「2月3日」的請假資料了！

4-3-4　使用報表格式

樞紐分析表除了可以直接改變儲存格格式之外，還可以運用樞紐分析表工具列中的報表格式鈕來變化及套用格式。以下將延續上述範例來進行說明。

範例　套用自動格式（檔名：出勤時數-04.xlsx）

Step. 01

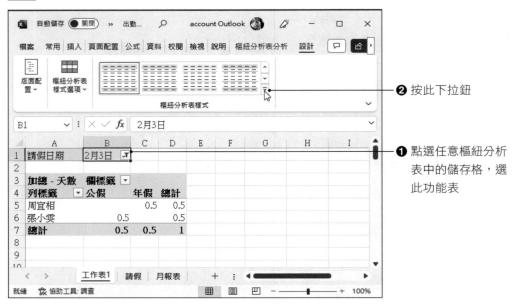

❷ 按此下拉鈕

❶ 點選任意樞紐分析
表中的儲存格，選
此功能表

Step. 02

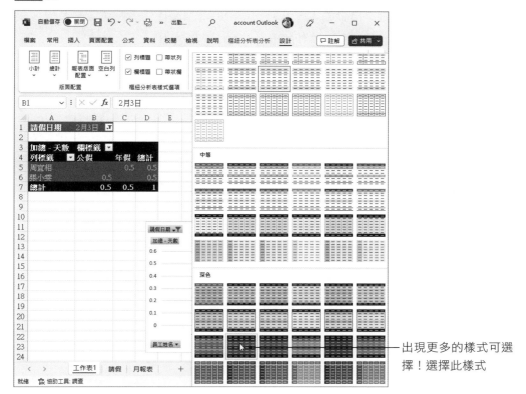

出現更多的樣式可選
擇！選擇此樣式

Step. 03

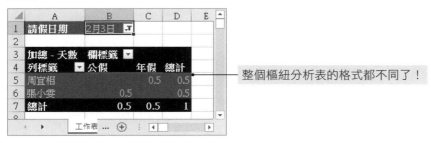

整個樞紐分析表的格式都不同了！

在此報表格式中，有許多種的格式，但不是每一種格式都適用於目前的樞紐分析表，請使用者自行選取適合的報表樣式。

　　除了員工出勤的統計表外，其他種類的表格製作亦可套用這些功能及方式，如使用 VLOOKUP() 函數來自動輸入、資料驗證中的清單讓使用者點選資料及變換樞紐分析表欄位等等功能，一定會提升使用者在工作上的效率。

學習評量

是非題

(　) 1. 在預設情形下，於儲存格中輸入西元日期將會自動轉換成中華民國日期格式。

(　) 2. 樞紐分析圖和樞紐分析表一樣，可直接以滑鼠來拖曳欄位改變樞紐分析圖的顯示。

(　) 3. 樞紐分析表的「報表篩選」欄位，可選擇多筆資料作為分頁的依據。

(　) 4. 樞紐分析表中的「報表篩選」欄位，乃是由欄與列交叉產生的儲存格資料。

(　) 5. 在「樞紐分析表欄位清單」視窗，只要以滑鼠拖曳的方式就可將欄位擺放到欄或列的位置上。

(　) 6. 使用資料驗證可以避免輸入錯誤。

(　) 7. 我們可以運用樞紐分析表工具列中的報表格式鈕來變化及套用格式。

選擇題

(　) 1. 樞紐分析表是由幾種元件組合而成？

　　(A) 4　　　　　　(B) 5　　　　　　(C) 6　　　　　　(D) 7

(　) 2. 下列何者為資料驗證準則允許的內容型態？

　　(A) 整數　　　　(B) 實數　　　　(C) 清單　　　　(D) 以上皆是

(　) 3. 樞紐分析表中預設的計算格式為何？

　　(A) 最小值　　　(B) 最大值　　　(C) 加總　　　　(D) 平均值

(　) 4. 下列何者對資料驗證功能的敘述有誤？

　　(A) 可提醒使用者應輸入的資訊　　　(B) 可設定輸入法模式

　　(C) 具有自動修護功能　　　　　　　(D) 可設定警告視窗

(　) 5. 下列何者不是合法的日期輸入格式？

　　　　(A) 2023-2-11　　　　(B) 2023/2/11　　　　(C) 23_2_11　　　　(D) 23/02/11

(　) 6. 自動格式結合的格式種類不包含下列何者？

　　　　(A) 字型　　　　　(B) 數值　　　　　(C) 框線　　　　　(D) 備註

(　) 7. 樞紐分析表的組成元件下列何者為非？

　　　　(A) 列　　　　　　(B) 欄　　　　　　(C) 資料　　　　　(D) 儲存格

問答題

1.　請開啟範例檔「出勤時數-05.xlsx」，並依序完成以下要求：

	A	B	C	D	E
1	請假日期	員工編號	員工姓名	假別	天數
2	112年1月25日	66001		年假	1.0
3	112年1月25日	66005		事假	0.3
4	112年1月26日	66007		病假	0.5
5	112年1月26日	66008		公假	1.0
6	112年1月26日	66004		公假	1.0
7	112年1月26日	66008		公假	1.0
8	112年1月27日	66001		病假	1.0
9	112年1月27日	66010		病假	0.5
10	112年1月28日	66011		年假	1.0
11	112年1月28日	66006		病假	1.0
12	112年1月28日	66004		公假	1.0

年休表

- 請在「請假」工作表的「員工姓名」欄位中使用「VLOOKUP() 函數」，以「員工編號」為目標，來參照於「年休表」中的員工姓名。
- 請在「請假」工作表「天數」欄位中，加入「資料驗證」，而其資料驗證準則，設定數值為「實數」，數值介於最小值為「0」，最大值為「30」之間。
- 在資料驗證的提示訊息標籤頁中，設定其標題為「請輸入實數」，提示訊息為「數值介於 0 ～ 30」。

2. 將上述要求建立好之後,以「請假」工作表為範圍,建立起一個如下圖的樞紐
分析表:

- 請將「請假日期」放在「報表篩選」欄位中,「假別」及「員工姓名」放在
「列標籤」元件,「天數」放在「值」元件中。

3. 資料驗證的錯誤提醒共有哪三種樣式?

05 季節與年度
員工考績評核

學習重點

- 複製工作表資料
- 以 INDEX() 函數參照缺勤記錄
- 使用 If 判斷式設定條件
- 使用合併彙算功能計算考績平均
- 利用 RANK.EQ() 函數排出名次
- 運用 LOOKUP() 函數對照年終獎金

本章簡介

員工考績是一年以來員工表現的總整理,這關係到每位員工的年終獎金,如果計算錯誤或是計算方法錯誤,都有可能影響每位員工的權益,所以必須小心求得正確的結果。

每個公司都有計算員工績效的方式,有些公司是以「月」來區分員工考績,也有的是用「季」來計算,而求得考績的方法也不盡相同。在本章中,將以計算每一季的考績,然後彙整成為年度考績,並加以區分等級,然後依照不同的等級,再分給不同的年終獎金。

範例成果

	A	B	C	D	E	F
2	員工編號	姓名	缺勤紀錄	出勤點數	工作表現	本季考績
3	990001	張小雯	1.0	29	92	93.4
4	990002	周宜相	2.6	27.4	96	94.6
5	990003	楊林憲	3.0	27	85	86.5
6	990004	許易堅	3.0	27	91	90.7
7	990005	李向承	3.3	26.7	88	88.3
8	990006	許小為	1.3	28.7	86	88.9
9	990007	劉吟秀	3.0	27	85	86.5
10	990008	陳益浩	2.0	28	84	86.8
11	990009	林亦夫	2.5	27.5	83	85.6
12	990010	林佳玲	1.0	29	90	92
13	990011	楊治宇	1.2	28.8	91	92.5
14	990012	張全尊	2.5	27.5	92	91.9
15	990013	陳貽宏	0.0	30	60	72
16	990014	王楨珍	0.0	30	95	96.5
17	990015	陳怡雯	2.0	28	70	77

`◀ ▶ … 第一季考績 第二季考績 第三季考績 … ⊕`

< 第一季考績表 >

	A	B	C	D	E	F	G	H	I	J	K
1	部門考績分數：		90								
2											
3			年度員工考績								
4	員工編號	姓名	季平均	年度考績	名次	等級	獎金		名次對照	等級	獎金
5	990001	張小雯	91	90	3	A	50,000		5	A	50000
6	990002	周宜相	91	91	2	A	50,000		10	B	40000
7	990003	楊林憲	82	87	14	C	30,000		15	C	30000
8	990004	許易堅	86	88	12	C	30,000				
9	990005	李向承	89	89	7	B	40,000				
10	990006	許小為	90	90	4	A	50,000				
11	990007	劉吟秀	87	89	10	B	40,000				
12	990008	陳益浩	89	89	9	B	40,000				
13	990009	林亦夫	84	88	13	C	30,000				
14	990010	林佳玲	89	90	5	A	50,000				
15	990011	楊治宇	89	90	6	B	40,000				
16	990012	張全尊	89	89	8	B	40,000				
17	990013	陳貽宏	86	89	11	C	30,000				
18	990014	王楨珍	94	92	1	A	50,000				
19	990015	陳怡雯	82	87	15	C	30,000				

`◀ ▶ … 第三季考績 第四季考績 年度考績 ⊕`

< 年度考績表 >

5-1 製作各季考績記錄表

既然是以季為單位，首先要製作各季的考績記錄表，其中包含出缺勤記錄及工作表現等考績分數，以便日後做年度彙整。

5-1-1 複製員工基本資料

為了節省輸入員工資料的時間，可以使用複製的方式，將員工資料複製到每個工作表中。

 複製員工基本資料（檔名：人員考績-01.xlsx）

Step 01

❸ 按滑鼠右鍵，執行此指令

❶ 切換至「各季缺勤記錄」工作表

❷ 選取 A3 至 B17 儲存格並按下滑鼠右鍵

<u>Step</u> 02

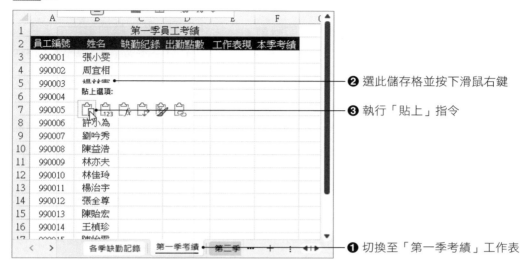

❷ 選此儲存格並按下滑鼠右鍵

❸ 執行「貼上」指令

❶ 切換至「第一季考績」工作表

<u>Step</u> 03

複製員工基本資料到「第一季考績」工作表中了!

　　只要再切換到「第二季考績」、「第三季考績」、「第四季考績」及「年度考績」中，以相同的方法複製即可節省輸入員工基本資料的時間。

5-1-2　參照各季缺勤記錄

　　為了對照方便，首先將每一季的缺勤記錄統計放在「各季缺勤記錄」工作表中。而接下來就必須將每一季的員工缺勤記錄一一放到每一季考績工作表中，雖然可以用複製的方法將缺勤記錄複製到各個考績表中，但是為了下一年度統計的方便，所以用參照的方式，將各季缺勤的記錄對照到各個考績表中，當下一次要計算考績表時，就不需要一一複製，只要修改「各季缺勤記錄」工作表中的缺勤記錄即可。在進行範例之前，先來瞭解所需的 INDEX() 函數。

▎▶**INDEX() 函數**

語法：INDEX(array,row_num,column_num)

說明：以下表格為 INDEX() 函數中的引數說明。

引數名稱	說明
array	指定儲存格的範圍。
row_num	傳回的值位於指定範圍的第幾列。
column_num	傳回的值位於指定範圍的第幾欄。

　　瞭解 INDEX() 函數之後，以下將延續上一小節範例來進行說明。

 傳回缺勤記錄（檔名：人員考績-01.xlsx）

<u>Step</u>.**01**

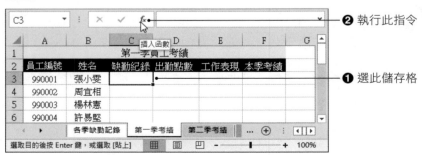

❷ 執行此指令

❶ 選此儲存格

Step. 02

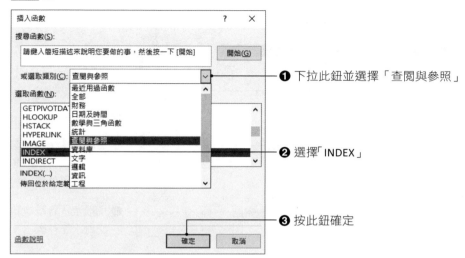

❶ 下拉此鈕並選擇「查閱與參照」

❷ 選擇「INDEX」

❸ 按此鈕確定

Step. 03

❶ 選此項

❷ 按此鈕

Step. 04

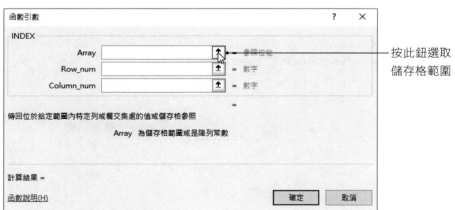

按此鈕選取
儲存格範圍

<u>Step</u>、**05**

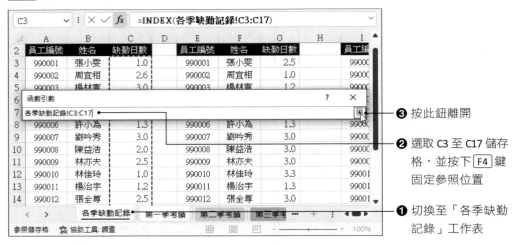

❸ 按此鈕離開

❷ 選取 C3 至 C17 儲存格，並按下 F4 鍵固定參照位置

❶ 切換至「各季缺勤記錄」工作表

> **Tips** 在 Excel 中，按下 F4 鍵使用來將選取的儲存格更改為「絕對參照位址」，當要以填滿控點來複製儲存格內容時，此參照位址就不會隨著變動。

<u>Step</u>、**06**

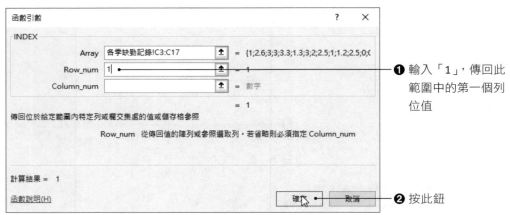

❶ 輸入「**1**」，傳回此範圍中的第一個列位值

❷ 按此鈕

Step. 07

❷ 選取 C4 儲存格，並將第一
列改為第二列

因 C3 儲存格的函數公式為
傳回第一列的值，所以全
部員工的缺勤記錄都變為
「1」了

❶ 以滑鼠拖曳 C3 儲存格右
下角的填滿控點至 C17 儲
存格

Step. 08

此為 C17 儲存格的函數公式

將其他員工的缺勤記錄依此
方式一一更改，員工缺勤記
錄完成！

以相同的方法製作 2、3、4 季考績的缺勤記錄。

5-1-3 計算出勤點數

在此設定公司的出勤點數是以 30 點為總點數，只要將出勤點數扣去缺勤點數，就是本季的出勤點數，如果缺勤點數為「0」，則此員工就可得到「30」點的點數，如果此員工缺勤點數超過「30」點，就直接顯示「開除」二字。公式如下：

If((30-缺勤記錄)>=0,(30-缺勤記錄),"開除")

範例 **計算出勤點數**（檔名：人員考績-02.xlsx）

Step.01

❷ 選取 D3 儲存格在此輸入「=IF
((30-C3)>=0,(30-C3),"開除")」
後，按下 Enter 鍵

❶ 切換至「第一季考績」
工作表

Step.02

計算出此員工在
此季的出勤點數

滑鼠拖曳 D3 儲存格的填滿控
點複製公式至 D17 儲存，就可
以輕鬆複製出其他員工的出勤
點數

至於其他季的考績工作表，也是以相同的方法即可算出出勤點數。

5-1-4 員工季考績計算

　　每一位員工的工作表現分數是以「100」分來計算，在主管一一輸入每位員工的工作表現分數之後，接著就來計算此季的員工考績分數。公司的季考績分數是以「出勤點數」加上「工作表現」，而「出勤點數」佔了總比例的「30%」，而「工作表現」則佔了「70%」。比如說某一員工的「出勤點數」為「20」、「工作表現」分數為「90」，則此員工的考績計算方式如下：

> **某員工季考績分數 = 20 + (90*0.7) = 83**

　　瞭解計算方式之後，以下將直接以範例說明。

範例 **季考績的計算**（檔名：人員考績-03.xlsx）

<u>Step</u>.**01**

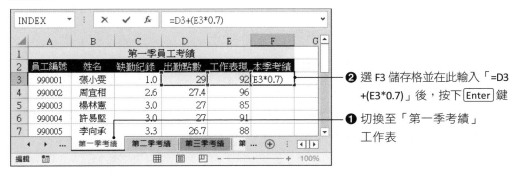

❷ 選 F3 儲存格並在此輸入「=D3 +(E3*0.7)」後，按下 Enter 鍵

❶ 切換至「第一季考績」工作表

Step. 02

▲	A	B	C	D	E	F
1	第一季員工考績					
2	員工編號	姓名	缺勤紀錄	出勤點數	工作表現	本季考績
3	990001	張小雯	1.0	29	92	93.4
4	990002	周宜相	2.6	27.4	96	94.6
5	990003	楊林憲	3.0	27	85	86.5
6	990004	許易堅	3.0	27	91	90.7
7	990005	李向承	3.3	26.7	88	88.3
8	990006	許小為	1.3	28.7	86	88.9
9	990007	劉吟秀	3.0	27	85	86.5
10	990008	陳益浩	2.0	28	84	86.8
11	990009	林亦夫	2.5	27.5	83	85.6
12	990010	林佳玲	1.0	29	90	92
13	990011	楊治宇	1.2	28.8	91	92.5
14	990012	張全尊	2.5	27.5	92	91.9
15	990013	陳貽宏	0.0	30	60	72
16	990014	王楨珍	0.0	30	95	96.5
17	990015	陳怡雯	2.0	28	70	77

→ 出現此員工的本季考績分數

→ 利用填滿控點將此公式套用到別的儲存格

第一季考績　　第二季考績　　第三季考績　…　⊕

5-2　年度考績計算

　　由於年度考績分數關係著年終獎金的多寡，因此必須準確的計算出每位員工的考績分數，才不會造成年終獎金分配不公平的狀況。

　　因為每個部門的工作不同，如果以部門中的季平均來計算，似乎有點不公平，所以總經理會給予每個部門不同的考績分數，然後按照此考績分數及季平均分數來計算出此員工的年度考績分數。計算出員工個人的年度考績分數後，再依照比例來評判等級，不同的等級會有不同的年終獎金。

5-2-1　計算季平均分數

　　首先，可以用「合併彙算」的方式，來計算出員工的季平均分數。

5-11

範例 **合併彙算計算出季平均分數**（檔名：人員考績-04.xlsx）

Step, 01

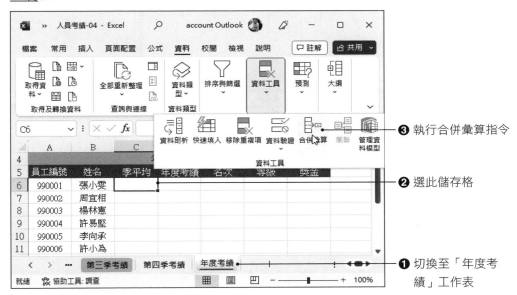

❸ 執行合併彙算指令

❷ 選此儲存格

❶ 切換至「年度考績」工作表

Step, 02

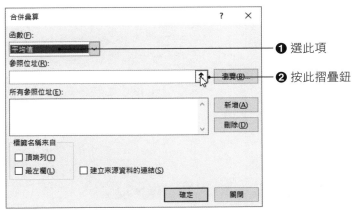

❶ 選此項

❷ 按此摺疊鈕

Step 03

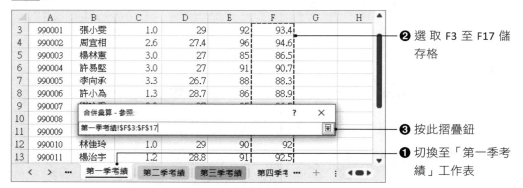

❷ 選取 F3 至 F17 儲存格

❸ 按此摺疊鈕

❶ 切換至「第一季考績」工作表

Step 04

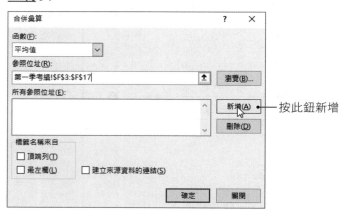

— 按此鈕新增

Step 05

在此新增一組參照位址！

Tips 以相同的步驟將其他三季考績的季考績分數位置新增至此參照位址中。

<u>Step</u> 06

❶ 已經新增其他季的季考績分數位址

❷ 按此鈕確定

<u>Step</u> 07

出現季考績平均分數了

Tips 由於計算出的數值是小數點後三位，為了計算方便及工作表美觀，所以必須將小數點去除。

<u>Step</u> 08

由「常用」標籤按下「減少小數位數」鈕

<u>Step</u> 09

此「季平均」數值以整數顯示了！

5-2-2　計算年度考績分數

　　總經理給予此部門考績分數之後，接著就可以計算出年度考績分數了！「年度考績」分數是以「部門考績分數」佔 60%，「季平均」分數佔 40%，也就是「部門考績分數」乘上 60% 後，再加上「季平均」乘上 40% 的分數。簡單來說：該部門的考績分數為「90」，而某員工的季考績分數為「80」，因此年度考績分數就是：(90*0.6) + (80*0.4) = 86。

 範例 **計算年度考績分數**（檔名：人員考績-05.xlsx）

Step.01

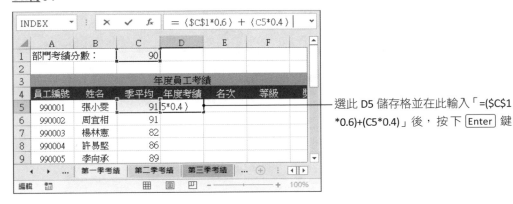

選此 D5 儲存格並在此輸入「=($C$1*0.6)+(C5*0.4)」後，按下 Enter 鍵

Step.02

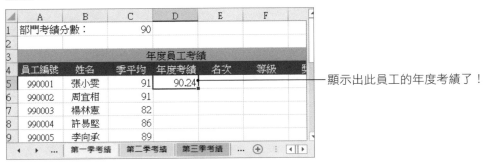

顯示出此員工的年度考績了！

Tips 　使用者可能會覺得奇怪，為什麼 D5 儲存格計算出來的值並非「90.4」而是「90.24」？因為 D5 儲存格只是運用「減少小數位數」的方法讓此儲存格看起來整齊而已，實際上此儲存格的值為「90.6」，所以在此是以「(90*0.6)+(90.6*0.4)」來計算，因此計算出來的值為「90.24」。

接下來，只要以滑鼠直接拖曳填滿控點來複製即可，結果如下圖：

	A	B	C	D	E
3			年度員工考績		
4	員工編號	姓名	季平均	年度考績	名次
5	990001	張小雯	91	90.24	
6	990002	周宜相	91	90.53	
7	990003	楊林憲	82	86.71	
8	990004	許易堅	86	88.23	
9	990005	李向承	89	89.44	
10	990006	許小為	90	90.12	
11	990007	劉吟秀	87	88.74	
12	990008	陳益浩	89	89.4	
13	990009	林亦夫	84	87.63	
14	990010	林佳玲	89	89.62	
15	990011	楊治宇	89	89.5	
16	990012	張全尊	89	89.42	
17	990013	陳貽宏	86	88.54	
18	990014	王楨珍	94	91.55	
19	990015	陳怡雯	82	86.69	

第一季考績　第二季考績　第...

年度考績計算
完畢！

為了顯示整齊，可使用「減少小數位數」鈕，將小數點去除！

5-2-3　排列部門名次

知道員工的年度考績後，當然接著就是要排列此部門員工的名次，用以排列不同的考績等級。首先認識用來排名的 RANK.EQ() 函數。

▶ RANK.EQ() 函數

語法：RANK.EQ(number,ref,order)

說明：將傳回指定數字在數字清單中的排序等級，數字的大小相對於清單中其他值的大小。如果有多個數值的等級相同，則會傳回該組數值的最高等級。

相關引數說明如下：

引數名稱	說明
number	指定數字，或指定儲存格數值。
ref	數字清單的陣列或參照的儲存格位置。陣列中的非數值會被忽略。
order	指定數字排列順序的數字。 如果 order 為 0（零）或被省略，陣列將當成從大到小排序來評定等級。 如果 order 不是 0，則將陣列從小到大排序來評定等級。

初步瞭解 RANK.EQ() 函數後，以下將以實際範例作為練習，請延續上述範例檔。

範例 **使用 RANK.EQ() 函數排名次**（檔名：人員考績-05.xlsx）

Step. **01**

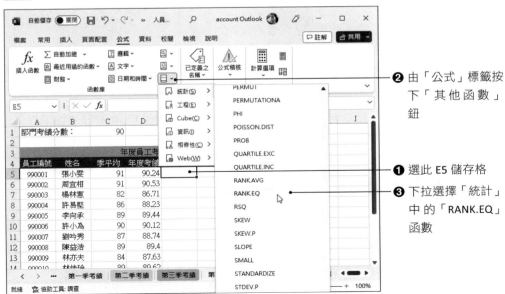

❷ 由「公式」標籤按下「其他函數」鈕

❶ 選此 E5 儲存格

❸ 下拉選擇「統計」中的「RANK.EQ」函數

<u>Step</u> 02

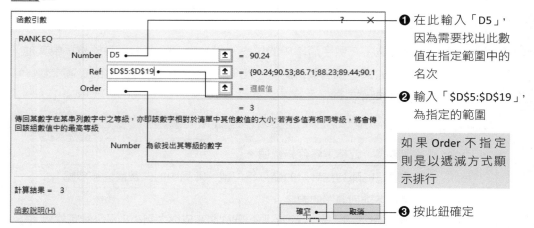

❶ 在此輸入「D5」，因為需要找出此數值在指定範圍中的名次

❷ 輸入「$D$5:$D$19」，為指定的範圍

如果 Order 不指定則是以遞減方式顯示排行

❸ 按此鈕確定

<u>Step</u> 03

	A	B	C	D	E	F	G
2							
3			年度員工考績				
4	員工編號	姓名	季平均	年度考績	名次	等級	獎金
5	990001	張小雯	91	90.24	3		
6	990002	周宜相	91	90.53	2		
7	990003	楊林憲	82	86.71	14		
8	990004	許易堅	86	88.23	12		
9	990005	李向承	89	89.44	7		
10	990006	許小為	90	90.12	4		
11	990007	劉吟秀	87	88.74	10		
12	990008	陳益浩	89	89.4	9		
13	990009	林亦夫	84	87.63	13		
14	990010	林佳玲	89	89.62	5		
15	990011	楊治宇	89	89.5	6		
16	990012	張全尊	89	89.42	8		
17	990013	陳貽宏	86	88.54	11		
18	990014	王槙珍	94	91.55	1		
19	990015	陳怡雯	82	86.69	15		

顯示出各員工在此部門的排名了

拖曳 E5 儲存格的填滿控點至 E19 儲存格，完成考績排名

｜◀ ▶ ... ｜ 第一季考績 ｜ 第二季考績 ｜ 第三季考績 ｜ 第 ... ⊕ ｜

5-2-4 排列考績等級

計算出名次排行之後，接著就以此名次來對照考績等級。在此考績等級是以名次排行來分等級，在部門中考績名次排行 1-5 名的員工，其考績等級為「A」、排行 6-10 名的員工，其考績等級為「B」、排行 11-15 名的員工，其考績等級則為「C」。

以對照的方式，用 IF() 函數來判斷每位員工的等級為何。以員工「張小雯」為例，其名次儲存格為「E5」，使用 IF() 函數來判斷「E5」的值是否小於或等於「5」，如果成立則對照等級「A」，如不成立則判斷「E5」的值是否小於或等於「10」，如果成立則對照等級「B」，如果不成立則繼續判斷…。這樣就可將所有員工依照名次來排考績等級。

範例 **使用 IF 函數排出考績等級**（檔名：人員考績-06.xlsx）

<u>Step</u> **01**

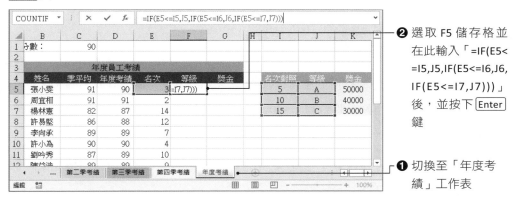

❷ 選取 F5 儲存格並在此輸入「=IF(E5<=I5,J5,IF(E5<=I6,J6,IF(E5<=I7,J7)))」後，並按下 Enter 鍵

❶ 切換至「年度考績」工作表

<u>Step</u> **02**

對照出此為員工的考績等級！

因為對照的等級範圍不需變動，所以使用者可按下 F4 鍵將這些不變的對照位址固定起來之後，再以滑鼠拖曳此儲存格的填滿控點將此公式複製到其他儲存格中即可，其成果如下：

F13 儲存格公式

員工考績等級
都填好了！

5-2-5 年終獎金發放

計算年終獎金的時刻終於到來！依據考績等級的好壞，將會發放不同金額的年終獎金。等級「A」的員工將會有「50000」元的年終獎金，等級「B」的員工將會有「40000」元的年終獎金，至於等級「C」的員工則只有「30000」元年終獎金。

在此範例中將以 LOOKUP() 函數來對照出每位員工的年終獎金，可以先來瞭解LOOKUP() 函數的使用方式。

▶LOOKUP() 函數

語法：LOOKUP(lookup_value,lookup_vector,result_vector)

說明：以下表格為 LOOKUP() 函數中的引數說明。

引數名稱	說明
lookup_value	搜尋的數值。可為數字、文字或邏輯值。
lookup_vector	僅可包含單列或單欄的數值或文字，如果為數值則以遞增的次序排列。
result_vector	僅可包含單列或單欄的範圍，大小需與 Lookup_vector 相同。

範例 **以 VLOOKUP() 函數填入年終獎金金額**（檔名：人員考績-07.xlsx）

Step 01

❷ 選取 G5 儲存格並在此輸入「=LOOKUP(F5,J5:J7,K5:K7)」
後，按下 Enter 鍵

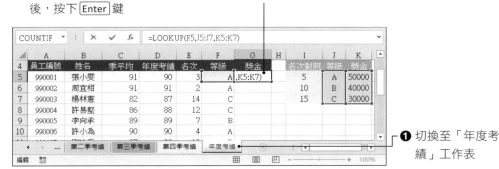

❶ 切換至「年度考
績」工作表

Step 02

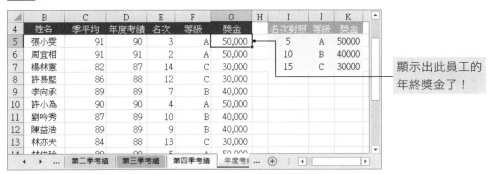

顯示出此員工的
年終獎金了！

　　在 G5 儲存格中輸入的 LOOKUP() 函數，「=LOOKUP(F5,J5:J7,K5:K7)」，意
義是要在「J5:J7」中找出「F5」的值，找到時傳回「K5:K7」中的數值。為了方
便填入其他員工的年終獎金金額，所以將此公式中的「J5:J7」改為「$J$5:$J$7」，
「K5:K7」改為「$K$5:$K$7」，然後再將公式複製到其他儲存格即可，各位可開啟
範例檔「人員考績-08.xlsx」參考最後完成的檔案。

Ｑ Ａ 學習評量

是非題

( )　1. 於選取的來源資料內按下複製圖示鈕，於目的儲存格內按下貼上圖示鈕，即可完成複製 / 貼上指令。

( )　2. INDEX() 函數的「Row_num」引數為傳回的值位於指定範圍的第幾列。

( )　3. INDEX() 函數為統計類別函數。

( )　4. 在 Excel 中，按下 F5 鍵是用來將選取的儲存格更改為「相對參照位址」。

( )　5. 執行合併彙算時，已新增的參照位址無法刪除。

( )　6. RANK.EQ(number,ref,order) 會傳回指定數字在數字清單中的排序等級。

( )　7. LOOKUP(Lookup_value,Lookup_vector,Result_vector) 其中搜尋的數值 Lookup_value 可為數字、文字或邏輯值。

選擇題

( )　1. 在 Excel 中，按下何鍵可用來將選取的儲存格更改為「絕對參照位址」？

(A) F4 鍵　　　　(B) F5 鍵　　　　(C) F2 鍵　　　　(D) F11 鍵

( )　2. LOOKUP() 函數為哪一類別函數？

(A) 查閱與參照　　(B) 統計　　　　(C) 財務　　　　(D) 資訊

( )　3. 下列哪一圖示鈕可減少小數位數？

(A) ←.0/.00　　　(B) .00/→.0　　　(C) ←⋷　　　　(D) ⋶→

( )　4. 絕對參照位址的表示方法為在欄名及列號前加上下列哪一符號？

(A) #　　　　　　(B) @　　　　　　(C) $　　　　　　(D) &

( )　5. 儲存格參照位址可區分為？

(A) 絕對參照位址　　　　　　　　(B) 相對參照位址

(C) 混和參照位址　　　　　　　　(D) 以上皆是

( ) 6. 加總工具鈕可進行哪些運算？

    (A) 加總   (B) 平均   (C) 最大值   (D) 以上皆是

( ) 7. 統計函數中不包含哪一項？

    (A) AVERAGE()   (B) MIN()   (C) PMT()   (D) STDEV()

問答題

1. 請開啟範例檔「人員考績-09.xlsx」。

將「缺勤記錄」工作表的學生座號及姓名，複製到「10月份表現」工作表中。

2. 延續上述範例，請依序完成以下要求：

- 請在「10月份表現」工作表的「缺勤記錄」欄位中使用 INDEX() 函數，以「缺勤記錄」工作表的 10 月份缺勤記錄為指定範圍，參照出每位學生 10 月份的缺勤記錄。

- 使用 IF() 函數，設定此月份的出勤總點數為「30」，以「出勤總點數」減去「缺勤點數」，就是這個月的「出勤點數」，如果「出勤點數」小於「0」，則在此「出勤點數」欄位中會顯示「開除」二字。

- 隨意填入每位學生的月考成績，請依照以下方式計算出「月表現」成績：以「出勤點數」加上「月考成績」乘以「0.7」的總和。即出勤點數佔「30%」，而月考成績佔「70%」。

3. 如何實作自動加總的計數功能？

企業活動問卷調查
與統計

學習重點

- 超連結功能應用
- 插入文字藝術師
- 插入美工圖案
- 從檔案插入圖片

本章簡介

隨著時代的進步，科技帶給人們的便利也愈來愈多樣化。在企業電子化愈來愈普遍的今天，相信許多公司早已使用電腦代替了大部分的人工作業。部分需釘在牆壁公佈欄的公布事項，已被網頁所取代，而公司內部各種文件的交流，也都改為以電子郵件的方式傳送，不僅節省了紙張，也省下了許多的人力資源。在本章的範例裡，即要學習如何利用企業內部網路的連結來製作意見調查、報名表，並完成統計工作。

範例成果

<國內旅遊意見調查表>

<意見調查結果>

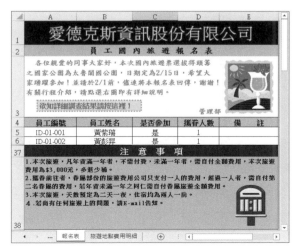

<國內旅遊報名表>

6-1 製作意見調查表

　　製作意見調查表除了必備的主題與問題外，整體的美觀也不可忽視，因為旅遊意見調查表屬公司內部較不嚴肅的文件，如果將此調查表做得較為活潑化，也可因而帶動大家愉悅的心情。

6-1-1 插入文字藝術師

　　首先利用文字藝術師功能，製作公司名稱文字方塊，作為意見調查表的表頭。

 範例 **利用文字藝術師製作表頭**（檔名：調查與統計表-01.xlsx）

<u>Step.</u> 01

❶ 由「插入」標籤按下「文字藝術師」鈕

❷ 選擇任一樣式

<u>Step.</u> 02

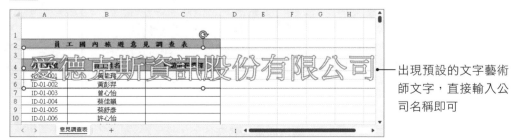

出現預設的文字藝術師文字，直接輸入公司名稱即可

<u>Step.</u> 03

由此選取欲套用的背景色彩

滑鼠游標指到樣式工具鈕時，文字藝術師物件可立即預覽效果

<u>Step.</u> 04

調整文字物件的大小與位置作為表頭

完成公司名稱後，緊接著輸入此意見調查表的主題。

範例 **輸入意見調查表內容**（檔名：調查與統計表-01.xlsx）

<u>Step</u> 01

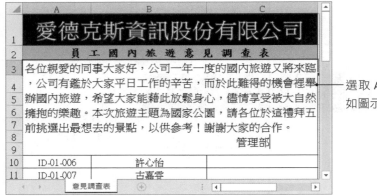

選取 **A3** 儲存格，並輸入內容如圖示

> **Tips** 同一儲存格內如果要換行輸入，可按 Alt + Enter 鍵。

<u>Step</u> 02

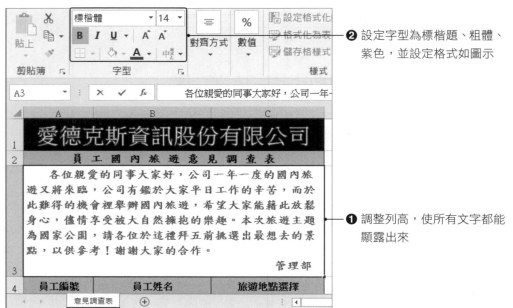

❷ 設定字型為標楷題、粗體、紫色，並設定格式如圖示

❶ 調整列高，使所有文字都能顯露出來

6-1-2 製作下拉式選單與提示訊息

「旅遊地點選擇」請設定為下拉選單樣式,以方便填寫意見調查表者選擇。

 製作下拉式選單(檔名:調查與統計表-01.xlsx)

<u>Step</u> 01

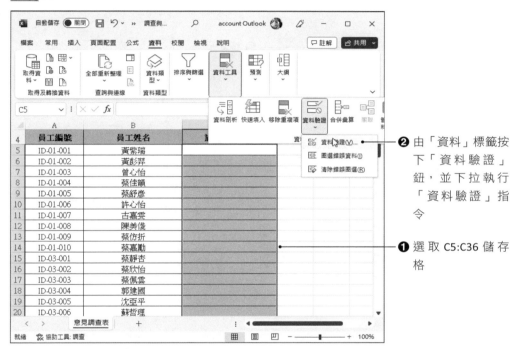

❷ 由「資料」標籤按下「資料驗證」鈕,並下拉執行「資料驗證」指令

❶ 選取 C5:C36 儲存格

<u>Step</u> 02

❹ 切換至「輸入訊息」標籤

❶ 切換至「設定」索引標籤

❷ 設定為「清單」

❸ 於來源欄位內輸入「陽明山國家公園,墾丁國家公園,雪霸國家公園,金門國家公園,玉山國家公園,太魯閣國家公園」

Step. 03

❶ 於輸入訊息欄內輸入「請確實選擇想去的地點以做為統計之用」

❷ 按此鈕

Step. 04

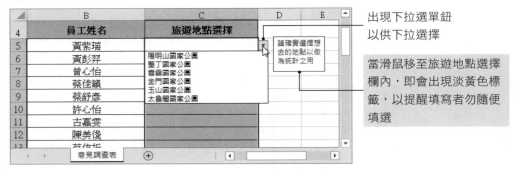

出現下拉選單鈕
以供下拉選擇

當滑鼠移至旅遊地點選擇欄內，即會出現淡黃色標籤，以提醒填寫者勿隨便填選

注意事項欄內亦請填入有關此次旅遊需特別注意的地方：

 製作提示訊息（檔名：調查與統計表-01.xlsx）

<u>Step</u> **01**

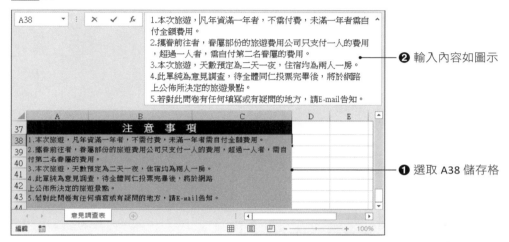

❷ 輸入內容如圖示

❶ 選取 A38 儲存格

<u>Step</u> **02**

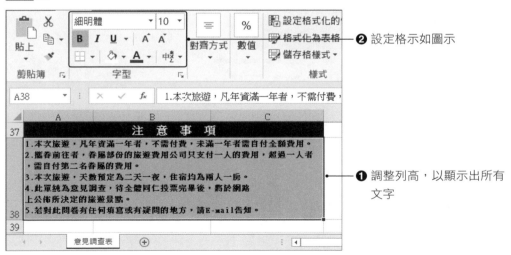

❷ 設定格示如圖示

❶ 調整列高，以顯示出所有文字

6-1-3 從檔案插入圖片

於注意事項欄內插入圖片，以設定超連結至 E-mail：

範例 **插入圖片**（檔名：調查與統計表-01.xlsx）

Step. 01

由「插入」標籤按下
「圖片」鈕

Step. 02

❶ 選擇此圖片檔-郵筒.jpg

❷ 按此鈕

<u>Step</u> 03

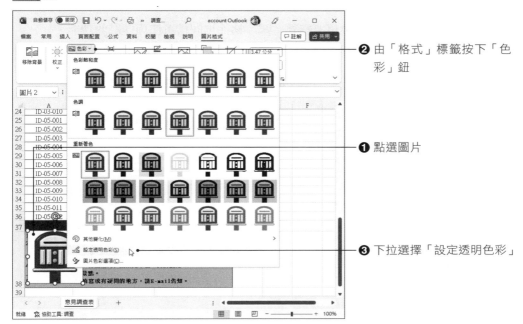

❷ 由「格式」標籤按下「色彩」鈕

❶ 點選圖片

❸ 下拉選擇「設定透明色彩」

<u>Step</u> 04

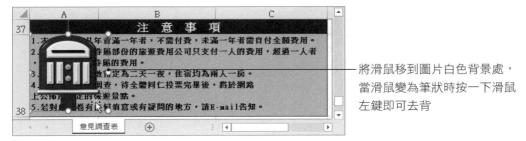

將滑鼠移到圖片白色背景處，當滑鼠變為筆狀時按一下滑鼠左鍵即可去背

<u>Step</u> 05

調整圖片大小並移置適當位置

6-1-4　圖片物件超連結

Excel 文件除了文字可做超連結外，圖片物件也同樣可使用連結的功能。

 範例　**製作圖片超連結**（檔名：調查與統計表-01.xlsx）

Step. 01

❷ 由「插入」標籤按下「插入連結」鈕

❶ 選取圖片

Step. 02

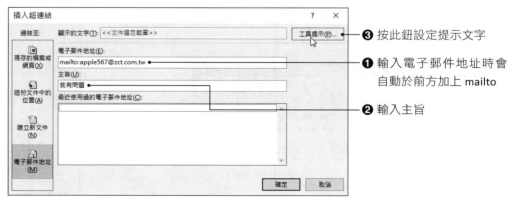

❸ 按此鈕設定提示文字

❶ 輸入電子郵件地址時會自動於前方加上 mailto

❷ 輸入主旨

Step. 03

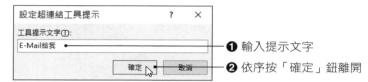

❶ 輸入提示文字

❷ 依序按「確定」鈕離開

Step. 04

❷ 按下滑鼠左鍵

❶ 當滑鼠移到圖片物件上時，即會出現提示文字小標籤

Step. 05

會開啟系統預設的郵件軟體，並出現已輸入收件者郵件地址與主旨的電子郵件編輯軟體畫面

Tips 如果要選取已設定超連結的圖片物件，可按滑鼠右鍵選取。

6-1-5　保護活頁簿

調查表的製作工作完畢後，即可傳送此調查表讓所有員工加以填寫，在傳送之前，為避免調查表格式或部分內容被不小心的員工給刪除掉了，所以先對此調查表作一保護的動作。請開啟範例檔「調查與統計表-02.xlsx」：

範例 **對調查表進行保護**（檔名：調查與統計表-02.xlsx）

<u>Step</u>,**01**

由「校閱」標籤按下
「允許編輯範圍」鈕

<u>Step</u>,**02**

按下此鈕

<u>Step</u> 03

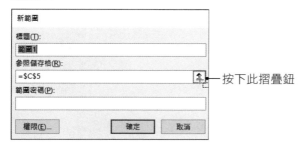

按下此摺疊鈕

<u>Step</u> 04

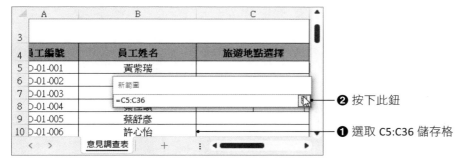

❷ 按下此鈕

❶ 選取 C5:C36 儲存格

<u>Step</u> 05

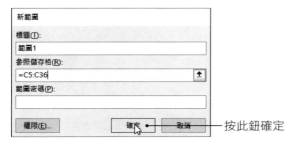

按此鈕確定

Step. 06

 ──按下此鈕保護工作表

Step. 07

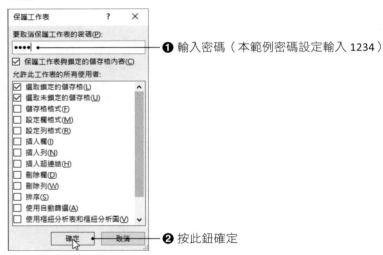

❶ 輸入密碼（本範例密碼設定輸入 1234）

❷ 按此鈕確定

Step. 08

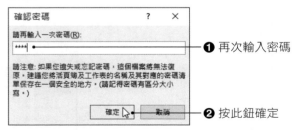

❶ 再次輸入密碼

❷ 按此鈕確定

設定保護後，現在此份意見調查表只能對剛所選取的欄位進行填選或修改的動作，如果欲對其他的欄位進行刪除或更改的動作，則會出現如下對話框：

如此一來，即可放心將此調查表開放給其他員工使用了。

6-1-6 取消保護活頁簿

調查工作完成，即可取消保護活頁簿的功能，以便做其他的修改：

範例 **取消對調查表的保護**（檔名：調查與統計表-02.xlsx）

<u>Step</u> 01

Step. 02

❶ 輸入密碼（本範例密碼設定輸入 1234）

❷ 按此鈕

6-2 意見調查結果統計

到了令人興奮的時刻了，意見調查表經過一段時間填寫之後，就要開始進行統計的工作，真想快點知道這次旅遊到底是要在哪個地點舉辦。

6-2-1 COUNTIF() 函數說明

善用 Excel 的 COUNTIF() 函數，可以快速統計各旅遊地點的支持度，答案就要揭曉了！

▶ **COUNTIF() 函數**

語法：COUNTIF(range,criteria)

說明：主要是用來計算某範圍內符合篩選條件的儲存格個數。相關引數說明如下：

引數名稱	說明
range	計算指定條件儲存格的範圍。
criteria	此為比較條件，可為數值、文字或是儲存格，用以指定哪些儲存格會被計算。

範例 調查結果統計（檔名：調查與統計表-03.xlsx）

Step. 01

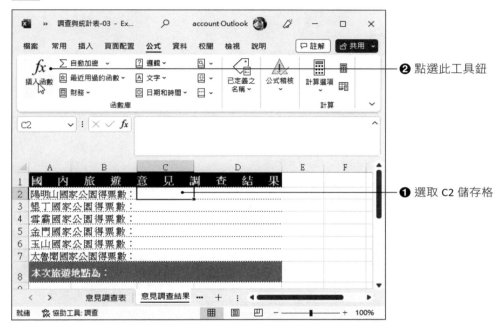

❷ 點選此工具鈕

❶ 選取 C2 儲存格

Step. 02

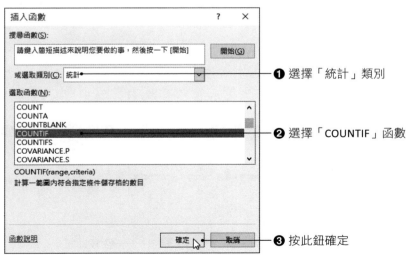

❶ 選擇「統計」類別

❷ 選擇「COUNTIF」函數

❸ 按此鈕確定

Step. 03

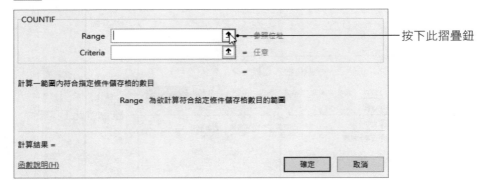

按下此摺疊鈕

Step. 04

❷ 選 取 C5:C36 儲存格，並按下 F4 鍵將相對位址改為絕對位址

❸ 按下此摺疊鈕

❶ 切換至「意見調查表」工作表

Step. 05

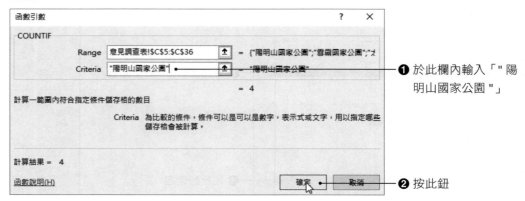

❶ 於此欄內輸入「"陽明山國家公園"」

❷ 按此鈕

Step. 06

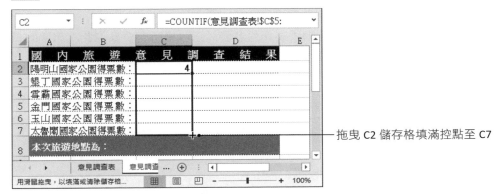

拖曳 C2 儲存格填滿控點至 C7

Step. 07

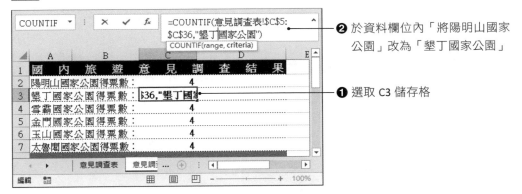

❷ 於資料欄位內「將陽明山國家
公園」改為「墾丁國家公園」

❶ 選取 C3 儲存格

其他各欄位請依照步驟 7 做修改即可。

當得票數最高者出現時，只要將該地點輸入本次旅遊地點即可。

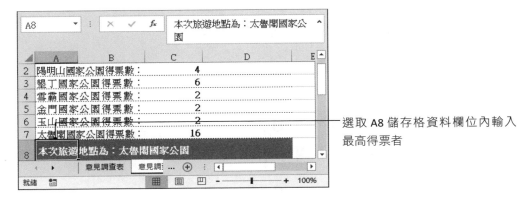

選取 A8 儲存格資料欄位內輸入
最高得票者

6-3 製作報名表

　　調查結果出爐後，就可開始動手製作報名表，以收集所有要參加此次旅遊的員工資料與人數。

範例 **製作報名表**（檔名：調查與統計表-04.xlsx）

Step.01

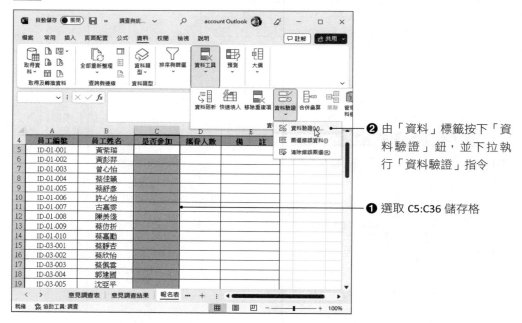

❷ 由「資料」標籤按下「資料驗證」鈕，並下拉執行「資料驗證」指令

❶ 選取 C5:C36 儲存格

Step.02

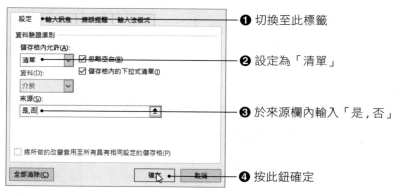

❶ 切換至此標籤

❷ 設定為「清單」

❸ 於來源欄內輸入「是,否」

❹ 按此鈕確定

Step 03

	A	B	C	D
4	員工編號	員工姓名	是否參加	攜眷人數
5	ID-01-001	黃紫瑞		
6	ID-01-002	黃彭羿	是 否	
7	ID-01-003	曾心怡		
8	ID-01-004	蔡佳韻		
9	ID-01-005	蔡舒彥		

意見調查表 | 意見 …

——— C5:C36 儲存格都套上了下拉選單格式

6-3-1 連結現存的檔案

既然是旅遊報名表，那麼就應該列出旅遊相關行程以供報名者參考。在本章範例裡，已用 Word 製作了一份旅遊行程供連結：

範例 **連結旅遊行程檔案**（檔名：調查與統計表-04.xlsx）

Step 01

❷ 點選「插入連結」鈕

❶ 選取圖片物件

<u>Step</u> 02

❶ 設定為「現存的檔案或網頁」

❸ 按下「工具提示」鈕

❷ 選取行程介紹

<u>Step</u> 03

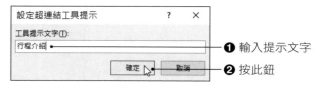

❶ 輸入提示文字

❷ 按此鈕

<u>Step</u> 04

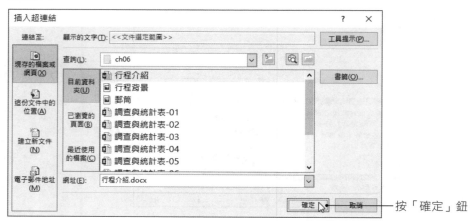

按「確定」鈕

Step 05

當滑鼠移到圖片物件上，呈現手指形狀即表示有超連結的功能，按一下左鍵

當滑鼠移到圖片物件上，出現提示標籤

Step 06

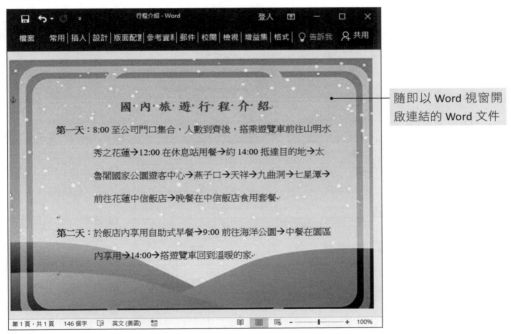

隨即以 Word 視窗開啟連結的 Word 文件

6-3-2　連結同一活頁簿內的工作表

　　為了方便所有參與投票的人知道此次票選的情況，可另設連結至意見調查結果的工作表：

範例 **連結調查結果工作表**（檔名：調查與統計表-04.xlsx）

<u>Step</u> **01**

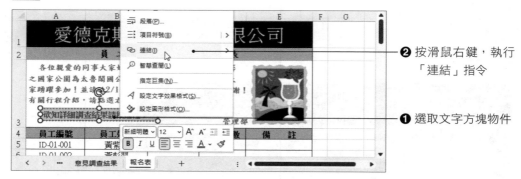

❷ 按滑鼠右鍵，執行「連結」指令

❶ 選取文字方塊物件

<u>Step</u> **02**

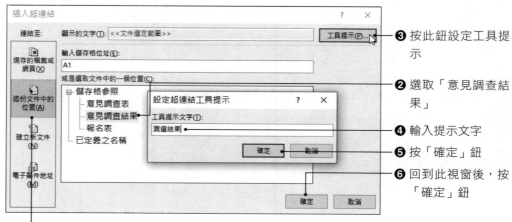

❸ 按此鈕設定工具提示

❷ 選取「意見調查結果」

❹ 輸入提示文字

❺ 按「確定」鈕

❻ 回到此視窗後，按「確定」鈕

❶ 設定為「這份文件中的位置」

<u>Step</u> 03

將滑鼠移到文字方塊物
件上並按下滑鼠左鍵

<u>Step</u> 04

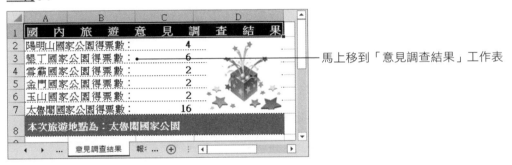

馬上移到「意見調查結果」工作表

<u>Step</u> 05

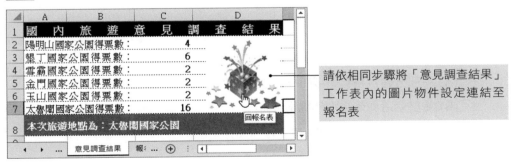

請依相同步驟將「意見調查結果」
工作表內的圖片物件設定連結至
報名表

⒬Ⓐ 學習評量

是非題

( )　1. 透過傳送活頁簿附件的方式，可將活頁簿設為「請檢閱」檔案，讓收件者接獲活頁簿郵件並修編工作表內容後將變更的郵件回寄給寄件者，再由寄件者將寄回的資料一併彙整。

( )　2. 如果要於同一儲存格做換行的動作，可按下 Alt + Enter 鍵來完成此需求。

( )　3. 由「資料」標籤按下「資料驗證」鈕，當設定為「清單」樣式時，如果於來源欄內直接輸入來源文字，需注意當輸入一個以上的來源時，需以「半形」逗點隔開。

( )　4. Excel 可插入預設的美工圖案，但無法插入外部的圖片或圖案。

( )　5. 於 Excel 工作表插入的圖片也可使用超連結功能。

( )　6. 使用文字藝術師滑鼠游標指到樣式工具鈕時，可立即預覽文字藝術師效果。

( )　7. 共用活頁簿可在區域網路上以共享資源的方式讓其他人加以編輯。

( )　8. AND() 函數裡如果所有的引數都是 TRUE 就傳回 TRUE。

選擇題

( )　1. 下列何者並非用 E-mail 傳送活頁簿的方法？

　　　(A) 將部分儲存格範圍或工作表當作郵件內文傳送

　　　(B) 將整個活頁簿當附件檔案傳送

　　　(C) 將活頁簿以「請檢閱」的方式傳送

　　　(D) 將郵件以網頁格式傳送

( ) 2. 下列關於超連結的敘述何者為非？

   (A) 已設置超連結的文字或圖片也可按右鍵來選擇刪除或編輯超連結

   (B) 點選「插入／超連結」工具鈕，可為工作表上的文字或圖片設置超連結

   (C) 設置超連結後，會自動出現 Web 工具列，方便超連結的往返操作

   (D) 只有點選「插入／超連結」工具鈕，才可開啟「插入超連結」對話

( ) 3. 超連結的標的為下列何者？

   (A) 同一活頁簿的另一張工作表　　　(B) 不同的活頁簿檔案

   (C) 其他相關軟體的檔案　　　　　　(D) 以上皆是

( ) 4. 下列關於 COUNTIF() 函數的敘述何者有誤？

   (A) 用來計算某範圍內符合篩選條件的儲存格個數

   (B) 屬數學與三角函數類別函數

   (C) 引數 range 為欲計算指定條件儲存格的範圍

   (D) 引數 criteria 用以指定哪些儲存格會被計算。

( ) 5. 如果欲插入外部 JPG 檔圖片，可按下哪一圖示鈕？

   (A) 　　(B) 　　(C) 　　(D)

問答題

1. 請開啟範例檔「聚餐意見調查表.xlsx」，並製作成如下圖的結果。

   ※ 插入餐飲 .jpg 圖片檔

   ※ 請於聚餐地點選擇如圖示內容

   ※ 請插入文字藝術師如圖示

2. 延續上題，請於「意見調查結果」工作表內，算出各聚餐地點的人數並插入線
   上圖片。

   （請於插入線上圖片搜尋欄內輸入 food 即可找到和食物的相關圖片，若找不到請
   自行依喜好挑選合適的圖片。）

3. 請於兩個工作表內的圖片設置其超連結為可互相連結，並出現如下圖的提示文字。

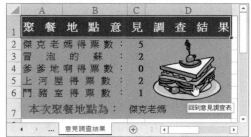

時至今日，由於電腦科技的蓬勃發展與普遍，將電腦帶入了企業與組織體系中。從早期單純的作為資料處理的工具，到今日支援知識工作，甚至於協助高層管理者應用充份資訊來進行決策活動的創造競爭優勢。加上網路興起的推波助瀾，電腦已成為辦公室中不可或缺的最佳工作利器。

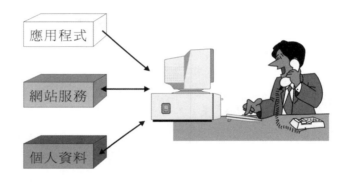

對於一個企業組織而言，最核心的部門無非就是人事與會計部門。人員是企業最珍貴的資產，人事部門就是負責人員績效與獎懲的最重要單位，工作還包括人事資料的保存、薪資的發放、在職訓練課程與各種活動的舉辦等等。

基本資料

- 姓名：陳小智
- 生日：65.3.28
- 性別：男
- 身高：172
- 體重：58
- 星座：牡羊座
- 職業：系統分析師

而會計部門不但負責薪資待遇的發放，更掌管公司帳款與資產的重要工作，包括資產負債表、應收應付票據管理、折舊方法計算等等。當然這些看似繁重的工作，都可以透過 Excel 的強大功能來解決，本篇中會以企業中的實務工作來為各位講解進階的 Excel 財務功能。

07 人事薪資系統應用

學習重點

- 建立勞健保、薪資所得稅參考表格
- 定義範圍名稱
- 使用 IF() 函數判斷是否有全勤獎金
- 運用 VLOOKUP() 函數
- 保護活頁簿

本章簡介

人事薪資資料表所包含的範圍很廣，對公司內部而言，是用來統計每位員工的薪資，藉由此統計表讓決策者參考員工的薪資水平及薪水支出；對外而言，此表必須統計勞保、健保、及薪資代扣稅額等等。因此對會計人員來說，不嘗不是一項艱辛繁瑣的工作。

為了減少會計人員的工作負擔，接下來將運用 VLOOKUP 函數、IF 判斷式及 Excel 功能把原本繁瑣的工作，轉換成自動化的報表系統，建立報表之後，再利用「共用活用簿」和「追蹤修訂」的功能讓主管審查或修正這些資料。

序號	員工編號	姓名	部門	底薪	全勤獎金	扣：請假款	薪資總額	代扣所得稅	代扣健保費	代扣勞保費	減項小計	應付薪資	病假天	事假天	遲到 mins	備註
							伊斯爾科技股份有限公司									
							10月員工薪資									
1	ZM12046	蘇雅屏	行政部	47,000	2,000	-	$ 49,000	2,190	1,974	471	$ 4,635	$ 44,365				
2	ZN01049	許家誠	研發部	24,000	2,000	-	$ 26,000	-	688	328	$ 1,016	$ 24,984				
3	ZN02051	李育名	資訊部	22,500	2,000	-	$ 24,500	-	656	312	$ 968	$ 23,532				
4	ZN03059	何柏弘	行政部	24,500	2,000	-	$ 26,500	-	720	343	$ 1,063	$ 25,437				
5	ZN04063	林原良	研發部	44,000	-	733	$ 43,267	-	1,146	471	$ 1,617	$ 41,650	1.00			
6	ZN04064	林晉士	資訊部	33,000	2,000	-	$ 35,000	-	950	452	$ 1,402	$ 33,598				
7	ZN04066	許馨星	研發部	25,500	2,000	-	$ 27,500	-	1,080	343	$ 1,423	$ 26,077				
8	ZN04068	朱韋伯	研發部	30,000	2,000	-	$ 32,000	-	868	413	$ 1,281	$ 30,719			5	
9	ZN04073	王智淨	資訊部	23,500	2,000	-	$ 25,500	-	688	328	$ 1,016	$ 24,484				
10	ZN04074	孫義先	研發部	30,000	2,000	-	$ 32,000	-	1,736	413	$ 2,149	$ 29,851				
11	ZN04075	鄭惠欣	行政部	23,000	2,000	-	$ 25,000	-	656	312	$ 968	$ 24,032				
12	ZN05078	林凱利	資訊部	25,500	-	150	$ 25,350	-	688	328	$ 1,016	$ 24,334			15	
13	ZN05080	張亞玲	研發部	24,000	-	200	$ 23,800	-	622	294	$ 916	$ 22,884	0.50			
14	ZN05081	林茂雄	行政部	25,000	2,000	-	$ 27,000	-	720	343	$ 1,063	$ 25,937				

計算　調薪紀錄

< 人事薪資計算表 >

7-1 人事基本資料建立

一個人事薪資表中，需包含有人事薪資計算表、調薪記錄表、健保費用扣繳表、勞保費用扣繳表及薪資所得扣繳表。以下將一一說明各個工作表的作用：

(1) **人事薪資計算表**：此表的功用是彙整其他表格的資料，在此計算出每位員工的薪資狀況。

(2) **調薪記錄表**：記錄每位員工從進公司到目前為止的薪資調整狀況、扶養人數、健保人數及員工的銀行帳號等等資料。

(3) **健保費用扣繳表**：列出依照薪資的不同，健保費用扣繳的明細。

(4) **勞保費用扣繳表**：列出各個等級的勞保扣繳費用表。

(5) **薪資所得扣繳表**：列出各個薪資等級差距的所得扣繳費用表。

為了讓使用者省去收集資料和輸入的時間，筆者已經分別將「健保費用扣繳表」、「勞保費用扣繳表」及「薪資所得扣繳表」建立在範例檔「薪資系統-01.xlsx」之中，使用者只要切換工作表即可看到這三個不同的參照表格，表格如下：

	每月投保金額	被保險人及眷屬負擔金額				投保單位負擔金額
		本人	本人+1眷口	本人+2眷口	本人+3眷口	
3	0	0	0	0	0	0
4	15,800	216	432	648	864	770
5	16,500	225	450	675	900	802
6	17,400	238	476	714	952	846
7	18,300	250	500	750	1000	889
8	19,200	262	524	786	1048	933
9	20,100	274	548	822	1096	977
10	21,000	287	574	861	1148	1020
11	21,900	299	598	897	1196	1064
12	22,800	311	622	933	1244	1108
13	24,000	328	656	984	1312	1166
14	25,200	344	688	1032	1376	1225
15	26,400	360	720	1080	1440	1283
16	27,600	377	754	1131	1508	1341
17	28,800	393	786	1179	1572	1400

調薪紀錄／Chart1／健保費用扣繳表／勞

< 健保費用扣繳表 >

	A	B	C
1	投保金額	自行給付	雇主負擔
2	0	0	0
3	14,010	182	638
4	14,400	187	655
5	15,000	195	683
6	15,600	203	710
7	16,500	215	751
8	17,400	226	792
9	18,300	238	833
10	19,200	250	874
11	20,100	261	915
12	21,000	273	956
13	21,900	285	997
14	22,800	294	1037
15	24,000	312	1092
16	25,200	328	1147

健保費用扣繳表 　勞保費用扣

＜勞保費用扣繳表＞

	A	B	C	D	E	F
1				扶養人數		
2	薪資所得	無	1	2	3	4
3	0	-	-	-	-	-
4	47,501	2,060	-	-	-	-
5	48,001	2,130	-	-	-	-
6	48,501	2,190	-	-	-	-
7	49,001	2,260	-	-	-	-
8	49,501	2,320	-	-	-	-
9	50,001	2,390	-	-	-	-
10	50,501	2,450	-	-	-	-
11	51,001	2,520	-	-	-	-
12	51,501	2,580	-	-	-	-
13	52,001	2,650	-	-	-	-
14	52,501	2,710	-	-	-	-
15	53,001	2,780	-	-	-	-
16	53,501	2,840	2,040	-	-	-
17	54,001	2,910	2,110	-	-	-
18	54,501	2,970	2,170	-	-	-
19	55,001	3,040	2,240	-	-	-
20	55,501	3,100	2,300	-	-	-

薪資所得扣繳表

＜薪資所得扣繳表＞

　　以上這些參考表會隨時變更，使用者有興趣依現行制度製作專屬的人事薪資系統應用，可以自行到各地健保局、勞保局及國稅局查詢最新的資料，亦或者可以上網查詢這些參考表的內容，再自行依本範例的精神自行修改符合現狀或自己個人需求的工作表。

7-1-1　人事薪資計算表架構

　　人事薪資計算表彙整了其他四種工作表的資料後，才能計算出每位員工的本月薪資，因此在此人事薪資計算表中除了員工的基本資料，還需要「底薪」、「全勤」、「代扣健保費」、「代扣所得稅」、「代扣勞保費」及「應付薪資」…等欄位來計算員工的本月薪資。員工的薪資計算如下：

> **員工薪資 =「員工底薪」+ 全勤金額」－「代扣所得稅」－「代扣勞保費」－「代扣健保費」**

(1)　**員工底薪**：資料是由「調薪記錄」工作表中查得最新的底薪記錄。

(2)　**全勤金額**：是以「調薪記錄」工作表中查出此員工的全勤金額，再查詢是否有請假、遲到等記錄，若沒有這些記錄才會發給全勤金額。

(3)　**代扣所得稅**：首先在「調薪記錄」工作表查出員工是否有扶養人數，然後依照員工的底薪及扶養人數，對照「薪資所得扣繳表」中查詢應扣所得稅金額。

(4)　**代扣勞保費**：依照員工的底薪薪資，對照「勞保費用扣繳表」中查詢應扣勞保費金額。

(5)　**代扣健保費**：首先在「調薪記錄」工作表查出員工的健保人數，然後再依照底薪及健保人數，對照「健保費用扣繳表」中查詢應扣健保費金額。

　　將這幾項金額計算之後，才是此員工的應得薪資。因為運算過程過於繁瑣，若運用人力來做計算，一定會錯誤連連且浪費時間，現在只要將公式設定好，Excel就通通幫您搞定！

7-1-2 定義資料名稱

　　人事薪資計算表中，有許多地方需要參照到其他工作表的資料範圍，為了簡化搜尋資料時的資料範圍設定，所以先將這些儲存格範圍定義成「範圍名稱」，在函數中就可以直接以「範圍名稱」代表指定資料工作表及儲存格範圍。

 範例 **定義儲存格範圍名稱**（檔名：薪資系統-01.xlsx）

Step.01

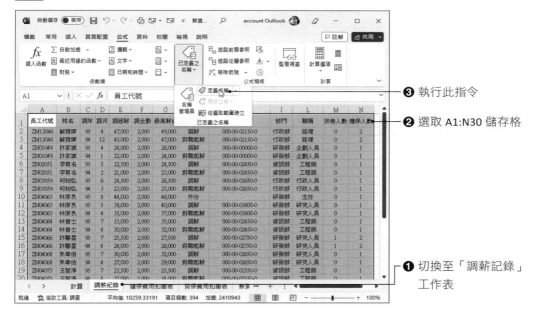

❸ 執行此指令

❷ 選取 A1:N30 儲存格

❶ 切換至「調薪記錄」工作表

Step.02

❶ 輸入定義名稱「薪資資料」

選取的工作表及儲存格的範圍

❷ 按此鈕新增

Step. 03

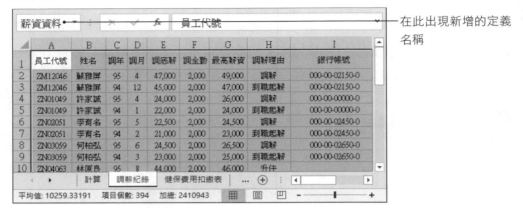

在此出現新增的定義名稱

除此定義名稱之外，筆者將所有需要定義的資料範圍名稱整理如下表，請讀者自行定義：

定義名稱	範圍
薪資資料	= 調薪記錄 !$A$1:$N$30
健保費用扣繳表	= 健保費用扣繳表 !$A$3:$F$100
勞保費用扣繳表	= 勞保費用扣繳表 !$A$2:$C$100
薪資所得扣繳表	= 薪資所得扣繳表 !$A$3:$F$100
薪資總額	= 計算 !$I$4:$I$17

7-1-3　IF() 與 VLOOKUP() 函數說明

在整個計算過程中，會一直使用到 IF() 函數及 VLOOKUP() 函數來判斷及查詢各種表格，所以在此先對這兩個函數做說明，讓使用者瞭解函數的使用方法。

▶**IF() 函數**

語法：IF(logical_test,value_if_true,value_if_false)

說明：可用來測試數值和公式條件，並傳回不同的結果，相關引數說明如下：

引數名稱	說明
logical_test	此為判斷式。用來判斷測試條件是否成立。
value_if_true	此為條件成立時，所執行的程序。
value_if_false	此為條件不成立時，所執行的程序。

▶**VLOOKUP() 函數**

語法：VLOOKUP(lookup_value,table_array,col_index_num,range_lookup)

說明：可在陳列或表格中尋找其特定值的欄位，並傳回同一列的某一指定儲存格
　　　中的值，相關引數說明如下：

引數名稱	說明
lookup_value	搜尋資料的條件依據。
table_array	搜尋資料範圍。
col_index_num	指定傳回範圍中符合條件的那一欄。
range_lookup	此為邏輯值，若設為 True 或省略，則會找出部分符合的值；若設為 False，則會找出全部符合的值。

7-1-4 填入部門名稱

　　因為每個員工的部門名稱不盡相同，所以填寫起來相當麻煩，為了讓使用者減少填入員工部門的時間，將直接以 IF() 函數及 VLOOKUP() 函數，來查詢在調薪記錄中的各員工所屬部門，並將資料傳回到「計算」工作表中。延續上述範例進行說明。

範例 **填入部門名稱**（檔名：薪資系統-01.xlsx）

Step. 01

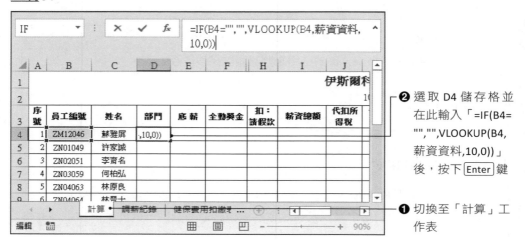

❷ 選取 D4 儲存格並在此輸入「=IF(B4="","",VLOOKUP(B4,薪資資料,10,0))」後，按下 Enter 鍵

❶ 切換至「計算」工作表

Step. 02

顯示出此員工的部門了！

Step. 03

▲	A	B	C	D	E	F	H	I	J	K	L
1								伊斯爾科技股份有限			
2									10月員工薪資		
3	序號	員工編號	姓名	部門	底 薪	全勤獎金	扣：請假款	薪資總額	代扣所得稅	代扣健保費	代扣勞費
4	1	ZM12046	蘇雅屏	行政部							
5	2	ZN01049	許家誠	研發部							
6	3	ZN02051	李育名	資訊部							
7	4	ZN03059	何柏弘	行政部							
8	5	ZN04063	林原良	研發部							
9	6	ZN04064	林晉士	資訊部							
10	7	ZN04066	許馨星	研發部							
11	8	ZN04068	朱韋伯	研發部							
12	9	ZN04073	王智淨	資訊部							
13	10	ZN04074	孫義先	研發部							
14	11	ZN04075	鄭惠欣	行政部							
15	12	ZN05078	林凱利	資訊部							
16	13	ZN05080	張亞玲	研發部							
17	14	ZN05081	林茂雄	行政部							

計算　調薪紀錄　健保費用扣繳表　勞保 ...

── 放開滑鼠所有員工的
部門資料都填入了！

上述範例中運用到「IF(B4="","",VLOOKUP(B4, 薪資資料 ,10,0))」公式，在此公式中「B4=""」代表搜尋的資料，假如「B4=""」（B4= 空白）成立，將在儲存格中輸入「""」，若不是「""」，則將執行「VLOOKUP(B4, 薪資資料 ,10,0)」。此函數表示將到薪資資料定義名稱範圍中，去搜尋等於 B4 儲存格中的相同資料，並將此筆資料的第 10 欄資料傳回。

7-1-5　計算員工底薪

在調薪記錄中，有每位員工最新的底薪資料，所以在「計算」工作表中的底薪欄位中，只要參照到調薪記錄工作表中的底薪資料即可。以下將延續上述範例來進行說明。

計算出每位員工底薪（檔名：薪資系統-01.xlsx）

Step. 01

選取 E4 儲存格並在此輸入公式「=ROUND (VLOOKUP(B4, 薪資資料 ,5,0),0)」後，按下 Enter 鍵

Step. 02

填入此員工的底薪了

選此儲存格並以滑鼠拖曳此填滿控點至 E17 儲存格

Step. 03

放開滑鼠，所有員工底薪資料
都建立好了！

上述範例中，所使用的函數為「=ROUND(VLOOKUP(B4, 薪資資料 ,5,0),0)」，
其中 ROUND() 函數是用來將所得之值四捨五入的，而「VLOOKUP(B4, 薪資資
料 ,5,0)」則表示此 B4 儲存格為搜尋目標，在「薪資資料」定義名稱範圍中來尋
找，並傳回第 5 欄的資料。

> **Tips** 每當要改變調薪記錄時，使用者必須將最新的資料放在此員工的最上列資
> 料，或者執行「資料／排序」工具鈕，並將「調年」放在第一層級、「調月」放
> 在第二層級、「員工代號」放在第三，以遞減的方式來排序，確保將最新的資料
> 放在最上列，這樣才能正確搜尋並傳回員工最近的底薪資料。

7-1-6 計算全勤獎金

全勤獎金就是為了鼓勵員工不要請假或遲到，但為了講究人性化管理，每個月
員工遲到分鐘總數不超過 5 分鐘，就不扣全勤獎金。如果員工在這個月中都沒有請
假或遲到超過 5 分鐘，就可領取這筆獎金。在計算過程中，需要使用 IF() 函數來判
斷員工是否曾經請過假或遲到超過 5 分鐘。

範例 **使用 IF() 函數判斷全勤獎金**（檔名：薪資系統-02.xlsx）

Step. 01

選擇 F4 儲存格並在此輸入
「=IF(IF(R4<=5,1,0)+IF(P4
+Q4=0,1,0)=2,2000,0)」後，
按下 Enter 鍵

Step. 02

出現全勤獎金金額了！

滑鼠拖曳 F4 儲存格的填
滿控點至 F17 儲存格

Step 03

	D	E	F	H	I	J	K	L
1					伊斯爾科技股份有限			
2						10月員工薪資		
3	部門	底 薪	全勤獎金	扣：請假款	薪資總額	代扣所得稅	代扣健保費	代扣勞費
4	行政部	47,000	2,000					
5	研發部	24,000	2,000					
6	資訊部	22,500	2,000					
7	行政部	24,500	2,000					
8	研發部	44,000	-					
9	資訊部	33,000	2,000					
10	研發部	25,500	2,000					
11	研發部	30,000	2,000					
12	資訊部	23,500	2,000					
13	研發部	30,000	2,000					
14	行政部	23,000	2,000					
15	資訊部	25,500	-					
16	研發部	24,000	-					
17	行政部	25,000	2,000					

計算　調薪紀錄　健保費 …　⊕

— 放開滑鼠顯示出這個月的全勤獎金記錄

上述範例中，所使用的函數為「=IF(IF(R4<=5,1,0)+IF(P4+Q4=0,1,0)=2,2000,0)」，在這公式中總共有 3 個 IF() 函數，最外圍的 IF() 函數是用來判斷其中兩個 IF() 函數所產生的結果數值和是否等於「2」，若條件符合則在此儲存格顯示「2000」，否則將顯示為「0」；而內部兩個「IF」函數，一個是判斷此員工是否遲到不超過 5 分鐘，若不超過 5 分鐘則顯示為「1」，否則顯示為「0」；另一個是用來判斷是否請過病假或事假，若沒有請過假則顯示為「1」，否則顯示為「0」。

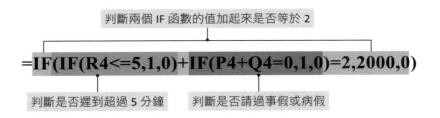

判斷兩個 IF 函數的值加起來是否等於 2

=IF(IF(R4<=5,1,0)+IF(P4+Q4=0,1,0)=2,2000,0)

判斷是否遲到超過 5 分鐘　　判斷是否請過事假或病假

7-1-7　扣請假款計算

若有人請病假、請事假以及遲到，都會被扣請假款。遲到不超過 10 分鐘就不用扣遲到費用，超過 10 分鐘，則每分鐘要扣 10 元；請事假則是以底薪除以 30 天，然後再乘上事假天數，就是此月的請事假扣款額；請病假則是事假的一半扣款，公式如下：

> **(底薪 /30)*(病假 /2+ 事假)+(遲到超過 10 分鐘 *10)**

瞭解請假或遲到的扣款方式之後，以下將延續上述範例進行說明。

範例　扣請假款的計算（檔名：薪資系統-02.xlsx）

Step. 01

選取 H4 儲存格並在此輸入公式「=ROUND(VLOOKUP(B4, 薪資資料 ,5,0)/30*(P4/2+Q4) +IF(R4>10,R4*10,0),0)」後，按下 Enter 鍵

Step.02

以滑鼠拖曳 H4 儲存格的填滿
控點至 H17 儲存格

Step.03

放開滑鼠，顯示出每位員工應扣的金額！

上述範例中，所使用的函數為「=ROUND(VLOOKUP(B4, 薪資資料 ,5,0)/30* (P4/2+Q4)+IF(R4>10,R4*10,0),0)」，在最外圍的 ROUND 函數是用來將算出來的結果四捨五入，而 VLOOKUP 函數在「薪資資料」定義名稱範圍中搜尋此員工編號的資料，找到此筆資料後傳回第 5 欄的員工底薪資料。接下來將此筆資料除以 30，並乘上 (病假 /2+ 事假) 的數值，加上用 IF 函數求出遲到是否超過 10 分鐘，若超過則每分鐘扣 10 元，若沒有超過 10 分鐘則以「0」計算。所有函數計算出來的結果就是這個月的請假扣款金額了！

7-1-8 計算薪資總額

　　計算出員工的底薪、全勤獎金及請假扣款之後，就可以算出這個月公司給員工的薪資總額。薪資總額的計算很簡單，就是「底薪」加上「全勤獎金」，然後再減去「扣請假款」，就是這個月公司需要付給員工的薪資總額了！以下將延續上述範例進行說明。

範例 **計算薪資總額並變化格式**（檔名：薪資系統-02.xlsx）

Step. 01

選取 I4 儲存格並在此輸入公式「=SUM(E4:F4)-H4」後，按下 Enter 鍵

Step. 02

❶ 以滑鼠拖曳 I4 儲存格的填滿控點至 I17 儲存格後，放開滑鼠

❷ 在此選取區域按一下滑鼠右鍵，執行此指令

Step 03

❶ 切換至此索引標籤

❷ 選此「會計專用」項

❸ 設定小數位數為「0」、符
號為「$」

❹ 按此鈕

Step 04

所有的數值前都加上「$」符號了！

　　將此欄位加上「$」金錢符號，會使這項「薪資總額」更為凸顯、清楚。雖然我
們已經算出「薪資總額」，但「薪資總額」只是對公司內部而言的款項，對外還需計
算出「代扣所得稅」、「代扣健保費」及「代扣勞保費」，才是員工真正的薪資所得。
所以，緊接著將介紹這些款項的計算方式。

7-1-9 代扣所得稅計算

　　所得稅款之扣繳方式，是依照員工的薪資總額和員工的扶養人口，去對照薪資所得扣繳表中的扣繳標準。所以我們將依照這個方式，使用 VLOOKUP() 函數來查出員工應扣所得稅額。

 範例 **計算代扣所得稅之金額**（檔名：薪資系統-03.xlsx）

Step.01

❷ 選取 J4 儲存格並在此輸入公式「=VLOOKUP(薪資總額, 薪資所得扣繳表, VLOOKUP(B4, 薪資資料 ,12, 0)+2,1)」後，按下 Enter 鍵

❶ 切換至「計算」工作表

Step.02

以滑鼠拖曳 J4 儲存格的填滿控點至 J17 儲存格後，放開滑鼠即可

上述範例中，所使用的函數為「=VLOOKUP(薪資總額 , 薪資所得扣繳表 , VLOOKUP(B4, 薪資資料 ,12,0)+2,1)」，外部的 VLOOKUP() 函數是以「薪資總額」為搜尋目標，在指定的「薪資所得扣繳表」範圍中搜尋相對應的第「VLOOKUP(B4, 薪資資料 ,12,0)+2」的欄位資料，並將此欄位資料傳回。至於「VLOOKUP(B4, 薪資資料 ,12,0)」是以「B4」為搜尋目標，在「薪資資料」定義範圍中找出相對應的第 12 欄的扶養人數資料並將此資料傳回。至於為什麼要在此 VLOOKUP() 函數後加上「2」，這是因為外部的 VLOOKUP() 函數，以此為傳回資料的欄位，再加上「2」才是所得稅扣繳金額欄位。

搜尋薪資所得時，會以大於實際薪資總額的前一列資料為標準列

	A	B	C	D	E	F
1				扶養人數		
2	薪資所得	無	1	2	3	4
3	0		-	-	-	-
4	47,501	2,060	-	-	-	-
5	48,001	2,130	-	-	-	-
6	48,501	2,190	-	-	-	-
7	49,001	2,260	-	-	-	-
8	49,501	2,320	-	-	-	-
9	50,001	2,390	-	-	-	-
10	50,501	2,450	-	-	-	-
11	51,001	2,520	-	-	-	-
12	51,501	2,580	-	-	-	-

健保費用扣繳表　勞保費用扣繳表　薪資所得扣繳

扶養人數為「0」，則會以第 (扶養人數 +2) 欄，也就是將 B 欄的資料傳回

例如實際薪資總額為「49000」，則會以「48501」為標準列，而不以「49001」為標準列

計算出所得稅扣款後，使用者可能會覺得奇怪，似乎很少人需要繳交所得稅扣款，這並不是計算錯誤，而是稅法實行規則上代扣金額超過「2,000」元才符合實際效益，換算之下薪資總額在「47,501」元之上才需扣繳。

7-1-10 代扣健保費之計算

每個員工每月除了需要繳交本身健保費之外，員工還可幫家人負擔健保費用，最多可以幫 3 個人負擔，依照員工薪資總額及健保人數而繳交不同金額的健保費用。以下將延續上述範例來進行說明。

範例 **代扣健保費之計算**（檔名：薪資系統-03.xlsx）

Step. 01

選取 K4 儲存格並在此輸入
「=VLOOKUP(薪資總額 , 健
保費用扣繳表 ,VLOOKUP(B4,
薪資資料 ,13,0)+2)」後 ,
按下 Enter 鍵

Step. 02

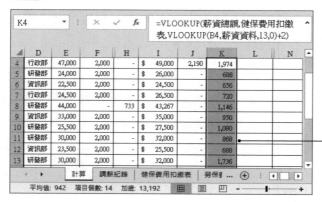

以滑鼠拖曳 K4 儲存格的填滿控點
至 K17 儲存格後 , 放開滑鼠即可

　　上述範例中 , 所使用的公式為「=VLOOKUP(薪資總額 , 健保費用扣繳表 ,
VLOOKUP(B4, 薪資資料 ,13,0)+2)」, 外部的 VLOOKUP() 函數是以「薪資總額」為
搜尋目標 , 在指定的「健保費用扣繳表」範圍中搜尋相對應的第「VLOOKUP(B4,
薪資資料 ,13,0)+2」的欄位資料 , 並將此欄位資料傳回。至於「VLOOKUP(B4, 薪

資資料 ,13,0)」是以「B4」為搜尋目標，在「薪資資料」定義範圍中找出相對應的第 13 欄的健保人數資料並將此資料傳回，至於為什麼要在此 VLOOKUP() 函數後加上「2」，道理與上小節「代扣所得稅」中相同。使用者請記得搜尋健保費用扣繳表時，會以大於薪資總額的前一列為標準列。

7-1-11 代扣勞保費計算

相較於所得稅及健保費之扣繳計算，代扣勞保費計算就簡單多了，不必考慮扶養人數或健保人數，只要直接以 VLOOKUP() 函數查出與薪資總額相對應的資料即可。以下將延續上述的範例來進行說明。

 範例 **代扣勞保費之計算**（檔名：薪資系統-03.xlsx）

Step.01

選此 L4 儲存格並在此輸入「=VLOOKUP(薪資總額 , 勞保費用扣繳表 ,2)」後，按下 Enter 鍵

Step.02

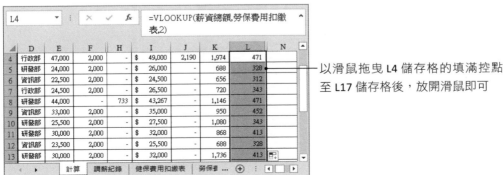

以滑鼠拖曳 L4 儲存格的填滿控點至 L17 儲存格後，放開滑鼠即可

　　上述範例中，所使用的公式為「=VLOOKUP(薪資總額 , 勞保費用扣繳表 ,2)」，就是以「薪資總額」為搜尋目標，在「勞保費用扣繳表」定義名稱範圍中，以大於薪資總額的前一列為標準列，然後傳回此標準列的第 2 欄資料即可。

7-1-12　減項小計與應付薪資之計算

　　終於要進入此薪資計算表的最後階段了！「減項小計」就是將「薪資所得扣款」、「健保費用扣款」及「勞保費用扣款」這三項小計起來，最後再以「薪資總額」減去「減項小計」，結果就是「應付薪資」了！為了凸顯「減項小計」及「應付金額」的欄位資料，首先將此兩欄選取起來並將儲存格格式改為加上「$」符號的數值，然後再開始計算。

範例　減項小計與應付薪資之計算（檔名：薪資系統-04.xlsx）

Step.01

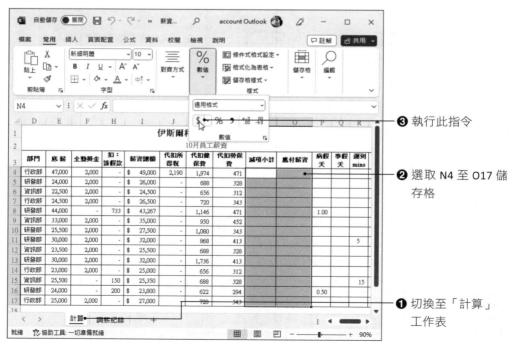

Step. 02

選取 **N4** 儲存格並在此輸入公式「=SUM (J4:L4)」後，按下 [Enter] 鍵

Step. 03

選取 **O4** 儲存格並在此輸入「=I4-N4」後，按下 [Enter] 鍵

顯示出減項小計金額

Step. 04

顯示出應付薪資金額

以滑鼠拖曳 N4:O4 儲存格的填滿控點至 N17:O17 儲存格後，放開滑鼠即可

Step. 05

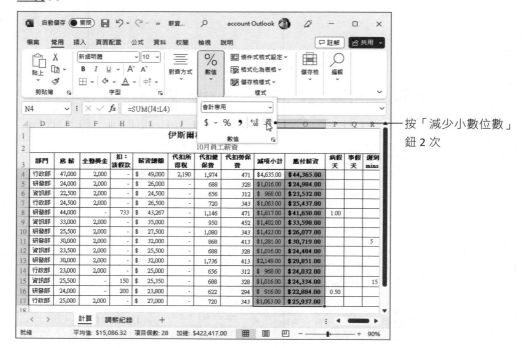

按「減少小數位數」
鈕 2 次

Step. 06

員工薪資表完成

　　大功告成！整個薪資計算統計表，都已經設定完成，雖然有一些繁瑣，但是日後只要更改一些變動資料，如請假、遲到或是底薪調整等等資料，就可輕鬆計算出每位員工的應付薪資了！

7-2 保護活頁簿

　　建立好活頁簿之後，必須先將活頁簿做好保護措施，以避免主管一時不慎將工作表整個刪除，而造成會計人員的困擾。

 範例 **保護活頁簿**（檔名：薪資系統-05.xlsx）（此例的示範密碼設定為 1234）

Step 01

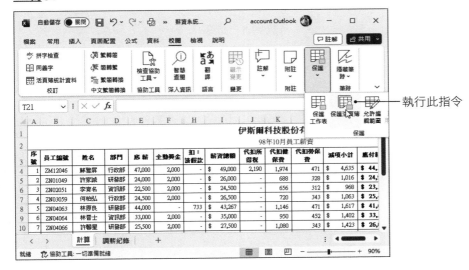

執行此指令

Step 02

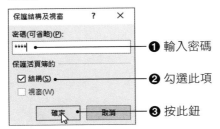

❶ 輸入密碼

❷ 勾選此項

❸ 按此鈕

<u>Step</u>、03

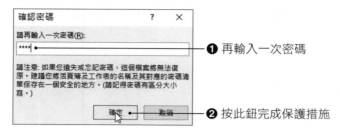

❶ 再輸入一次密碼

❷ 按此鈕完成保護措施

　　保護此活頁簿的設定完成！此活頁簿必須要有密碼才能取消保護，而在保護狀態下，此活頁簿就無法執行刪除工作表、插入或刪除儲存格、合併儲存格、修改索引標籤色彩、重新命名等等功能。若要取消保護活頁簿功能，只要執行「校閱／保護活頁簿」指令，並輸入之前設定的密碼方可取消保護。

學習評量

是非題

( ) 1. 定義範圍名稱是為了簡化搜尋資料時的資料範圍設定。

( ) 2. ROUND() 函數主是用來依所指定的位數將數字四捨五入。

( ) 3. ROUND() 函數為統計類別函數。

( ) 4. 將儲存格範圍定義成「範圍名稱」，在函數中就可以直接以「範圍名稱」代表指定資料工作表及儲存格範圍。

( ) 5. IF(Logical_test,Value_if_true,Value_if_false) 中 的 Logical_test 引 數 為 判 斷式，用來判斷測試條件是否成立。

( ) 6. VLOOKUP() 函數可在陳列或表格中尋找其特定值的欄位，並傳回同一欄的某一指定儲存格中的值。

( ) 7. 在開始使用共用活頁簿之前，最好先將活頁簿做好保護措施，以避免主管一時不慎將工作表整個刪除。

( ) 8. 活頁簿在保護狀態下，此活頁簿就無法執行刪除工作表、插入或刪除儲存格、合併儲存格、修改索引標籤色彩、重新命名等等功能。

選擇題

( ) 1. 下列何種資料格式無法顯示貨幣符號？

(A) 貨幣　　　　　(B) 數值　　　　　(C) 會計專用　　　　(D) 以上皆可

( ) 2. 下列何者是保護活頁簿時所限制的動作？

(A) 合併儲存格　　　　　　　　(B) 刪除工作表

(C) 修改索引標籤色彩　　　　　(D) 以上皆是

問答題

1. 請開啟範例檔「薪資系統-06.xlsx」，首先幫威力科技公司建立定義範圍名稱，定義名稱及範圍如下所示：

定義名稱	範圍
健保費用扣繳表	＝ 健保費用扣繳表 !$A$3:$F$100
勞保費用扣繳表	＝ 勞保費用扣繳表 !$A$2:$C$100
薪資所得扣繳表	＝ 薪資所得扣繳表 !$A$3:$F$100
薪資計算表	＝ 薪資計算 !$A$3:$S$17
薪資資料	＝ 調薪記錄 !$A$1:$M$30
薪資總額	＝ 薪資計算 !$I$4:$I$17

2. 請延續上述範例，幫威力科技公司執行以下計算：

- 請在薪資計算工作表中，求出每位員工的底薪、全勤獎金、扣請假款為何？
- 請求出每位員工的代扣所得稅、代扣健保費、代扣勞保費的金額為何？
- 最後求出薪資總額、減項小計及應付薪資的金額。

提示：(1) 遲到未滿 5 分鐘，沒請事、病假者，發予全勤獎金

　　　(2) 遲到 10 分鐘以上，每分鐘扣 10 元

MEMO

08 人事薪資資料列印

學習重點

- 以參照功能建立轉帳明細表
- 自訂類別資料
- 以表單建立下拉式選單
- 使用 Word 合併列印功能
- 使用保護活頁簿檔案,避免機密外洩

本章簡介

本章主要利用上一章所做的薪資資料,來製作轉帳明細表及薪資明細表,然後利用 Word 合併列印功能來列印出個人薪資資料,最後使用保護活頁簿檔案功能,避免此活頁簿及檔案資料外洩。建立轉帳明細表及薪資明細表的過程中,將使用參照及表單功能來簡化填寫過程,並且讓表單不僅在螢幕顯示結果,也能夠列印出美觀的報表文件。

範例成果

<薪資明細表>

	A	B	C	D
1	伊斯爾科技股份有限公司			13
2	轉帳明細表		
3	日期	民國112年11月5日	
4	公司帳號	258-16-98760-1	
5	轉帳總金額	$	429,493
6			
7	員工姓名	銀行帳號	金額
8	蘇雅屏	000-00-02150-0	$ 46,006
9	許家誠	000-00-09876-0	$ 27,840
10	李育名	000-00-02450-0	$ 27,388
11	何柏弘	000-00-02650-0	$ 27,388
12	林原良	000-00-03600-0	$ 43,098
13	林晉士	000-00-03600-0	$ 33,598
14	許馨星	000-00-02450-0	$ 28,447
15	朱韋伯	000-00-02750-0	$ 33,598
16	王智淨	000-00-02650-0	$ 26,437
17	孫義先	000-00-02550-0	$ 31,747

薪資明細表　轉帳明細表

<轉帳明細表>

 轉帳明細表建立

　　現在金融轉帳安全又方便，大部分公司都會以轉帳的方式來發放每位員工的薪資，因此會計人員必須將所有員工的銀行帳號、公司帳號、轉帳日期、及員工新資金額製作成一張轉帳明細表給銀行，銀行才能依照此明細資料從公司帳號中一一轉出薪水，匯入所有員工的戶頭。所以在這一小節中將教您如何製作轉帳明細表。

8-1-1　建立日期

　　製作轉帳明細表的第一步驟就是要建立「日期」，「日期」對轉帳明細表來說也是一項重要的設定，因為填寫的「日期」不正確，有可能會造成銀行人員的困擾。

範例 **建立「日期」**（檔名：薪資列印-01.xlsx）

Step. 01

<u>Step</u> 02

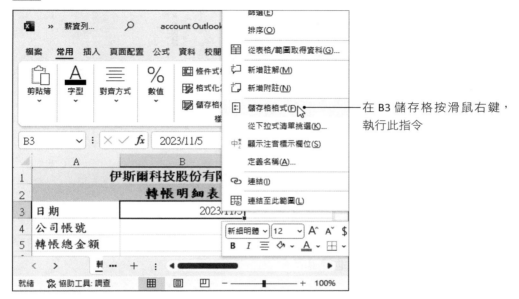

在 B3 儲存格按滑鼠右鍵，
執行此指令

<u>Step</u> 03

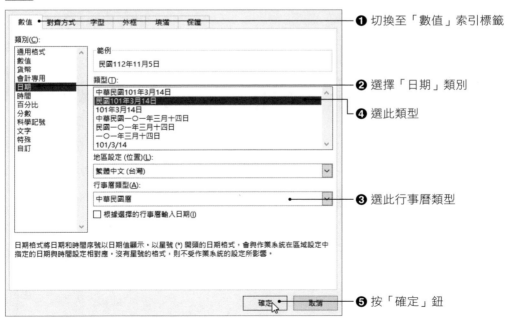

❶ 切換至「數值」索引標籤

❷ 選擇「日期」類別

❹ 選此類型

❸ 選此行事曆類型

❺ 按「確定」鈕

<u>Step</u> 04

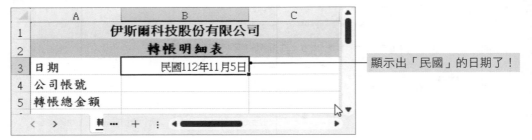

顯示出「民國」的日期了！

8-1-2　參照員工姓名、帳號及薪資金額

　　為了避免資料填寫錯誤，所以底下將使用參照的方式來建立員工姓名、帳號及薪資金額等資料，讓會計人員不必每次都要一直切換工作表，來對照員工的各項資料。以下將延續上述範例來進行說明。

 使用參照功能（檔名：薪資列印-01.xlsx）

<u>Step</u> 01

選此 A8 儲存格並在此輸入
「 = 」

Step. 02

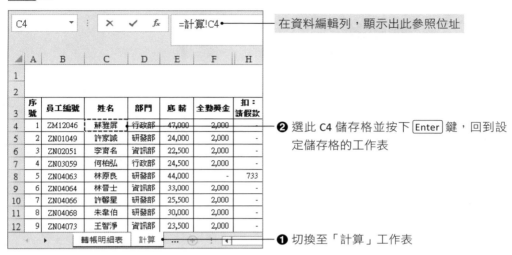

在資料編輯列，顯示出此參照位址

❷ 選此 C4 儲存格並按下 Enter 鍵，回到設定儲存格的工作表

❶ 切換至「計算」工作表

Step. 03

直接顯示出員工姓名了！

選此 A8 儲存格並以滑鼠拖曳其填滿控點至 A21

Step.04

顯示出所有員工的姓名了！

而帳號及薪資金額也是依照此種參照方法即可輕易填入所有的薪資資料。

8-1-3　自訂類別資料

當使用者以此方式參照完所有資料後，是否發覺到銀行帳號的數字只能以數值狀態顯示，而不能正確顯示帳號資料，因為 Excel 中並沒有可以正確顯示銀行帳號的格式，所以我們需要自己來自訂類別資料。在建立自訂類別資料前，先來瞭解一下格式符號所代表的意義：

符號	代表意義
#	顯示數值格式的有效位數。當資料內容小數點右方的位數多於 # 的位數，會將多餘的位數以四捨五入的方式捨去。但如果為小數點左方則會完全顯示。
0	是另一種顯示數值格式有效位數的方法，與「#」的用法相同。但當資料內容位數不足時會有補零的動作。

符號	代表意義
,	顯示千分位的分隔符號。
下底線（_）	跳過下一個格式符號。
?	與「0」用法類似，為了將小數點對齊，不足位數將以空白補齊。
*	重複此符號的下一個字元，直到填滿儲存格為止。
""	在儲存格中顯示雙引號中的文字。
@	將儲存格中的資料視為文字型態。
[紅色]	設定此儲存格中的文字顏色。
/、空格、$、+、-	直接顯示的符號。

瞭解符號代表的意義之後，就直接來自訂銀行帳號的格式吧！

 範例 **自訂類別資料**（檔名：薪資列印-02.xlsx）

<u>Step</u>.**01**

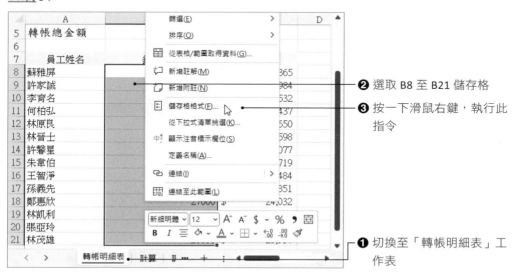

❷ 選取 B8 至 B21 儲存格

❸ 按一下滑鼠右鍵，執行此指令

❶ 切換至「轉帳明細表」工作表

Step. 02

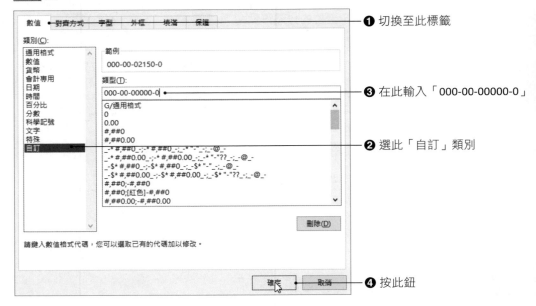

❶ 切換至此標籤

❸ 在此輸入「000-00-00000-0」

❷ 選此「自訂」類別

❹ 按此鈕

Step. 03

所有數值都以帳號類別顯示！

8-1-4　計算轉帳總金額

　　當參照完所有員工的薪資到轉帳明細表之後，直接在 B5 儲存格中輸入「=SUM(C8:C21)」，將員工薪資加總就是轉帳的總金額了！如下圖：

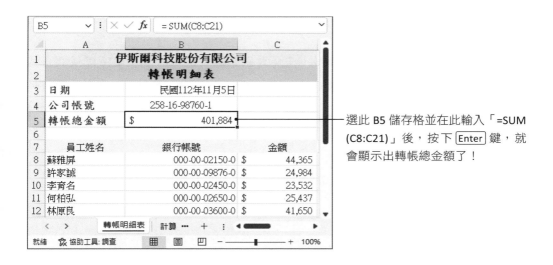

選此 **B5** 儲存格並在此輸入「**=SUM (C8:C21)**」後,按下 Enter 鍵,就會顯示出轉帳總金額了!

8-2 員工個人薪資明細表

除了要製作轉帳明細表給銀行,還需要建立員工的薪資明細表,讓員工瞭解這個月的薪資狀況,但是如果公司規模過大,員工人數超過上千人,一個一個分別建立每位員工的薪資明細表似乎太累人了。所以,底下將教您如何使用表單功能,以及使用公式來建立一個方便查詢的薪資明細表。下圖為已經設定好的薪資明細表格式:

<薪資明細表格式>

8-2-1 以表單建立下拉式選單

　　如果使用人力去搜尋員工資料，未免太過繁瑣及浪費時間了！所以我們將利用表單功能建立下拉式選單，來直接選取員工編號資料。請開啟範例檔「薪資列印-03.xlsx」，並請用滑鼠按一下「檔案」功能表，接著請依照底下範例的操作過程，建立員工編號的下拉式選單。

 建立員工編號的下拉式選單（檔名：薪資列印-03.xlsx）

Step. **01**

請用滑鼠按一下「檔案」功能表，接著會出現如底下範例的第一個畫面外觀

<u>Step</u> 02

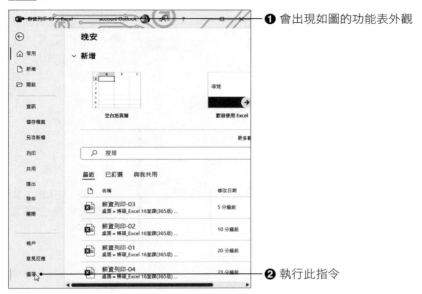

❶ 會出現如圖的功能表外觀

❷ 執行此指令

<u>Step</u> 03

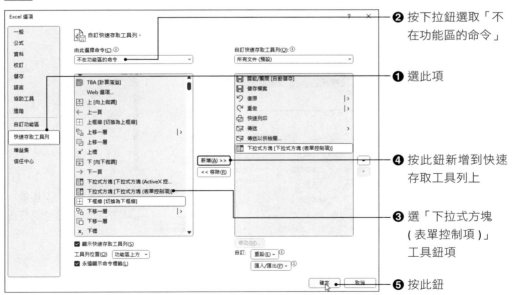

❷ 按下拉鈕選取「不在功能區的命令」

❶ 選此項

❹ 按此鈕新增到快速存取工具列上

❸ 選「下拉式方塊(表單控制項)」工具鈕項

❺ 按此鈕

<u>Step.</u> 04

❷ 按快速工具列上的「下拉式方塊」工具鈕

❸ 在 B5 儲存格，以滑鼠拖曳出適當大小

❶ 切換至「薪資明細表」工作表

<u>Step.</u> 05

在 B5 儲存格上按一下滑鼠右鍵並執行此指令

<u>Step</u>. 06

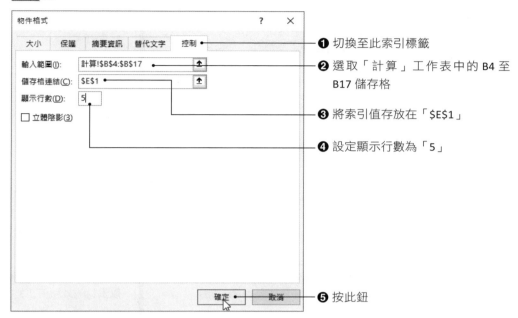

❶ 切換至此索引標籤

❷ 選取「計算」工作表中的 B4 至 B17 儲存格

❸ 將索引值存放在「$E$1」

❹ 設定顯示行數為「5」

❺ 按此鈕

<u>Step</u>. 07

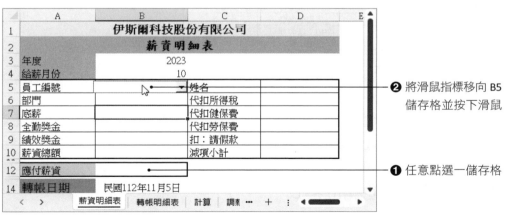

❷ 將滑鼠指標移向 B5 儲存格並按下滑鼠

❶ 任意點選一儲存格

Step. **08**

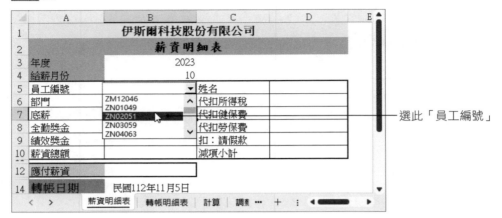

選此「員工編號」

Step. **09**

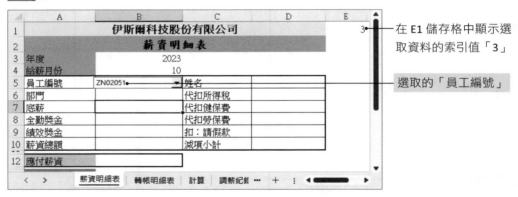

在 E1 儲存格中顯示選取資料的索引值「3」

選取的「員工編號」

不需填入任何編號，只要以滑鼠點選適當的員工編號是不是方便多了！不僅省去輸入的時間，亦可減少輸入錯誤的困擾！

8-2-2　設定其他欄位格式

由於薪資明細表中的其他欄位都已經在「計算」工作表設定好了，所以接下來，只要使用 INDEX() 函數一一參照出欄位的資料即可。接下來將延續上述範例來進行說明。

以 INDEX() 函數設定其他欄位（檔名：薪資列印-03.xlsx）

Step. 01

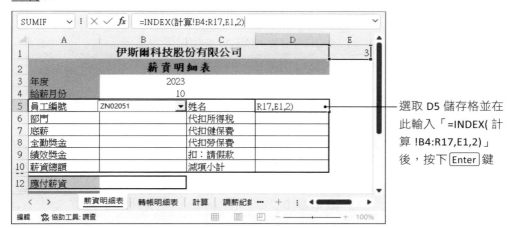

選取 D5 儲存格並在此輸入「=INDEX(計算 !B4:R17,E1,2)」後，按下 Enter 鍵

Step. 02

出現選取員工編號對應的姓名了！

在此範例中，輸入的函數為「=INDEX(計算 !B4:R17,E1,2)」，第一個引數是指定的資料範圍、第二個引數為選取員工編號後產生在 E1 儲存格的索引值，至於第三個引數則是傳回此指定範圍的第 2 欄資料，也就是「姓名」。接下來只要在其他儲存格中套用此公式即可，如下表格：

儲存格位置	公式
B6	=INDEX(計算 !B4:R17,E1,3)
B7	=INDEX(計算 !B4:R17,E1,4)
B8	=INDEX(計算 !B4:R17,E1,5)
B9	=INDEX(計算 !B4:R17,E1,6)
D6	=INDEX(計算 !B4:R17,E1,9)
D7	=INDEX(計算 !B4:R17,E1,10)
D8	=INDEX(計算 !B4:R17,E1,11)
D9	=INDEX(計算 !B4:R17,E1,7)
B10	=B7+B8+B9-D9
D10	=SUM(D6:D8)
B12	=B10-D10

接著請開啟範例檔「薪資列印-04.xlsx」，讓我們來看看設定好的薪資明細表：

<u>Step</u> 01

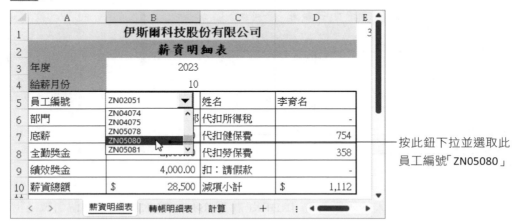

按此鈕下拉並選取此
員工編號「ZN05080」

<u>Step</u> 02

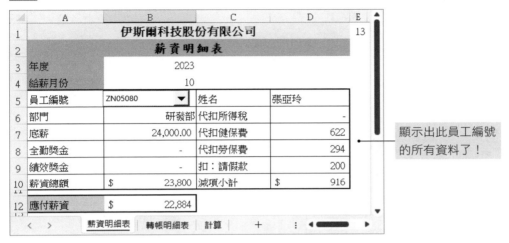

顯示出此員工編號
的所有資料了！

只要以滑鼠點選員工編號之後，就會顯示出此員工編號的所有資料，相信此方法絕對會比以人工填入的工作效率快上好幾十倍！

8-3 列印人事薪資報表

人事薪資所有的報表都製作完成後，除了可在螢幕前欣賞之外，當然還要將這些報表一一列印下來！在這一小節，就來學習如何列印的各種技巧，讓使用者不僅知道如何列印，更能漂亮的印出自己的「嘔心瀝血」之作！

列印前，除了要注意印表機電源是否開啟之外，還必須檢查電腦與印表機之連線，確定一切都沒問題後，就可執行「檔案／列印」指令來列印工作表了！請開啟範例檔「薪資列印-04.xlsx」，並切換到「計算」工作表。

範例　**基本列印程序**（檔名：薪資列印-04.xlsx）

Step 01

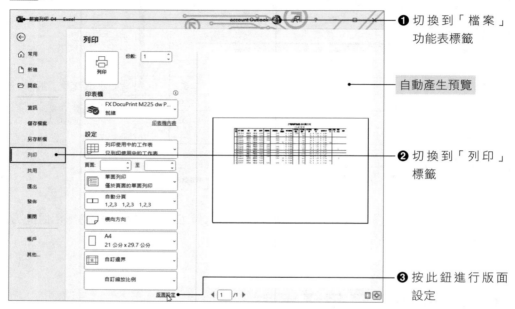

❶ 切換到「檔案」功能表標籤

自動產生預覽

❷ 切換到「列印」標籤

❸ 按此鈕進行版面設定

Step 02

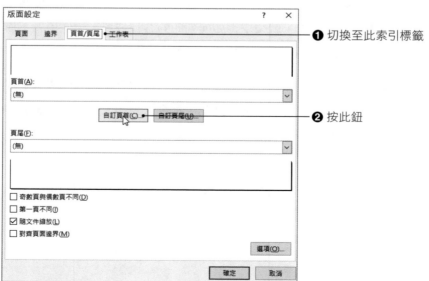

❶ 切換至此索引標籤

❷ 按此鈕

Step, 03

❹ 按此「插入頁碼」
工具鈕

❷ 按此「插入時間」
工具鈕

❸ 插入點移至此

❺ 按此鈕完成設定

❶ 插入點移至此

Step, 04

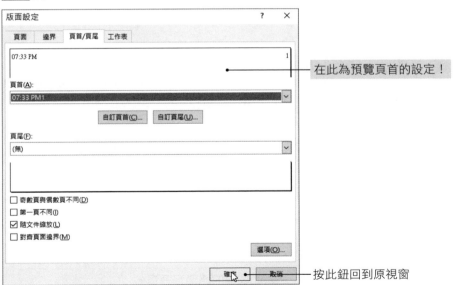

在此為預覽頁首的設定！

按此鈕回到原視窗

Step、05

按此鈕就可開始列印

 學習園地 **頁首的設定按鈕功能**

以下將列出在頁首設定中的所有按鈕功能，說明如下：

工具鈕	名稱	說明
A	字型	開啟「字型」對話視窗，設定字型格式。
	頁碼	加入頁碼。
	總頁數	加入總頁數。
	日期	加入列印當天日期。
	時間	加入列印時間。
	檔案路徑	加入此檔案的路徑及名稱。
	檔名	加上此活頁簿檔案名稱。
	索引標籤	加入列印的索引標籤名稱。
	插入圖片	插入選取的圖片。
	設定圖片格式	設定插入圖片的格式。

8-4 運用 Word 合併列印功能

在 Excel 中，雖然可將建立好的員工薪資明細表利用點選「員工編號」的方式將資料列印，可是每次只能列印一筆員工薪資明細資料，實在有點麻煩！因此使用者可利用 Word 合併列印的功能來進行 Excel 的列印，讓您一次就可列印出所有員工的薪資明細表！

8-4-1 合併列印功能

何謂「合併列印」？其實就是將兩種不同的資料合併起來一起列印。在 Word 中列印 Excel 的資料，就是合併列印的一種。為了區分 Word 和 Excel 的資料，我們將 Word 資料稱之為「文件」，將 Excel 資料稱之為「資料來源」。使用者可在 Word 中先製作好一份「文件」，而此「文件」的主要資料來源就是來自 Excel，兩者在 Word 中進行合併再加以列印，成果如下圖示：

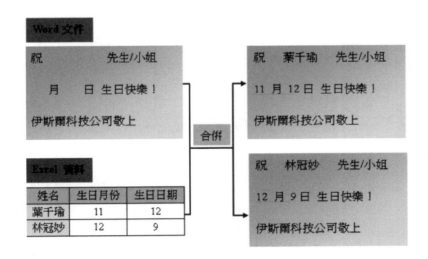

只要在文件中指定資料來源，並依照需求在文件的不同位置上選擇不同的資料欄位，就可合併列印出各種資料。

8-4-2 執行合併列印

首先在 Word 中建立好一個薪資明細表的文件檔案，以便在檔案中加入各個員工的薪資資料，最後合併列印出每位員工的薪資明細表。請在 Word 中開啟範例檔「薪資列印-05.doc」檔案。

 範例 **執行合併列印**（檔名：薪資列印-05.xlsx）

Step 01

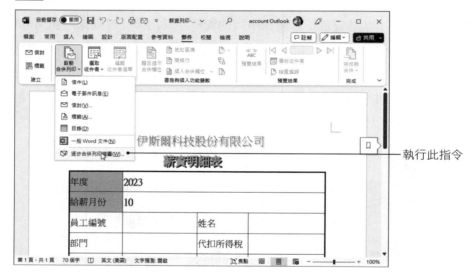

執行此指令

Step 02

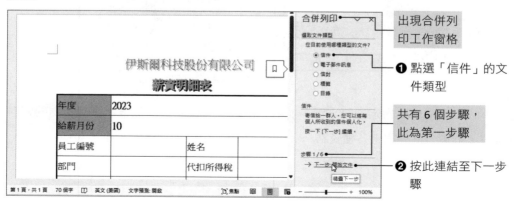

出現合併列印工作窗格

❶ 點選「信件」的文件類型

共有 6 個步驟，此為第一步驟

❷ 按此連結至下一步驟

Step. 03

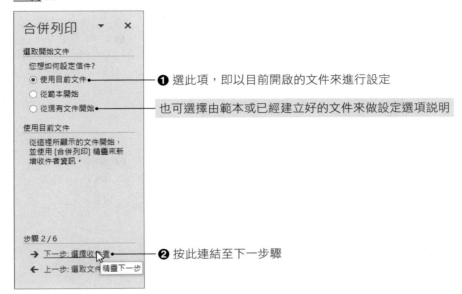

❶ 選此項，即以目前開啟的文件來進行設定

也可選擇由範本或已經建立好的文件來做設定選項說明

❷ 按此連結至下一步驟

Step. 04

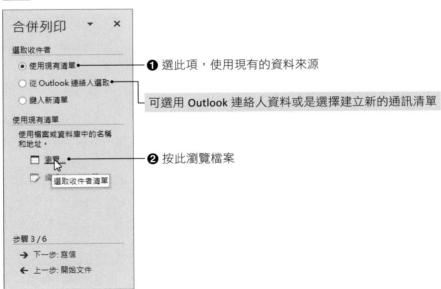

❶ 選此項，使用現有的資料來源

可選用 Outlook 連絡人資料或是選擇建立新的通訊清單

❷ 按此瀏覽檔案

Step. 05

❶ 選擇本章範例檔資料夾

❷ 選擇「薪資列印-05.xlsx」檔案

❸ 按此鈕確定

Step. 06

❶ 選此「薪資計算表」項

❷ 按此鈕

預設為勾選狀態，即會以此筆資料的第一列為欄標題

> **Tips**　因為需要以所選取資料的第一列為欄標題，所以我們必須先在 Excel 中將所需資料定義好名稱，才能在 Word 中正確的選擇資料，否則會造成第一列不能為欄標題的困擾。

<u>Step</u>、07

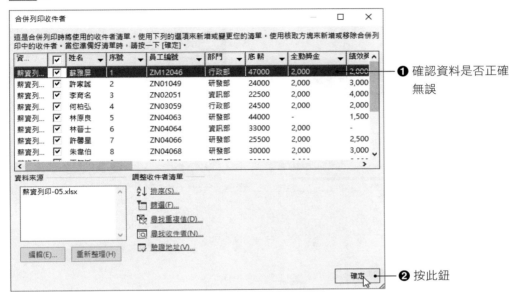

❶ 確認資料是否正確
無誤

❷ 按此鈕

<u>Step</u>、08

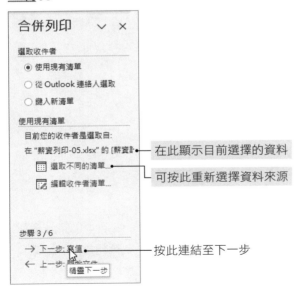

在此顯示目前選擇的資料

可按此重新選擇資料來源

按此連結至下一步

<u>Step</u> 09

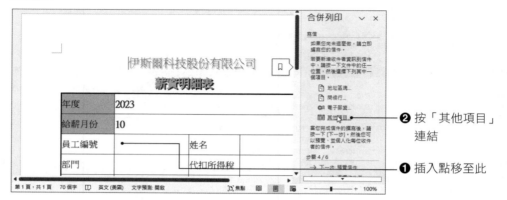

❷ 按「其他項目」連結

❶ 插入點移至此

<u>Step</u> 10

❶ 選擇此「員工編號」項

❷ 按此鈕插入

<u>Step</u> 11

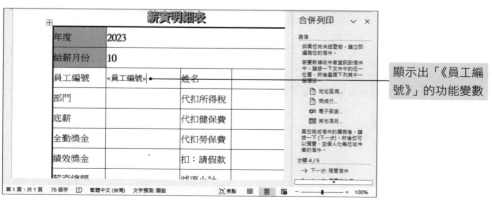

顯示出「《員工編號》」的功能變數

依照此範例的步驟 9 ～ 10 依序將其他欄位設定完畢，如下圖：

Step. 12

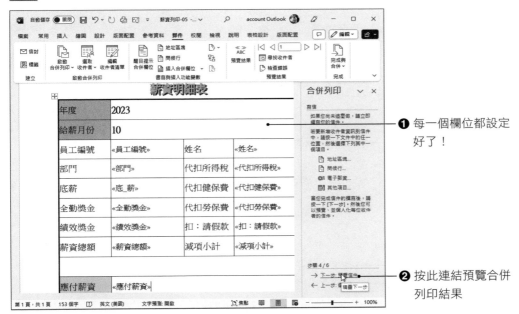

❶ 每一個欄位都設定好了！

❷ 按此連結預覽合併列印結果

Step. 13

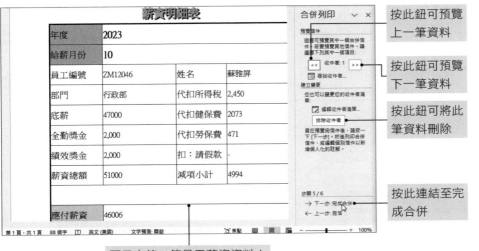

按此鈕可預覽上一筆資料

按此鈕可預覽下一筆資料

按此鈕可將此筆資料刪除

按此連結至完成合併

顯示出第一筆員工薪資資料！

Step. 14

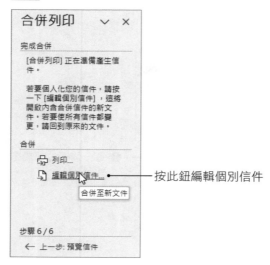

按此鈕編輯個別信件

Step. 15

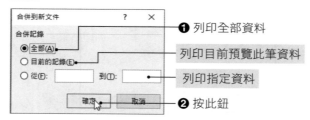

❶ 列印全部資料

列印目前預覽此筆資料

列印指定資料

❷ 按此鈕

Step. 16

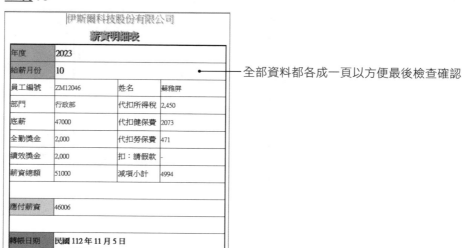

全部資料都各成一頁以方便最後檢查確認

年度	2023		
給薪月份	10		
員工編號	ZM12046	姓名	蘇雅屏
部門	行政部	代扣所得稅	2,450
底薪	47000	代扣健保費	2073
全勤獎金	2,000	代扣勞保費	471
績效獎金	2,000	扣：請假款	-
薪資總額	51000	減項小計	4994
應付薪資	46006		
轉帳日期	民國 112 年 11 月 5 日		

伊斯爾科技股份有限公司
薪資明細表

Step. **17**

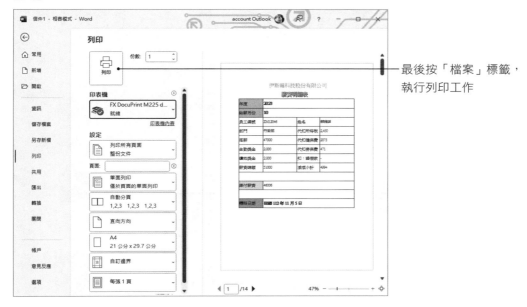

最後按「檔案」標籤，
執行列印工作

按「列印」鈕後，印表機就會開始列印出各別員工薪資明細資料了！使用者在設定完之後，將此 Word 檔案儲存起來，以後就可重複使用此合併列印設定了！

8-5 保護活頁簿檔案

因為薪資資料對公司、對員工而言都是一個很重要的機密文件，所以為了防止別人隨意更改此活頁簿資料，必須將此活頁簿加上「密碼」，只能讓特定的人員進行查詢或修正。

範例 **保護活頁簿設定**（檔名：薪資列印-05.xlsx）

Step. **01**

執行此指令

Step. **02**

按此工具下拉鈕並執行「一般選項」指令

Step. 03

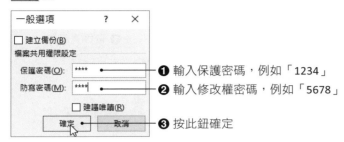

❶ 輸入保護密碼，例如「1234」

❷ 輸入修改權密碼，例如「5678」

❸ 按此鈕確定

> **Tips** 使用者在設定密碼時，必須注意密碼最多 15 個字元，且大小寫是有區分的，例如：「a10」與「A10」是不同的密碼。

Step. 04

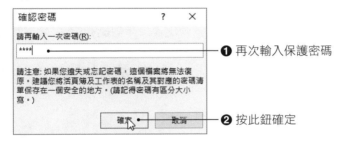

❶ 再次輸入保護密碼

❷ 按此鈕確定

Step. 05

❶ 再次輸入修改權密碼

❷ 按此鈕

Step、06

❶ 選擇資料夾

❷ 輸入檔案名稱「薪資列印-06」

❸ 按此鈕確定即可

當使用者開啟此「薪資列印-06.xlsx」檔案時，就會出現以下對話視窗：

Step、01

❶ 輸入保護密碼

❷ 按此鈕確定

Step、02

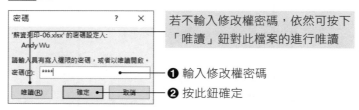

若不輸入修改權密碼，依然可按下「唯讀」鈕對此檔案的進行唯讀

❶ 輸入修改權密碼

❷ 按此鈕確定

　　設定好活頁簿的保護，就不怕此薪資檔案被別人修改或資料外流，不過使用者要記下所設定的「保護密碼」及「修改權密碼」，萬一忘記密碼還可查詢到密碼的設定。若使用者想要取消密碼設定，只要再執行一次「檔案／另存新檔」指令，並在下拉「工具」選項並執行「一般選項」，將此對話視窗中的密碼刪除，再按下「確定」鈕，即可刪除密碼的設定。

學習評量

是非題

( ) 1. 建立自訂類別資料時，@代表將儲存格中的資料視為數值型態。

( ) 2. 執行「下拉式方塊」物件之控制項格式指令，也同樣可設定作用儲存格的範圍。

( ) 3. 於預覽列印設定框裡也同樣可設定頁首與頁尾。

( ) 4. Word 的合併列印可使用資料來源類型非常的多，即使是 Excel 的檔案也可使用此功能。

( ) 5. 在 Excel 中並沒有顯示銀行帳號的格式，所以需要自己來自訂類別資料。

選擇題

( ) 1. 下列於建立自訂類別資料時，各符號所對應的意義何者為非？

(A)「#」- 顯示數值格式的有效位數

(B)「,」- 顯示千分位的分隔符號

(C)「*」- 重複此符號的下一個字元，直到填滿儲存格為止

(D)「""」- 在儲存格中顯示雙引號中的數值

( ) 2. 下列何者是 Word 合併列印可以建立的主文件類型？

(A) 信件   (B) 信封

(C) 標籤   (D) 以上皆是

( ) 3. 下列何者是 Word「合併列印精靈」選擇收件者的選項？

(A) 使用現有清單   (B) 從 Outlook 聯絡人選取

(C) 鍵入新清單   (D) 以上皆是

(　) 4. 下列哪一種檔案類型無法作為 Word 合併列印的資料來源：

(A) Excel 的文件檔案　　　　　　　　(B) PowerPoint 文件檔案

(C) Word 文件檔案　　　　　　　　　(D) Access 資料庫

(　) 5. Word 合併列印的地址區塊除了地址之外，還可放入哪些額外的資料？

(A) 收件者姓名　　(B) 公司名稱　　(C) 郵遞區號　　(D) 以上皆是

(　) 6. 🔘 此為頁首設定的哪一按鈕功能？

(A) 插入總頁數　　(B) 插入日期　　(C) 插入時間　　(D) 插入計時器

問答題

1. 請開啟範例檔「薪資列印-07.xlsx」，幫巨強公司建立起一個轉帳明細表，如下圖：

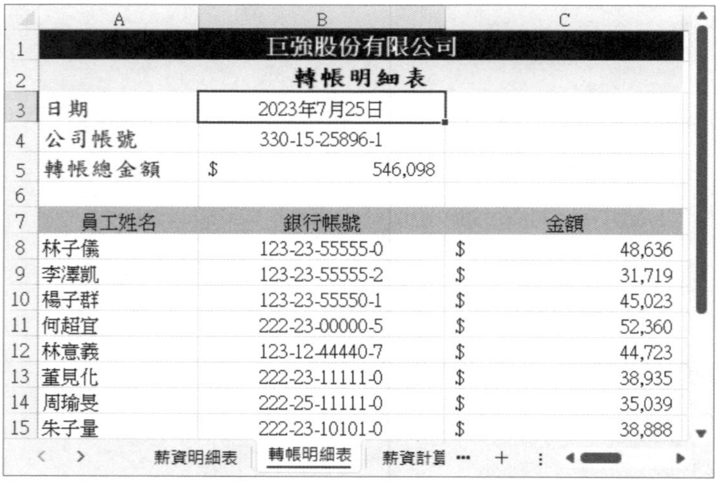

- 使用 TODAY() 函數並將儲存格格式轉變為西元年格式。
- 使用參照方式，將「調薪記錄」工作表中的銀行帳號及「薪資計算」工作表中的應付薪資，建立轉帳明細表。
- 最後利用加總將所有人的應付薪資計算後，填入轉帳總金額的儲存格中。

2. 延續上述範例，建立起一個員工薪資明細表，如下圖：

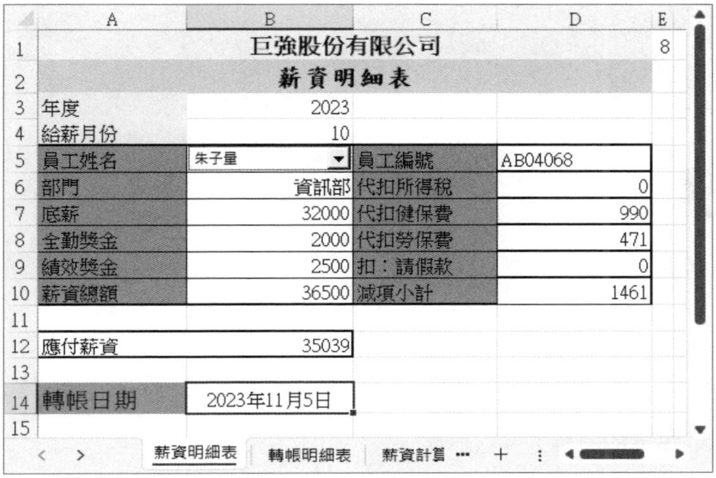

此薪資明細表需要以表單方式建立起「員工姓名」的下拉式選單，只要在此下拉式選單中點選某員工姓名，此員工的所有資料就會出現在此表格之中。

（提示：使用參照方式）

3. 請簡述合併列印的功能。

4. 如何指定要重複出現在每個列印頁面的列與欄？

應收票據管理應用

- 定義範圍名稱
- IF() 函數
- 凍結窗格
- 建立應收票據票齡分析
- 建立應收票據樞紐分析表

本章簡介

應收票據的主要來源為公司提供勞務或商品予買方，買方所開立需於特定日期或時間內，無條件支付一定金額的票據。良好的票據控管，可有效提高公司資金的運轉。在本章的範例裡，將詳細介紹如何製作票據管理與查詢的工作，讓您隨時隨地都能有效控管票據狀況。

範例成果

愛德機械股份有限公司
應收票據管理表

日期　2023/10/11

客戶名稱	票據資訊				應收票據票齡分析					其它
客戶名稱	票據號碼	票據金額	收票日	到期日	0~15天	16~30天	31~60天	61~90天	90天以上	票據狀況
弘亦企業有限公司	JR21456231	$ 80,000	2023/06/01	2023/08/01	$ 80,000					已兌現
廣達五金行	XA90994451	$ 60,000	2023/06/04	2023/08/23	$ 60,000					已兌現
弘亦企業有限公司	DB65647820	$ 150,000	2023/06/09	2023/08/29	$ 150,000					已兌現
中台電器股份有限公司	UV98502348	$ 600,000	2023/06/12	2023/09/13	$ 600,000					已兌現
全球電器股份有限公司	VQ78213428	$ 40,000	2023/06/17	2023/09/21	$ 40,000					已兌現
中台電器股份有限公司	XW23458890	$1,000,000	2023/06/22	2023/09/29	$ 1,000,000					已兌現
廣達五金行	GO32098715	$ 5,000	2023/06/25	2023/10/04	$ 5,000					已兌現
雅樂電器行	VO53217846	$ 3,000	2023/06/30	2023/10/12	$ 3,000					未兌現
中台電器股份有限公司	RO11223378	$ 7,000	2023/07/02	2023/10/18	$ 7,000					未兌現
雅樂電器行	DJ33675421	$ 200,000	2023/07/07	2023/10/26	$ 200,000					未兌現
發達電器行	RH63452109	$ 60,000	2023/07/12	2023/11/04		$ 60,000				未兌現
原功機械有限公司	ML76768800	$ 25,000	2023/07/15	2023/11/10		$ 25,000				未兌現
發達電器行	MV34562198	$ 10,000	2023/07/20	2023/11/18			$ 10,000			未兌現
弘亦企業有限公司	DJ89023167	$ 60,000	2023/07/23	2023/11/24			$ 60,000			未兌現
東頂貿易有限公司	QH13429201	$ 30,000	2023/07/28	2023/11/01		$ 30,000				未兌現
東頂貿易有限公司	SA89045632	$ 90,000	2023/08/03	2023/11/09		$ 90,000				未兌現
如意五金行	OC91232846	$ 3,000	2023/08/06	2023/11/15			$ 3,000			未兌現
全球電器股份有限公司	OS23143789	$ 20,000	2023/08/09	2023/11/23			$ 20,000			未兌現
友喬五金行	FK12480325	$ 330,000	2023/08/14	2023/11/29			$ 330,000			未兌現
全球電器股份有限公司	UV90342178	$ 80,000	2023/08/19	2023/12/06			$ 80,000			未兌現
發達電器行	QT71239045	$ 50,000	2023/08/24	2023/12/14				$ 50,000		未兌現
應收票據金額合計		$2,903,000			$ 2,145,000	$ 205,000	$ 503,000	$ 50,000	$ -	
應收票據金額比例					73.89%	7.06%	17.33%	1.72%	0.00%	

＜應收票據管理表＞

	A	B
1	票據狀況	(全部)
3	列標籤	加總 - 票據金額
4	中台電器股份有限公司	$　1,607,000
5	6月12日	
6	9月13日	
7	UV98502348	$　600,000
8	6月22日	
9	9月29日	
10	XW23458890	$　1,000,000
11	7月2日	
12	10月18日	
13	RO11223378	$　7,000
14	總計	$　1,607,000

應收票據查詢

＜應收票據查詢＞

9-1 應收票據票齡管理建立

收到客戶的票據時，第一步就是記錄客戶名稱、票據號碼、金額、票據到期日等等資料，待票據到期日一到，則拿至銀行兌現，並核銷票據記錄。但票據的到期日每張都不盡相同，反覆來往銀行可得浪費不少時間。若能將到期日相近的票據做統計，再一次前往銀行處理，則可讓此部分的工作更有效率。在本節裡，將介紹讓相近票齡的票據排排站的方法，讓您對各票據票齡一目了然。

9-1-1 定義客戶資料

首先請開啟範例檔「票據管理-01.xlsx」，並定義客戶資料，以方便後續工作。

 範例 **定義客戶資料**（檔名：票據管理-01.xlsx）

Step. 01

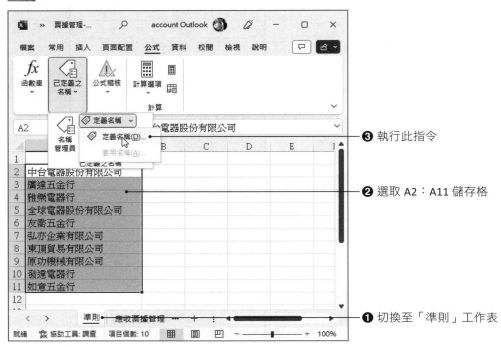

❸ 執行此指令

❷ 選取 A2：A11 儲存格

❶ 切換至「準則」工作表

Step 02

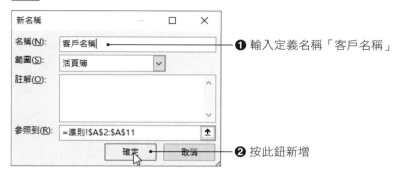

❶ 輸入定義名稱「客戶名稱」

❷ 按此鈕新增

Step 03

在此出現新增
的定義名稱

9-1-2 製作客戶名稱下拉選單

當客戶資料定義完成後，請切換到「應收票據管理」工作表，製作客戶名稱下
拉式選單，方便日後資料處理。

製作客戶名稱選單（檔名：票據管理-01.xlsx）

Step. 01

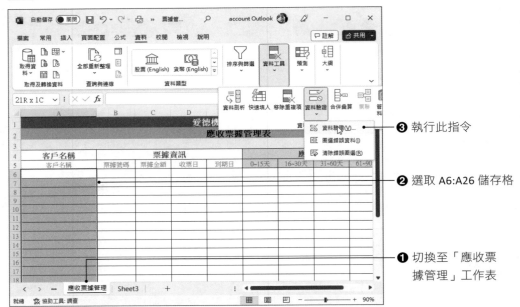

❸ 執行此指令

❷ 選取 A6:A26 儲存格

❶ 切換至「應收票據管理」工作表

Step. 02

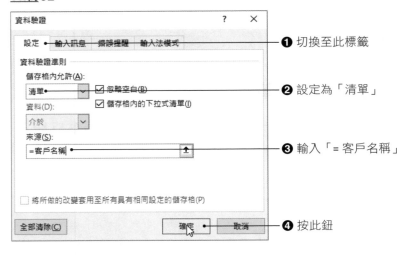

❶ 切換至此標籤

❷ 設定為「清單」

❸ 輸入「= 客戶名稱」

❹ 按此鈕

Step. 03

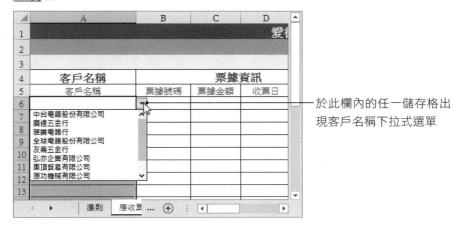

於此欄內的任一儲存格出
現客戶名稱下拉式選單

請自行輸入應收票據相關資料，練習使用下拉客戶選單。

9-1-3　應收票據票齡計算

完成輸入表格資料後，接下來再設定公式計算的部分，就可以輕鬆使用應收
票據票齡管理表格，管理繁雜的應收票據。進行公式設定前，先認識會使用到的
函數：

▶**IF() 函數**

語法：IF(logical_test,value_if_true,value_if_false)

說明：可用來測試數值和公式條件，並傳回不同的結果，相關引數說明如下：

引數名稱	說明
logical_test	此為判斷式。用來判斷測試條件是否成立。
value_if_true	此為條件成立時，所執行的程序。
value_if_false	此為條件不成立時，所執行的程序。

▶ AND() 函數

> 語法：AND(logical1,logical2,...)
>
> 說明：如果所有的引數都是 TRUE 就傳回 TRUE；若有一或多個引數是 FALSE 則
> 傳回 FALSE。相關引數說明如下：
>
> | 引數名稱 | 說明 |
> |---|---|
> | logical1,logical2 | 欲測試的 1 到 30 個條件，可能是 TRUE 或 FALSE。 |

　　接著開啟範例檔「票據管理-02.xlsx」，先定義「票據金額」與「到期日」，再設定日期，最後就進行輸入票據票齡的計算公式。

 設定票據票齡算式（檔名：票據管理-02.xlsx）

<u>Step</u> **01**

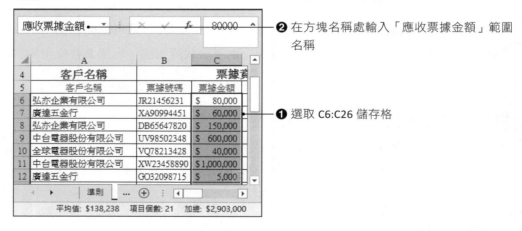

❷ 在方塊名稱處輸入「應收票據金額」範圍名稱

❶ 選取 C6:C26 儲存格

<u>Step</u> 02

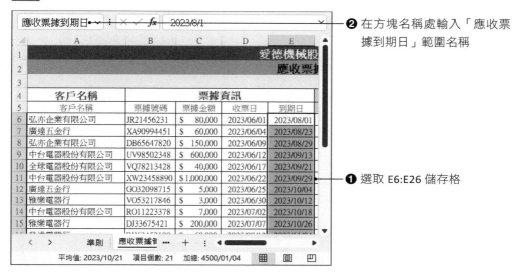

❷ 在方塊名稱處輸入「應收票據到期日」範圍名稱

❶ 選取 E6:E26 儲存格

<u>Step</u> 03

選取 K3 儲存格,輸入製表日日期,例如此處輸入「2023/10/11」

<u>Step</u>. 04

選取 F6 儲存格並在此輸入「=IF(應收票據到期日="","",IF(應收票據到期日-$K$3 <=15,應收票據金額,""))」後，按下 Enter 鍵

選取 F6 儲存格，拖曳填滿控點複製公式至 F26 儲存格

另外分別於其他天數欄位內,輸入如下公式並重複步驟 2 的動作:

↗ 16~30 天 =IF(應收票據到期日="","",IF(應收票據到期日-$K$3>15,IF(應收票據到期日-$K$3<=30,應收票據金額,""),""))

↗ 31~60 天 =IF(應收票據到期日="","",IF(應收票據到期日-$K$3>30,IF(應收票據到期日-$K$3<=60,應收票據金額,""),""))

↗ 61~90 天 =IF(應收票據到期日="","",IF(應收票據到期日-$K$3>60,IF(應收票據到期日-$K$3<=90,應收票據金額,""),""))

↗ 90 天以上 =IF(應收票據到期日="","",IF(應收票據到期日-$K$3>=90,應收票據金額,""))

待公式輸入完成後,應收票據票齡分析會呈現如下圖示內容:

9-1-4 計算應收票據合計額

請開啟範例檔「票據管理-03.xlsx」,將票據及各票齡金額做一合計。

計算應收票據合計額（檔名：票據管理-03.xlsx）

Step. 01

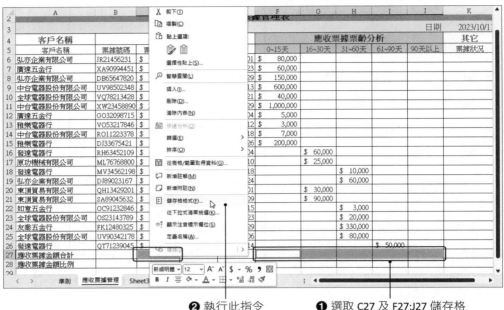

❷ 執行此指令　　　❶ 選取 C27 及 F27:J27 儲存格

Step. 02

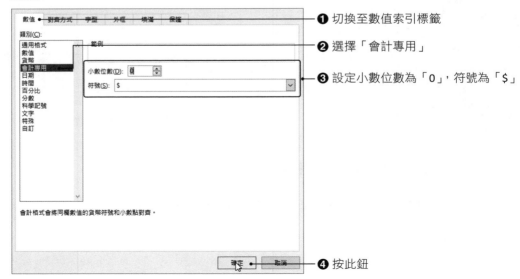

❶ 切換至數值索引標籤

❷ 選擇「會計專用」

❸ 設定小數位數為「0」，符號為「$」

❹ 按此鈕

Step 03

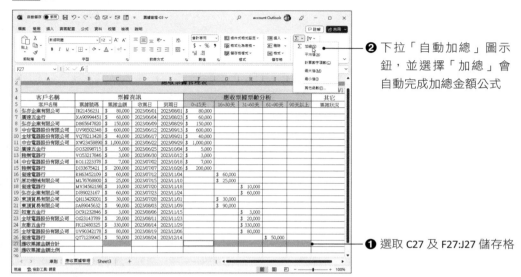

❷ 下拉「自動加總」圖示鈕，並選擇「加總」會自動完成加總金額公式

❶ 選取 C27 及 F27:J27 儲存格

Step 04

出現票據及各票齡合計額

9-1-5 各票齡的票據應收比例

將各票齡總金額算出後，若能再計算出各票齡合計額占票據總額的百分比，就可對各票齡金額對總票據金額所佔的比例更為清楚。

範例　**計算各票齡占比**（檔名：票據管理-03.xlsx）

Step.01

客戶名稱		票據資訊			應收票據票齡分析			
客戶名稱	票據號碼	票據金額	收票日	到期日	0~15天	16~30天	31~60天	61~90天
弘亦企業有限公司	JR21456231	$ 80,000	2023/06/01	2023/08/01	$ 80,000			
廣達五金行	XA90994451	$ 60,000	2023/06/04	2023/08/23	$ 60,000			
弘亦企業有限公司	DB65647820	$ 150,000	2023/06/09	2023/08/29	$ 150,000			
中台電器股份有限公司	UV98502348	$ 600,000	2023/06/12	2023/09/13	$ 600,000			
全球電器股份有限公司	VQ78213428	$ 40,000	2023/06/17	2023/09/21	$ 40,000			
中台電器股份有限公司	XW23458890	$ 1,000,000	2023/06/22	2023/09/29	$ 1,000,000			
廣達五金行	GO32098715	$ 5,000	2023/06/25	2023/10/04	$ 5,000			
雅樂電器行	VO53217846	$ 3,000	2023/06/30	2023/10/12	$ 3,000			
中台電器股份有限公司	RO11223378	$ 7,000	2023/07/02	2023/10/18	$ 7,000			
雅樂電器行	DJ33675421	$ 200,000	2023/07/07	2023/10/26	$ 200,000			
發達電器行	RH63452109	$ 60,000	2023/07/12	2023/11/04		$ 60,000		
原功機械有限公司	ML76768800	$ 25,000	2023/07/15	2023/11/10		$ 25,000		
發達電器行	MV34562198	$ 10,000	2023/07/20	2023/11/18			$ 10,000	
弘亦企業有限公司	DJ89023167	$ 60,000	2023/07/23	2023/11/24			$ 60,000	
東頂貿易有限公司	QH13429201	$ 30,000	2023/07/28	2023/11/01		$ 30,000		
東頂貿易有限公司	SA89045632	$ 90,000	2023/08/03	2023/11/09		$ 90,000		
如意五金行	OC91232846	$ 3,000	2023/08/06	2023/11/15			$ 3,000	
全球電器股份有限公司	OS23143789	$ 20,000	2023/08/11	2023/11/23			$ 20,000	
友商五金行	FK12480325	$ 330,000	2023/08/14	2023/11/29			$ 330,000	
全球電器股份有限公司	UV90342178	$ 80,000	2023/08/19	2023/12/06			$ 80,000	
發達電器行	QT71239045	$ 50,000	2023/08/24	2023/12/14				$ 50,000
應收票據金額合計		$ 2,903,000			$ 2,145,000	$ 205,000	$ 503,000	$ 50,000
應收票據金額比例					=F27/$C$27			

選取 F28 儲存格，並輸入「=F27/$C$27」後按下 Enter 鍵

Step.02

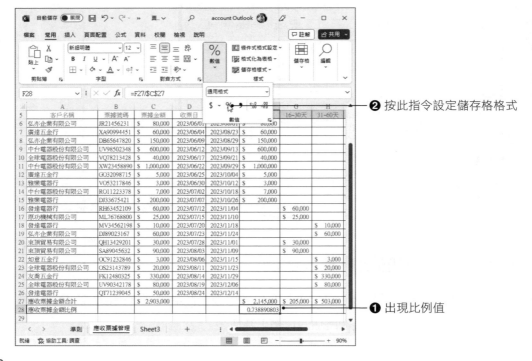

❷ 按此指令設定儲存格格式

❶ 出現比例值

<u>Step.</u> **03**

按此鈕 2 次增加小數位數欄

顯示百分比

<u>Step.</u> **04**

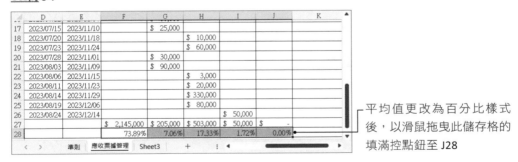

平均值更改為百分比樣式後，以滑鼠拖曳此儲存格的填滿控點鈕至 J28

9-1-6 製作票據狀況下拉選單

在瞭解各票據票齡情形後，我們要再另外製作一票據狀況的下拉式選單，好隨時都能知道是否有已到期的票據，卻還未兌現。請開啟範例檔「票據管理-04.xlsx」：

範例　**製作票據現況選單**（檔名：票據管理-04.xlsx）

Step. 01

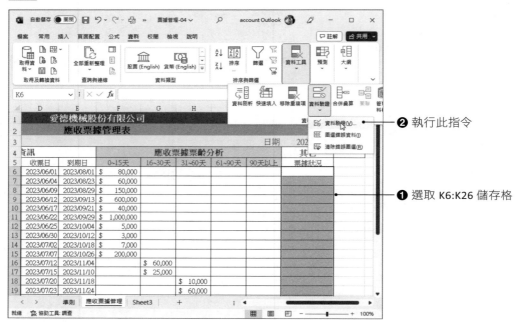

❷ 執行此指令

❶ 選取 K6:K26 儲存格

Step. 02

❶ 切換至「設定」索引標籤

❷ 設定為「清單」

❸ 於來源欄內輸入「已兌現, 未兌現」

❹ 按此鈕

Step 03

選取儲存範圍都套用
相同的選單樣式

接著請於票據狀況欄的下拉選單裡，分別替已兌現的票據標示為「已兌現」，其
餘票據則標示為「未兌現」，如下圖：

客戶名稱	票據資訊				應收票據票齡分析					其它
客戶名稱	票據號碼	票據金額	收票日	到期日	0~15天	16~30天	31~60天	61~90天	90天以上	票據狀況
弘亦企業有限公司	JR21456231	$ 80,000	2023/06/01	2023/08/01	$ 80,000					已兌現
廣達五金行	XA90994451	$ 60,000	2023/06/04	2023/08/23	$ 60,000					已兌現
弘亦企業有限公司	DB65647820	$ 150,000	2023/06/09	2023/08/29	$ 150,000					已兌現
中台電器股份有限公司	UV98502348	$ 600,000	2023/06/12	2023/09/13	$ 600,000					已兌現
全球電器有限公司	VQ78213428	$ 40,000	2023/06/17	2023/09/21	$ 40,000					已兌現
中台電器股份有限公司	XW23458890	$ 1,000,000	2023/06/22	2023/09/29	$ 1,000,000					已兌現
廣達五金行	GO32098715	$ 5,000	2023/06/25	2023/10/04	$ 5,000					已兌現
雅樂電器行	VO53217846	$ 3,000	2023/06/30	2023/10/12	$ 3,000					未兌現
中台電器股份有限公司	RO11223378	$ 7,000	2023/07/02	2023/10/18	$ 7,000					未兌現
雅樂電器行	DJ33675421	$ 200,000	2023/07/07	2023/10/26	$ 200,000					未兌現
發達電器行	RH63452109	$ 60,000	2023/07/12	2023/11/04		$ 60,000				未兌現
原功機械有限公司	ML76768800	$ 25,000	2023/07/15	2023/11/10		$ 25,000				未兌現
發達電器行	MV34562198	$ 10,000	2023/07/20	2023/11/18			$ 10,000			未兌現
弘亦企業有限公司	DJ89023167	$ 60,000	2023/07/23	2023/11/24			$ 60,000			未兌現
東頂貿易有限公司	QH13429201	$ 30,000	2023/07/28	2023/11/28		$ 30,000				未兌現
東頂貿易有限公司	SA89045632	$ 90,000	2023/08/03	2023/11/09		$ 90,000				未兌現
如意五金行	OC91232846	$ 3,000	2023/08/06	2023/11/15			$ 3,000			未兌現
全球電器有限公司	OS23143789	$ 20,000	2023/08/10	2023/11/21			$ 20,000			未兌現
友喬五金行	FK12480325	$ 330,000	2023/08/14	2023/11/29			$ 330,000			未兌現
全球電器股份有限公司	UV90342178	$ 80,000	2023/08/19	2023/12/06			$ 80,000			未兌現
發達電器行	QT71239045	$ 50,000	2023/08/24	2023/12/14				$ 50,000		未兌現
應收票據金額合計		$ 2,903,000			$ 2,145,000	$ 205,000	$ 503,000	$ 50,000	$ -	
應收票據金額比例					73.89%	7.06%	17.33%	1.72%	0.00%	

於儲存格內依實際情況標示為「已兌現」及「未兌現」

9-1-7　凍結窗格

　　完成上個步驟後，此票據管理表可說是已經完成了。但每要看最近收到的票據（表格愈底下的票據資料愈新）資料時，總要不停地上下轉動捲軸，才能知道某一儲存格的欄位代表何物，實在麻煩極了！其實只要使用 Excel 的「凍結窗格」功能，就可解決此一問題。請接著上述的範例：

 範例　**使用凍結窗格**（檔名：票據管理-04.xlsx）

Step.01

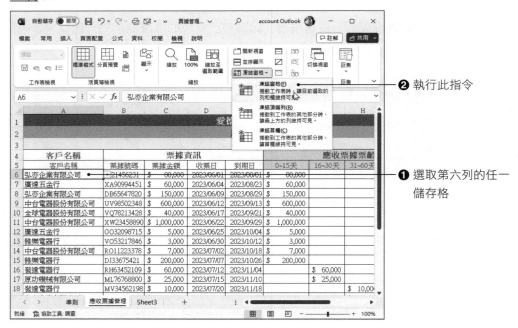

❷ 執行此指令

❶ 選取第六列的任一儲存格

<u>Step.</u> 02

此時轉動捲軸時，於
第 6 列之上的儲存格
就不會跟著往上移動
了

<u>Step.</u> 03

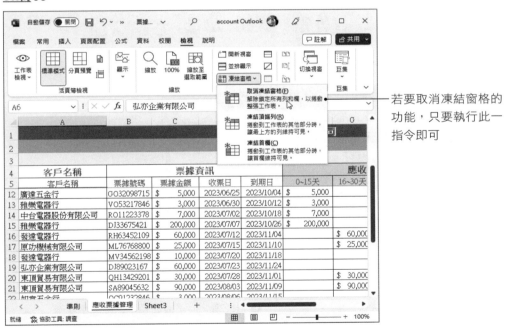

若要取消凍結窗格的
功能，只要執行此一
指令即可

請暫時將現在的執行結果另存為「票據管理-04-1.xlsx」。

建立應收票據樞紐分析

當收到的票據愈來愈多，輸入票據管理表的內容也隨著增加時，如果想單單尋找某一客戶的票據資料或想知道已兌現或未兌現的票據金額有多少時，若一筆筆的查詢，可得花掉不少時間。在本節的範例裡，將介紹製作解決此一問題的分析表。請開啟「票據管理-04-1.xlsx」：

範例 **製作應收票據樞紐分析**（檔名：票據管理-04-1.xlsx）

Step 01

Step 02

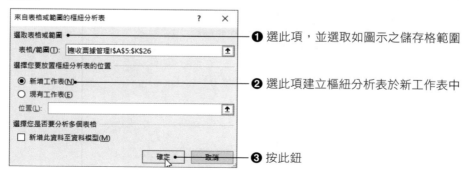

<u>Step</u> 03

增加「工作表 1」，並出現樞紐分析表

　　請拖曳「票據狀況」到報表篩選欄位，拖曳「客戶名稱」、「收票日」、「到期日」、「票據號碼」到列標籤欄位，拖曳「票據金額」到值欄位。如下圖所示：

當樞紐分析表的大概架構完成後，再一一更改其欄位的設定使其較符合我們的需要：

範例　**更改樞紐分析欄位設定**（檔名：票據管理-04-1.xlsx）

Step.01

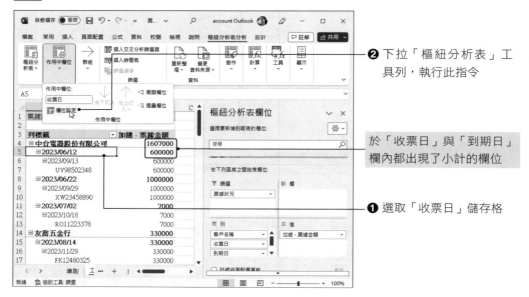

❷ 下拉「樞紐分析表」工具列，執行此指令

於「收票日」與「到期日」欄內都出現了小計的欄位

❶ 選取「收票日」儲存格

Step.02

❶ 選擇「無」

❷ 按此鈕

<u>Step.</u> 03

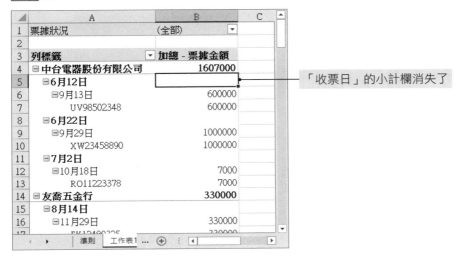

「收票日」的小計欄消失了

選取「到期日」儲存格,並重複 1~2 的步驟,取消其小計欄位。除此之外,再更改「合計欄」的格式。

<u>Step.</u> 04

❷ 執行此指令

❶ 選取此儲存格

<u>Step</u> 05

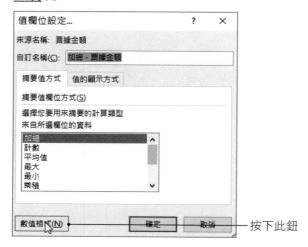

——— 按下此鈕

<u>Step</u> 06

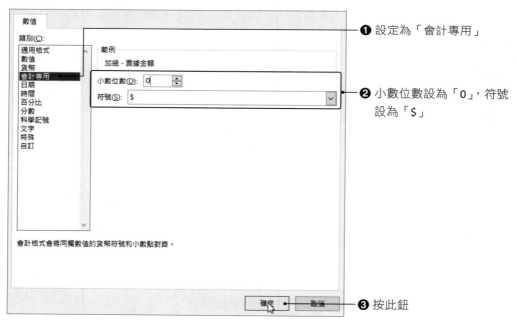

❶ 設定為「會計專用」

❷ 小數位數設為「0」，符號設為「$」

❸ 按此鈕

Step, 07

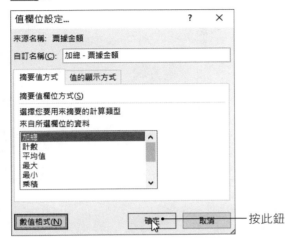

按此鈕

Step, 08

金額套上了設定的格式

在工作表 1 上按滑鼠右鍵，執行此
指令

Step. 09

更改工作表名稱為「應收票據查詢」

　　完成格式的設定後，不論是要找已兌現、未兌現票據，或者是哪一客戶的票據資料，都能非常的簡單又明瞭，讓您更能有效掌握個別票據狀況！

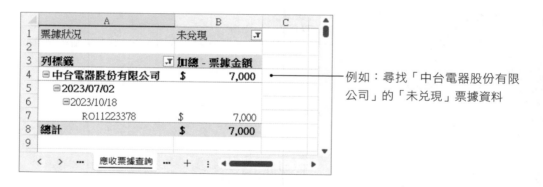

例如：尋找「中台電器股份有限公司」的「未兌現」票據資料

　　請暫時將現在的執行結果另存為「票據管理-04-2.xlsx」。

學習評量

是非題

( ) 1. 若要選取不連續範圍的儲存格，可按下 Ctrl 鍵再以滑鼠點選欲選取的儲存格即可。

( ) 2. 樞紐分析表就是依照使用者的需求而製作的一般資料表。

( ) 3. 當樞紐分析表來源資料有所變動，此時就必須要做資料的更新，以免分析表產生錯誤。

( ) 4. 凍結窗格功能會作用在儲存格的上方列與左方欄。

選擇題

( ) 1. 在樞紐分析表精靈的步驟中，分析資料來源共有四種，請問下列哪一個並不是其中的一種？

    (A) Microsoft Access 資料庫檔案   (B) Microsoft Excel 清單或資料庫

    (C) 外部資料庫   (D) 多重彙總資料範圍

( ) 2. 定義範圍名稱的方法為？

    (A)「插入／圖片」指令   (B)「公式／定義名稱」指令

    (C)「公式／用於公式」指令   (D) 以上皆是

( ) 3. 於儲存格內輸入下列哪一函數即可馬上出現今日的日期？

    (A) NOW()   (B) TODAY()

    (C) 以上皆可   (D) 以上皆否

( ) 4. 下列關於 AND() 函數的敘述何者有誤？

    (A) 為查閱與參照類別函數

    (B) 當所有引數皆為 TRUE 時才傳回 TRUE

    (C) 其引數為 (logical1,logical2...)

    (D) 引數 logical 是指要測試的條件

製作財務損益表

學習重點

- 表單查詢及新增
- VLOOKUP 函數的應用
- IF 函數的應用
- 資料排序
- 建立樞紐分析表
- 複製工作表
- 「尋找」及「取代」

本章簡介

市面上有許多商業會計套裝軟體，因為強調普及化及平價化，功能無法適用每一種企業。請電腦公司設計完全適合企業本身的會計軟體，動輒幾十萬的費用，一般中小企業主也不願意負擔。在第十章及第十一章，將會教導各位讀者如何利用 EXCEL 設計一套會計軟體，讓各位在不景氣的環境中替老闆省一筆費用，也替自己創造免於被裁撤的工作價值。本章就以編製損益表作為目標，介紹整個會計帳務流程。

範例成果

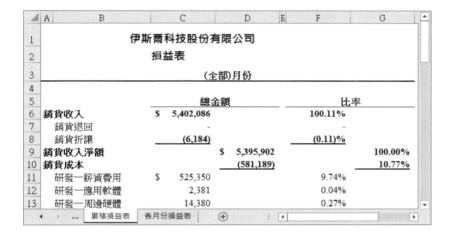

10-1 日常帳務處理

　　帳務處理是最煩人、最瑣碎的例行公事，也是財務會計最重要的基礎。人工記帳時代，會計人員每天都必須花很多的時間切傳票、過帳。善用 EXCEL 的強大功能，套句某新聞台的廣告詞，「給我一小時，我給你每天一小時的摸魚時間」。

10-1-1 會計科目新增與刪除

　　會計科目代碼的設定，可以節省交易記錄登錄的時間。範例中預設了常用的會計科目代碼，讀者可以不必辛苦的建立。本小節會告訴各位如何使用表單工具新增及刪除會計科目代碼。

範例 新增會計科目（檔名：財務損益表-01.xlsx）

Step. 01

❶ 選擇「檔案」標籤

❷ 按此鈕

Step. 02

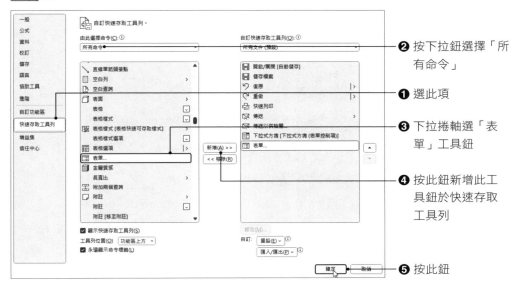

❷ 按下拉鈕選擇「所有命令」

❶ 選此項

❸ 下拉捲軸選「表單」工具鈕

❹ 按此鈕新增此工具鈕於快速存取工具列

❺ 按此鈕

Step. 03

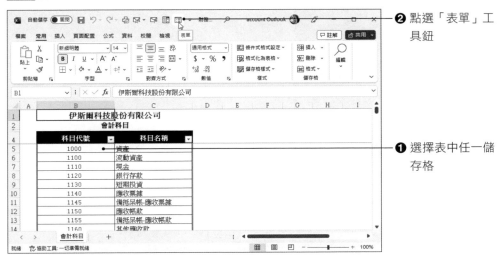

❷ 點選「表單」工具鈕

❶ 選擇表中任一儲存格

<u>Step</u>﹑**04**

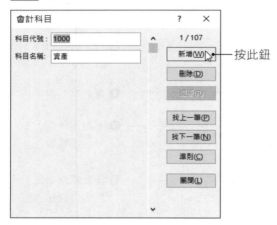

— 按此鈕

<u>Step</u>﹑**05**

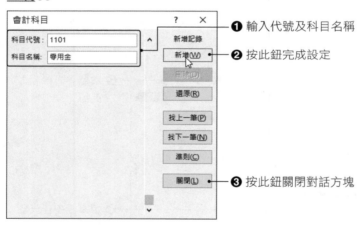

❶ 輸入代號及科目名稱

❷ 按此鈕完成設定

❸ 按此鈕關閉對話方塊

<u>Step</u>﹑**06**

新增一筆資料了！

表單工具不但能新增資料，還可以作為查詢快速資料的工具，並可進行刪除資料的工作。

 範例 **刪除查詢科目**（檔名：財務損益表-01.xlsx）

<u>Step.</u>01

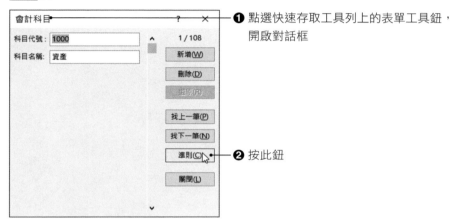

❶ 點選快速存取工具列上的表單工具鈕，
開啟對話框

❷ 按此鈕

<u>Step.</u>02

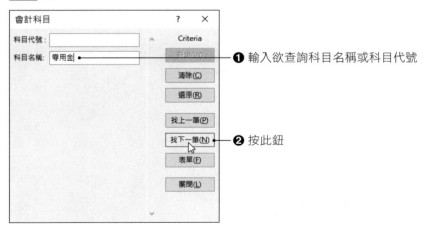

❶ 輸入欲查詢科目名稱或科目代號

❷ 按此鈕

<u>Step</u> 03

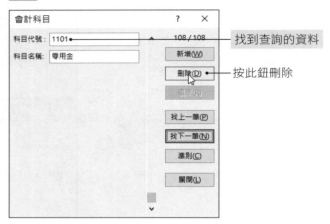

找到查詢的資料

按此鈕刪除

<u>Step</u> 04

❶ 按此鈕確定刪除

❷ 按此鈕關閉對話方塊

<u>Step</u> 05

資料被刪除了！

10-1-2　日記帳格式設定

開始要進入交易記錄登錄的工作，上節設定好的會計科目代碼，這一小節要上場表現了。還記得 VLOOKUP 函數嗎？它可是節省輸入時間的好幫手，怎麼能放過它呢？當然要善加利用囉！請開啟範例檔，切換到「日記簿」工作表。

範例　**自動顯示會計科目**（檔名：財務損益表-02.xlsx）

Step. 01

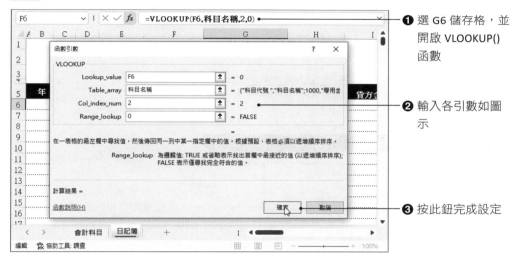

❶ 選 G6 儲存格，並開啟 VLOOKUP() 函數

❷ 輸入各引數如圖示

❸ 按此鈕完成設定

> **Tips**　本範例已定義範圍名稱「科目名稱」為「會計科目！$B$4:$C$120」。

Step. 02

咦？怎麼出現找不到參照值的錯誤訊息，原來是沒輸入科目代號。這樣複製一整欄，豈不是很難看？沒關係！加上 IF() 函數就好了

<u>Step.</u> 03

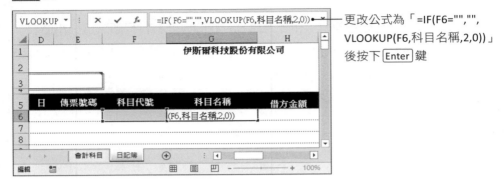

更改公式為「 =IF(F6="","",
VLOOKUP(F6,科目名稱,2,0)) 」
後按下 Enter 鍵

<u>Step.</u> 04

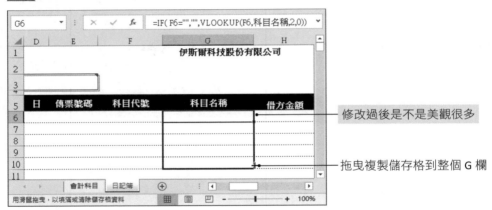

修改過後是不是美觀很多

拖曳複製儲存格到整個 G 欄

<u>Step.</u> 05

輸入科目代號

輸入代號後會出現
相對應的科目名稱

　　利用 IF() 函數，當借方總金額不等於貸方總金額的時候，就會自動出現借貸不平衡的提示，這樣每輸入一筆交易記錄，就可以馬上知道借貸是否平衡？避免資料量很大的時候才發現，浪費寶貴的青春在抓帳，真是欲哭無淚、生不如死啊！接續上一個範例檔。

範例 **自動提示異常**（檔名：財務損益表-02.xlsx）

Step.01

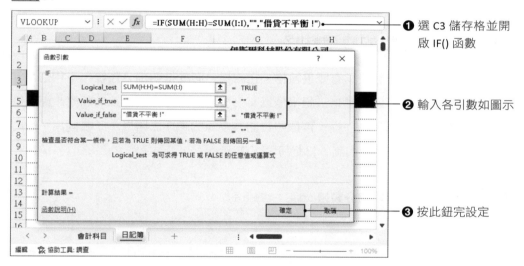

❶ 選 C3 儲存格並開啟 IF() 函數

❷ 輸入各引數如圖示

❸ 按此鈕完成設定

Step.02

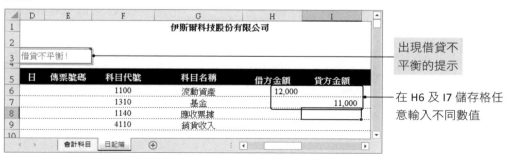

出現借貸不平衡的提示

在 H6 及 I7 儲存格任意輸入不同數值

<u>Step</u> 03

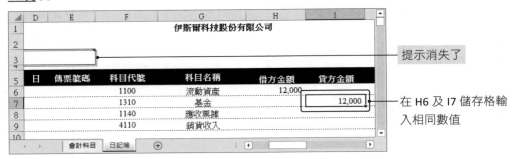

提示消失了

在 H6 及 I7 儲存格輸入相同數值

10-1-3 日記帳的雙重性格

各位相信嗎？日記帳具有雙重性格，它的另一面就是明細分類帳。不相信？其實只是排序的方式不同罷了！日記帳是以交易發生的日期作為登錄的順序，而明細分類帳是依照會計科目為前提，再依照日期為登錄的順序，所以，一帳兩用、省時省力。請開啟範例檔，切換到「日記簿」工作表。

範例 **轉換日記帳與明細分類帳**（檔名：財務損益表-03.xlsx）

<u>Step</u> 01

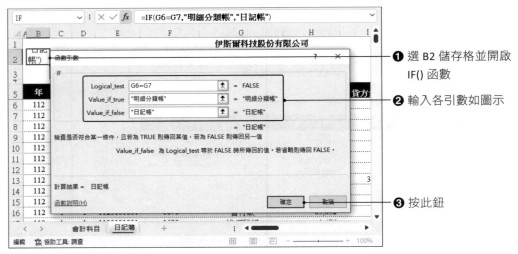

❶ 選 B2 儲存格並開啟 IF() 函數

❷ 輸入各引數如圖示

❸ 按此鈕

Step. 02

目前是日記帳

Step. 03

❶ 選 B5 儲存格

❷ 執行此指令

Step. 04

❶ 設定排序鍵順序
如圖示

❷ 按此鈕

Step. 05

說變就變，轉眼間
變成明細分類帳了

10-2　準備事前工作報表

　　人工編製損益表之前，通常都會先編製試算表，確認借貸雙方是否平衡，電腦化作業這個步驟也馬虎不得，所以還是按部就班地準備事前的工作報表。

10-2-1　累計月份試算表

　　累計月份試算表是編製損益表和資產負債表非常重要的依據，如果試算表出了差錯，後續的報表肯定編製不出來。所以，一定要有紮實的地基，才能建蓋穩固的大樓。請開啟範例檔，切換到「日記簿」工作表。

> **Tips** 本小節準備將會計資料以樞紐分析方式呈現，但 Excel 除了可以點選「插入 / 樞紐分析表」工具鈕的方式建立外，亦可以使用「樞紐分析表和樞紐分析圖精靈」方式逐步建立。不過上述精靈在預設情形下是隱藏的，現在請將「樞紐分析表和樞紐分析圖精靈」工具鈕加入到快速存取工具列上。

建立樞紐分析表

範例 累計月份試算表 (1)（檔名：財務損益表-04.xlsx）

Step.01

點選此工具鈕開啟精靈視窗

Step.02

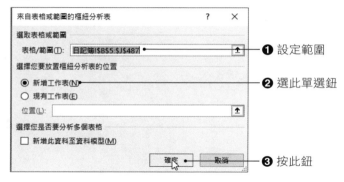

❶ 設定範圍

❷ 選此單選鈕

❸ 按此鈕

Step. 03

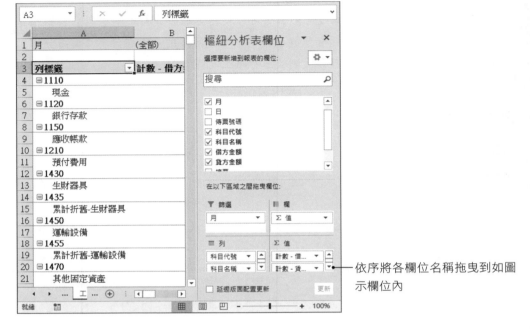

依序將各欄位名稱拖曳到如圖
示欄位內

Step. 04

❷ 執行此指令

計數 - 借方金額

❶ 點選此鈕

<u>Step</u> 05

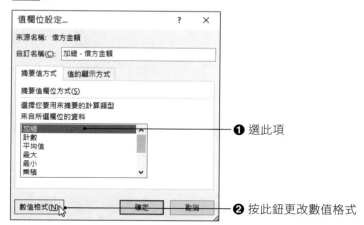

❶ 選此項

❷ 按此鈕更改數值格式

<u>Step</u> 06

❶ 選擇數值格式如圖示

❷ 按此鈕

Step. 07

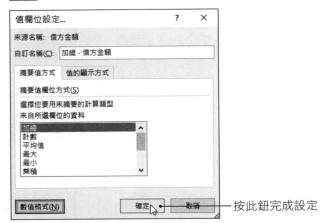

—— 按此鈕完成設定

Step. 08

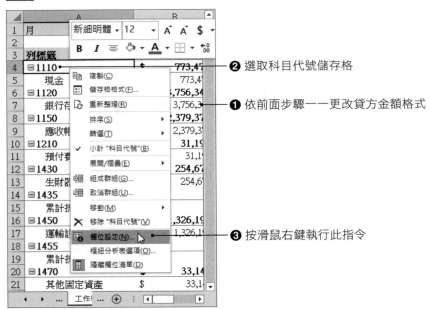

❷ 選取科目代號儲存格

❶ 依前面步驟一一更改貸方金額格式

❸ 按滑鼠右鍵執行此指令

Step. 09

選此單選鈕

Step. 10

❶ 切換到此標籤

❷ 選此項改變列標籤欄位呈現方式

❸ 按此鈕

Step. 11

▲	A	B	C	D
1	月	(全部) ▼		
2				
3	列標籤 ▼	科目名稱	加總 - 借方金額	加總 - 貸方金額
4	⊟1110	現金	$ 773,476	$ 950,246
5	⊟1120	銀行存款	$ 3,756,342	$ 1,644,848
6	⊟1150	應收帳款	$ 2,379,374	
7	⊟1210	預付費用	$ 31,197	$ 31,197
8	⊟1430	生財器具	$ 254,676	
9	⊟1435	累計折舊-生財器具		$ 56,778
10	⊟1450	運輸設備	$ 1,326,190	
11	⊟1455	累計折舊-運輸設備		$ 353,202
12	⊟1470	其他固定資產	$ 33,143	
13	⊟1560	開辦費	$ 1,350	
14	⊟1610	存出保証金	$ 2,900	
15	⊟1670	暫付款	$ 65,652	$ 65,652
16	⊟1680	進項稅額	$ 24,861	$ 6,096

工作表1　日記簿　⊕

← 有試算表的雛形了

更改樞紐分析表

　　試算表中顯示的數值，並非上一小節所示為各科目借、貸方的加總金額，應是各科目借、貸方的差額。因此必須做修正才可以稱作累計試算表。請開啟範例檔，切換到「累計試算表」工作表。

 範例　**累計月份試算表 (2)**（檔名：財務損益表-05.xlsx）

Step. 01

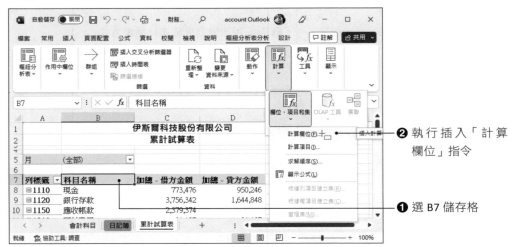

❷ 執行插入「計算欄位」指令

❶ 選 B7 儲存格

<u>Step</u> 02

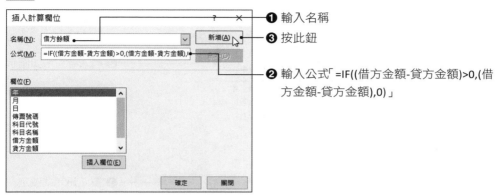

❶ 輸入名稱

❸ 按此鈕

❷ 輸入公式「=IF((借方金額-貸方金額)>0,(借方金額-貸方金額),0)」

<u>Step</u> 03

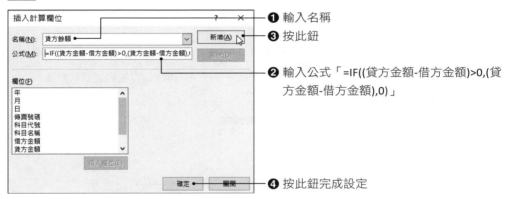

❶ 輸入名稱

❸ 按此鈕

❷ 輸入公式「=IF((貸方金額-借方金額)>0,(貸方金額-借方金額),0)」

❹ 按此鈕完成設定

<u>Step</u> 04

❶ 選取 C:D 整欄,按滑鼠右鍵

出現新增的計算欄位資料

❷ 執行此指令

Step. 05

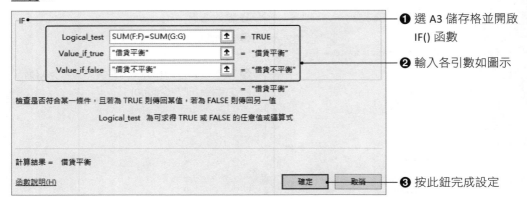

❶ 選 A3 儲存格並開啟
　IF() 函數

❷ 輸入各引數如圖示

❸ 按此鈕完成設定

Step. 06

設定儲存格格式靠右對齊

完成累計試算表

　　接下來美化工作表的重責大任，就請讀者們發揮美術天份，用之前學過的技巧，創作出屬於自己的工作報表吧！

10-2-2 各月份試算表

各月份試算表並無實際上的效益,為什麼還要編製呢?是為了各月份的損益表而準備。接著只需要再幾個步驟,修改累計試算表,就可以輕輕鬆鬆完成各月份的試算表了。請開啟範例檔,切換到「累計月份試算表」工作表。

 範例 **各月份試算表**(檔名:財務損益表-06.xlsx)

Step.01

❷ 執行此指令

❶ 選此工作表,按滑鼠右鍵

Step.02

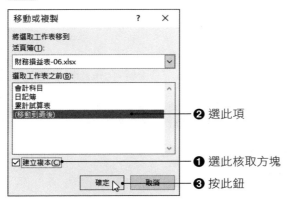

❷ 選此項

❶ 選此核取方塊

❸ 按此鈕

<u>Step</u> 03

❷ 執行此指令

❶ 選此副本工作表，按滑鼠右鍵

<u>Step</u> 04

❷ 選 A2 儲存格，修改表頭名稱為「各月份試算表」

❶ 輸入新工作表名稱

<u>Step</u> 05

❶ 選此下拉式鈕

❷ 任選一個月份

❸ 按此鈕

Step 06

不費吹灰之力就完成了！

10-3 損益表的編製

經過了事前那麼多的準備工作，終於要進入我們這一章的主題「編製損益表」。損益表記載收入與費用的關係，也就是常說的「虛帳戶」。費用類科目的正常餘額在借方，收入類科目的正常餘額應該在貸方，兩者的差異就是本期損益，在正式編製報表之前，一定要記清楚兩者間的意義，以免誤用函數公式，編製錯誤的損益報表。

10-3-1 ISNA() 函數說明

首先，讀者必須充分瞭解函數的定義及基本的使用方法，才能正確地將函數運用在編製損益表或實際應用在其他的地方。

▶**ISNA() 函數**

語法：ISNA(value)

說明：參照欄位如果是錯誤值「#N/A」（無法使用的數值）時，則傳回 TRUE 值；如果為其他數字或符號則傳回 FALSE 值。這類函數統稱為「IS 函數」，它們會檢查數值的類型，並且根據結果傳回 TRUE 或 FALSE。

例：如下圖範圍

↗ ISNA(A3) 所傳回的值是 FALSE。

↗ ISNA(A6) 所傳回的值是 TRUE。

	A
1	資料
2	金色
3	原色
4	#REF!
5	330.92
6	#N/A

10-3-2　編製累計損益表

首先將常用的會計科目，依照損益表的格式先輸入到儲存格內，數值再運用函數公式去參照累計試算表的餘額，每當累計試算表的資料更新後，損益表的金額也會隨之更新，很方便不是嗎？收入類的正常餘額是在貸方，而費用類的正常餘額在借方，因此，函數公式使用順序上也有不同，請讀者要特別注意。

適用科目	公式內容
費用類	=IF(ISNA(VLOOKUP(B8,累計試算表,4,FALSE)),0,IF(VLOOKUP(B8,累計試算,4,FALSE)<>0,VLOOKUP(B8,累計試算,4,FALSE),-VLOOKUP(B8,累計試算表,5,FALSE)))
收入類	=IF(ISNA(VLOOKUP(A6,累計試算表,4,FALSE)),0,IF(VLOOKUP(A6,累計試算表,4,FALSE)<>0,-VLOOKUP(A6,累計試算表,4,FALSE),VLOOKUP(A6, 累計試算表 ,5,FALSE)))

請開啟範例檔，切換到「累計損益表」工作表。跟著範例的步驟，開始損益表的編製吧！

參照累計損益表金額（檔名：財務損益表-07.xlsx）

<u>Step.</u> **01**

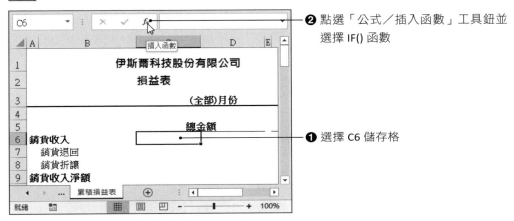

❷ 點選「公式／插入函數」工具鈕並選擇 IF() 函數

❶ 選擇 C6 儲存格

Tips 此範例已預先定義範圍名稱「累計試算表」為「累計試算表！$C$8:$G $500。」

<u>Step.</u> **02**

❶ 輸入第一層 IF() 函數公式「ISNA(VLOOKUP(A6, 累計試算表 ,4,0))」
（收入類）

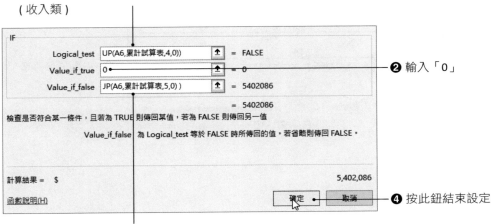

❷ 輸入「0」

❹ 按此鈕結束設定

❸ 輸入第二層的函數公式「IF(VLOOKUP(A6, 累計試算表 ,4,0)<>0,-VLOOKUP(A6, 累計試算表 ,4,0),VLOOKUP(A6, 累計試算表 ,5,0))」

第一、二層 VLOOKUP() 函數的 Range_lookup 引數可輸入 0 或 FASLE

Step. 03

銷貨收入金額已經出現了

Step. 04

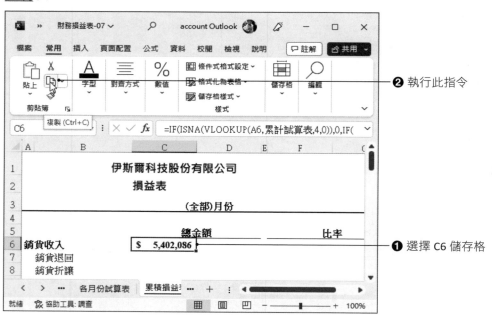

❷ 執行此指令

❶ 選擇 C6 儲存格

Step 05

❶ 選 C49 儲存格，按滑鼠右鍵

❷ 執行此指令

Step 06

此時 C6 的公式會複製到 C49，修改函數參照位置從 A49 改成 B49

依照步驟 4～6，將 C49 公式複製到 C47:C50 有關收入類的儲存格

　　當複製公式的時候，要特別注意函數參照的位置，是否與新的參照位置相同。此例「銷貨收入」這個科目名稱為顧及美觀，在預設表格中在 A6 輸入，當從 C6 複製公式到 C49 時，Excel 預設值會先參照 A49 這個儲存格，但實際要參照的「盤存盈餘」這個科目名稱卻在 B49，因此，我們需要作適當的修正。接下來請讀者依照步驟，將有關費用類的科目，以費用類公式輸入。

| Tips | 屬於損益表加項的科目名稱使用收入類函數公式，屬於損益表減項的科目名稱使用費用類函數公式，別忘了「銷貨折讓」及「銷貨退回」喔！ |

接下來我們在「銷貨收入淨額」、「銷貨成本」等科目加上簡單的計算式如下表，就完成了累計損益表金額的部分。

科目名稱	輸入欄位	公式
銷貨成本淨額	D9	=C5-C6-C7
銷貨成本	D10	=SUM(C10:C17)
銷貨毛利	D19	=D8-D9
營業費用合計	D44	=SUM(C20:C42)
營業淨利	D45	=D18-D43
營業外收益合計	D51	=SUM(C46:C49)
營業外費用合計	D56	=SUM(C52:C54)
稅前淨利	D57	=D44+D50-D55
稅後淨利	D59	=D56-D57

執行結果如下圖，亦可參考範例檔「財務損益表-08.xlsx」。

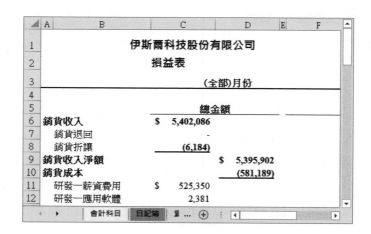

總金額的部分完成後，才能繼續將損益表比率運用公式計算出來。請開啟範例檔，切換到「累計損益表」工作表。

範例 **計算累計損益表比率**（檔名：財務損益表-08.xlsx）

Step. 01

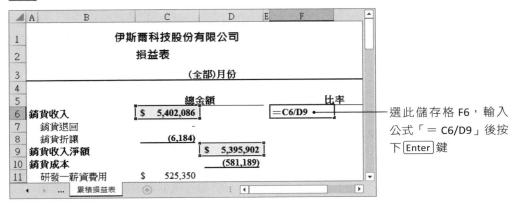

選此儲存格 F6，輸入公式「= C6/D9」後按下 Enter 鍵

Tips 「銷貨收入比率」=「銷貨收入」除以「銷貨收入淨額」,「銷貨退回比率」=「銷貨退回」除以「銷貨收入淨額」;既然都是除以「銷貨收入淨額」,我們就可以鎖定「D9」這個儲存格位置。當輸入「D9」時,按 F4 鍵一次,「D9」就會變成「$D$9」,這樣一來複製公式就不必擔心儲存格位置變動。

Step. 02

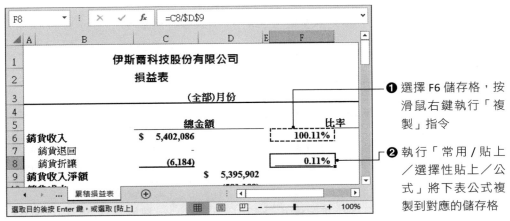

❶ 選擇 F6 儲存格,按滑鼠右鍵執行「複製」指令

❷ 執行「常用／貼上／選擇性貼上／公式」將下表公式複製到對應的儲存格

科目名稱	輸入欄位	公式	科目名稱	輸入欄位	公式	科目名稱	輸入欄位	公式
銷貨收入	F6	C6/$D$9	廣告費	F27	C27/$D$9	銷貨收入淨額	G9	D9/$D$9
銷貨退回	F7	C7/$D$9	水電費	F28	C28/$D$9	銷貨成本	G10	D10/$D$9
銷貨折讓	F8	C8/$D$9	保險費	F29	C29/$D$9	銷貨毛利	G19	D19/$D$9
研發—薪資費用	F11	C11/$D$9	交際費	F30	C30/$D$9	營業費用合計	G55	D55/$D$9
研發—應用軟體	F12	C12/$D$9	燃料費	F31	C31/$D$9	營業淨利	G45	D45/$D$9
研發—周邊硬體	F13	C13/$D$9	書報雜誌	F32	C32/$D$9	營業外收益合計	G51	D51/$D$9
研發—郵電費	F14	C14/$D$9	雜費	F33	C33/$D$9	營業外費用合計	G56	D56/$D$9
研發—書報雜誌	F15	C15/$D$9	雜項購置	F34	C34/$D$9	稅前淨利	G57	D57/$D$9
研發—雜項購置	F16	C16/$D$9	職工福利	F35	C35/$D$9	所得稅費用	G58	D58/$D$9
研發—雜費	F17	C17/$D$9	伙食費	F36	C36/$D$9	稅後淨利	G59	D59/$D$9
研發—版稅支出	F18	C18/$D$9	保全費	F37	C37/$D$9	利息收入	C47	C47/$D$9
薪資費用	F21	C21/$D$9	稅捐	F38	C38/$D$9	佣金收入	C48	C48/$D$9
租金費用	F22	C22/$D$9	捐贈	F39	C39/$D$9	盤存盈餘	C49	C49/$D$9
文具印刷	F23	C23/$D$9	折舊費用	F40	C40/$D$9	其他營業外收入	C50	C50/$D$9
差旅費	F24	C24/$D$9	各項攤銷	F41	C41/$D$9	利息費用	C53	C53/$D$9
郵電費	F25	C25/$D$9	佣金	F42	C42/$D$9	盤存損失	C54	C54/$D$9
修繕費	F26	C26/$D$9	推銷費用	F43	C43/$D$9	其他營業外費用及損失	C55	C55/$D$9

我們將比率公式整理成上表，方便核對輸入的公式是否有誤。執行結果如下圖，為了使讀者看清楚損益表的全貌，下圖只留下統計科目，其餘科目隱藏起來，可參考範例檔「財務損益表-09.xlsx」，切換到「累計損益表」工作表即可。

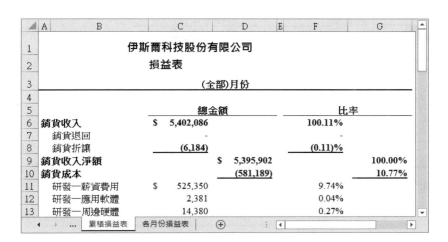

10-3-3 編製各月份損益表

還記得我們如何製作各月份的試算表嗎？沒錯！就是用複製工作表的方法，各位聰明的讀者，知道該如何編製各月份的損益表吧！但是各月份的損益表數值要參照各月份試算表，而不是累計試算表，所以我們還需要修改一些函數公式。

範例 **編製各月份損益表**（檔名：財務損益表-09.xlsx）

Step 01

❷ 選 A2 儲存格，輸入表頭
公式

❶ 選此「各月份損益表」
工作表

<u>Step.</u> 02

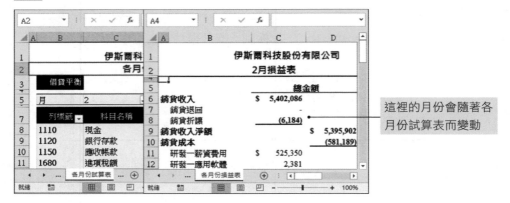

這裡的月份會隨著各月份試算表而變動

Tips 此範例已預先定義範圍名稱「各月份試算表」為「各月份試算表！$C$7:$G$400」。

<u>Step.</u> 03

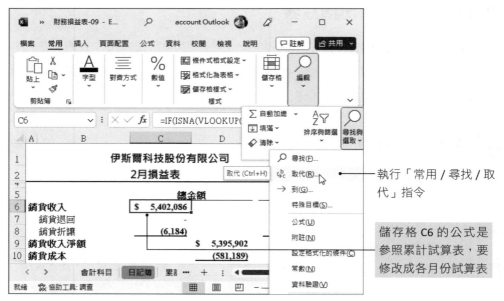

執行「常用 / 尋找 / 取代」指令

儲存格 C6 的公式是參照累計試算表，要修改成各月份試算表

Step. 04

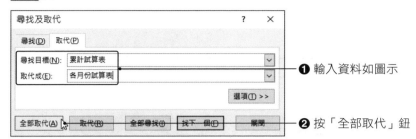

❶ 輸入資料如圖示

❷ 按「全部取代」鈕

Step. 05

按此鈕完成取代

Step. 06

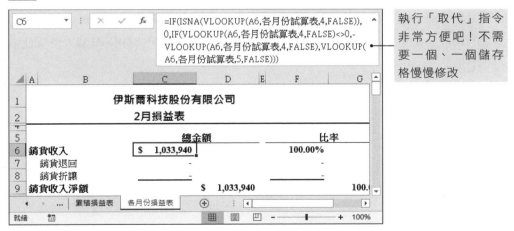

執行「取代」指令
非常方便吧！不需
要一個、一個儲存
格慢慢修改

Tips 執行「尋找」或「取代」指令時，如果怕搜尋範圍過大，容易出錯的困擾，不妨使用選取整欄的方式，如此 Excel 只會在指定的欄位中搜尋，可以避免錯誤發生。

Step, 07

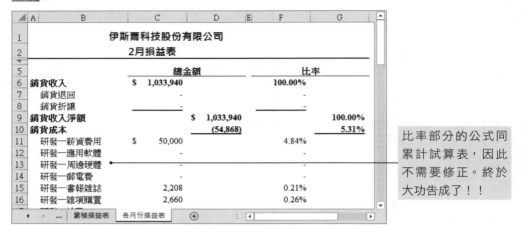

比率部分的公式同
累計試算表,因此
不需要修正。終於
大功告成了!!

　　學習完這章的主題,是否覺得豁然開朗呢?原來只要運用一些簡單的函數及小
技巧,加上清晰的會計邏輯概念,就可以有程式設計師的功力。本章範例或許還不
能滿足你的需求,相信以各位讀者的聰明才智,一定能觸類旁通,變化出適合自己
需求的功能。如果還意猶未盡,趕快翻開下一章,讓我們瞭解如何編製「資產負債
表」吧!

QA 學習評量

是非題

( ) 1. 尋找及取代視窗中可自訂搜尋範圍及關鍵字。

( ) 2. 表單不僅可用來新增資料，亦有查詢的功能。

( ) 3. 樞紐分析表可設定置於新的工作表或已經存在的工作表。

( ) 4. 儲存格中可允許使用多個 IF() 函數來計算資料。

( ) 5. 已在樞紐分析表版面配置裡設定各欄位所放置的位置後，當完成樞紐分析表時，則無法再更改各欄位的配置。

( ) 6. 表單工具不但能新增資料，還可以作為查詢資料的工具，並可進行刪除資料的工作。

( ) 7. 我們可以將「樞紐分析表和樞紐分析圖精靈」工具鈕加入到快速存取工具列上。

( ) 8. ISNA(value) 參照欄位若是錯誤值「#N/A」（無法使用的數值）時，則傳回 TRUE 值；若為其他數字或符號則傳回 FALSE 值。

選擇題

( ) 1. 尋找及取代視窗中的搜尋範圍何者有誤？

    (A) 工作表   (B) 活頁簿

    (C) 以上皆是   (D) 其他 Excel 相容檔案

( ) 2. 如何更改工作表位於該活頁簿的位置？

    (A) 於工作表上按右鍵，並執行移動或複製指令

    (B) 以拖曳滑鼠的方式移動工作表的位置

    (C) 以上皆是

    (D) 以上皆非

（　）3. 關於 ISNA() 函數的述敘何者為是？

　　　(A) 此函數會檢查數值的類型，並且根據結果傳回 TRUE 或 FALSE

　　　(B) 為邏輯類別函數

　　　(C) 引數為（number1,number2...）

　　　(D) 以上皆是

（　）4. 關於排序功能的述敘何者有誤？

　　　(A) 直接按下遞增、遞減排序鈕即進行排序

　　　(B) 排序的順序只分主要鍵與次要鍵

　　　(C) 點選「資料／排序」工具鈕，即可開啟排序對話框

　　　(D) 排序的資料範圍可分為有無標題列

（　）5. 使用「樞紐分析表和樞紐分析圖精靈」製作樞紐分析表時，如果於步驟 3-1 勾選建立樞紐分析圖，則會產生下列哪一結果？

　　　(A) 同時建立樞紐分析表與分析圖

　　　(B) 只建立樞紐分析圖

　　　(C) 以上皆是

　　　(D) 以上皆非

MEMO

11 製作資產負債表

- DSUM() 函數介紹
- MAX() 函數建立表首日期
- 資料保護
- 隱藏儲存格

本章簡介

會計學上損益表科目屬於「虛帳戶」，到了期末則結清歸零，當期損益則列入資產負債表中，而資產負債表科目屬於「實帳戶」。從開帳開始，每期期末金額都會累積到下期，作為下期的期初金額。資產負債表的來源是累計試算表的資料和損益表中的當期損益。因此，本章將繼續沿用上一章範例的資料，當讀者在學習完本章之後，將會有一個完整的會計帳務處理的範本。

範例成果

	A	B	C	D	E	F	G	H
1			伊斯爾科技股份有限公司					
2			資產負債表					
3			112年6月30日					
4			借貸平衡					
5	資　　產							
6				總金額			比率	
7	**流動資產**							
8		現金		$ (176,770)			(3.19%)	
9		銀行存款		$ 2,111,494			38.11%	
12		短期投資		-			-	
13		應收票據	$	-			-	
14		應收票據折價		-			-	
15		備抵呆帳-應收票據		-			-	
16		應收票據淨額		$ -			-	
17		應收帳款	$ 2,379,374			42.94%		
18		備抵呆帳-應收帳款		-			-	
19		應收帳款淨額		$ 2,379,374			42.94%	
20		其它應收款		-			-	
21		備底呆帳-其它應收款		-			-	
22		其它應收款淨額		$ -			-	
23		預付費用		-			-	

< > ⋯ 各月份損益表　**資產負債表**　準則　+

11-1 編製資產負債表

在會計 T 字帳中，資產科目與費用科目一樣，正常餘額在借方；負債及業主權益科目與收入類科目一樣，正常的餘額在貸方，因此，在函數及公式上，也和上一章損益表相同，分為資產類函數公式及負債、業主權益類函數公式，在運用上就要特別注意。

11-1-1 DSUM() 函數說明

這一小節中要介紹 DSUM() 這個函數，以便設定資產負債表準則及表首日期之用。

▶ **DSUM() 函數**

語法：DSUM(database,field,criteria)

說明：將清單或資料庫中某一欄內所有符合指定條件的數值予以加總。相關引數說明如下：

引數名稱	說明
database	清單或資料庫的儲存格範圍。
field	指出此函數中所要使用的欄位。
criteria	含有所指定之條件的儲存格範圍。

參照資料如下表：

	A	B	C	D	E
1	**樹種**	**高度**	**樹齡**	**收益**	**利潤**
2	龍眼	18	20	14	105
3	柚子	12	12	10	96
4	芒果	13	14	9	105
5	龍眼	14	15	10	75
6	柚子	9	8	8	76.8
7	龍眼	8	9	6	45

<Database>

◢	A	B	C	D	E	F
1	**樹種**	**高度**	**樹齡**	**收益**	**利潤**	**高度**
2	龍眼	>10				<16
3	柚子					

<Criteria>

↗ DSUM(A1:E7," 利潤 ",A1:A2) 意指在 A1:E7（Database）中樹種是龍眼樹（Criteria）的利潤（Field）總合。所得結果為 225。

↗ DSUM(A1:E7," 利潤 ",A1:F2) 意指在高度在 10~16 之間，龍眼樹的利潤總和。所得結果為 75。

11-1-2 設定表首日期

每份報表都一定有表首日期，但每一種報表所要呈現的日期範圍不一樣，因此，表首日期的設計上，一定要找一個適合這個報表特性，且不須經常變更的好方法，筆者將在此傳授讀者這個小祕訣。請開啟範例檔，切換到「資產負債表」工作表。

範例 **建立表首日期**（檔名：資產負債表-01.xlsx）

Step. 01

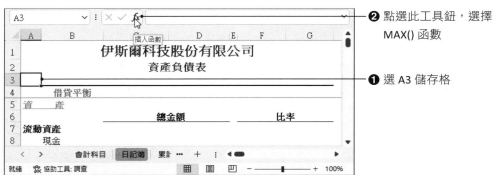

❷ 點選此工具鈕，選擇 MAX() 函數

❶ 選 A3 儲存格

Step. 02

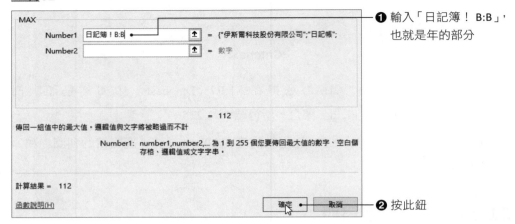

❶ 輸入「日記簿！B:B」，也就是年的部分

❷ 按此鈕

Step. 03

— 在 A3 儲存格，快按滑鼠左鍵兩下

出現日記帳中最大年份 112

Step. 04

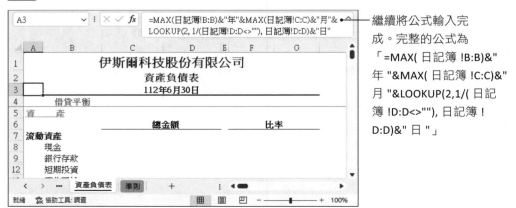

— 繼續將公式輸入完成。完整的公式為「=MAX(日記簿 !B:B)&" 年 "&MAX(日記簿 !C:C)&" 月 "&LOOKUP(2,1/(日記簿 !D:D<>""), 日記簿 !D:D)&" 日 "」

Step 05

表首自動出現日記帳中
最後的交易記錄日期

Tips 資產負債表的日期，通常會是最後一筆交易記錄的日期，也就是在當年度日期的最後一天的數值。

11-1-3 建立損益準則

資產負債表中有一項很重要的資料來自於損益表科目，那就是本期損益，可以直接將此儲存格參照累計損益表的稅後淨利，但是當科目新增或減少時，所參照的欄位也會有所變動。為了不要經常因為參照欄位變動而造成錯誤，所以要請讀者延續上一個範例，跟著筆者的步驟，徹底解決這個問題。

 範例 **建立損益準則**（檔名：資產負債表-01.xlsx）

Step 01

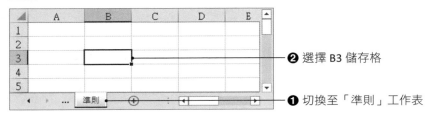

❷ 選擇 B3 儲存格

❶ 切換至「準則」工作表

Step. 02

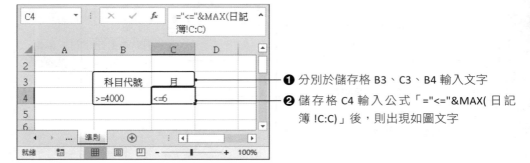

❶ 分別於儲存格 B3、C3、B4 輸入文字

❷ 儲存格 C4 輸入公式「 ="<="&MAX(日記簿 !C:C)」後，則出現如圖文字

Step. 03

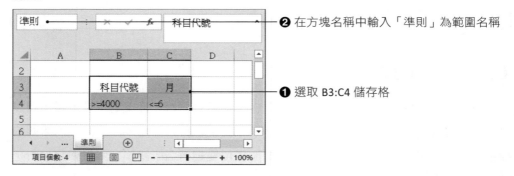

❷ 在方塊名稱中輸入「準則」為範圍名稱

❶ 選取 B3:C4 儲存格

Tips　通常會計科目代碼 4 字頭以後的科目均屬損益科目。

Step. 04

選 A1 儲存格，輸入公式「=DSUM(日記帳 ,8, 準則)-DSUM(日記帳 ,7, 準則)」後按下 Enter 鍵

<u>Step.</u>05

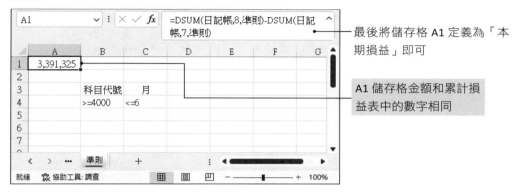

最後將儲存格 A1 定義為「本期損益」即可

A1 儲存格金額和累計損益表中的數字相同

11-1-4 編製資產負債表

事前的準備工作都已經完成，開始要來編製資產負債表，範例中先把常用的資產負債表科目列表備用。這裡也和損益表一樣，輸入的公式也分「資產類」和「負債」、「業主權益類」兩種，別忘了！

適用科目	公式內容
資產類	=IF(ISNA(VLOOKUP(B8,累計試算表,4,FALSE)),0,IF(VLOOKUP(B8,累計試算表,4,FALSE)<>0,VLOOKUP(B8,累計試算表,4,FALSE),-VLOOKUP(B8,累計試算表,5,FALSE)))
負債及業主權益類	=IF(ISNA(VLOOKUP(B5,累計試算表,4,FALSE)),0,IF(VLOOKUP(B5,累計試算表,4,FALSE)<>0,-VLOOKUP(B5,累計試算表,4,FALSE),VLOOKUP(B5,累計試算表,5,FALSE)))

輸入公式的方法及技巧和累計損益表相同，在此則不贅述，請開啟範例檔「資產負債表-02.xlsx」，切換到「資產負債表」工作表，依照「資產負債表輸入公式一覽表.doc」的內容，如下圖示，將公式逐一輸入。

資產負債表輸入公式一覽表

科目名稱	欄位	公式	欄位	公式	欄位	公式	欄位	公式
現金	C8		D8	資產類	F8		G8	D8/資產總額
銀行存款	C9		D9	資產類	F9		G9	D9/資產總額
短期投資	C10		D10	資產類	F10		G10	D10/資產總額
應收票據	C11	資產類	D11		F11	C11/資產總額	G11	
應收票據折價	C12	負債及業主權益類	D12		F12	C12/資產總額	G12	
備抵呆帳-應收票據	C13	負債及業主權益類	D13		F13	C13/資產總額	G13	
應收票據淨額	C14		D14	SUM(C11:C13)	F14		G14	SUM(F11:F13)
應收帳款	C15	資產類	D15		F15	C15/資產總額	G15	
備抵呆帳-應收帳款	C16	負債及業主權益類	D16		F16	C16/資產總額	G16	
應收帳款淨額	C17		D17	C15-C16	F17		G17	SUM(F15:F16)
其它應收款	C18	資產類	D18		F18	C18/資產總額	G18	
備抵呆帳-其它應收款	C19	負債及業主權益類	D19		F19	C19/資產總額	G19	
其它應收款淨額	C20		D20	C18-C19	F20		G20	SUM(F18:F19)
預付費用	C21	資產類	D21		F21	C21/資產總額	G21	
預付貨款	C22	資產類	D22		F22	C22/資產總額	G22	
預付稅捐	C23	資產類	D23		F23	C23/資產總額	G23	
預付租金	C24	資產類	D24		F24	C24/資產總額	G24	
其他預付款	C25	資產類	D25		F25	C25/資產總額	G25	
預付款	C26		D26	SUM(C21:C25)	F26		G26	SUM(F21:F25)

　　強烈建議運用「複製」、「選擇性貼上 / 公式」及「尋找／取代」等指令，可節省輸入的時間，執行結果請參考範例檔「資產負債表-03.xlsx」。

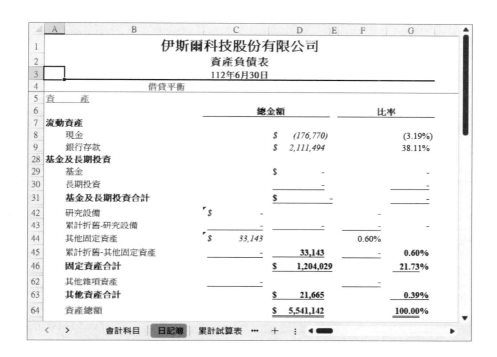

本範例已定義範圍名稱「資產總額」為「資產負債表 !$D$64」及「負債及業主權益總額」為「資產負債表 !$D$116」。

11-1-5 子科目處理

在實務上通常會將部分科目分成許多子科目，常見的像「銀行存款」會分成「銀行存款-活期存款」或「銀行存款-支票存款」，又或者依照往來銀行名稱而分類；「應收帳款」、「應收票據」…等亦然。該如何處理這個部分呢? 隱藏整欄儲存格就好了! 如果還不清楚，請開啟範例檔，切換到「資產負債表」工作表。

子科目處理（檔名：資產負債表-04.xlsx）

Step.01

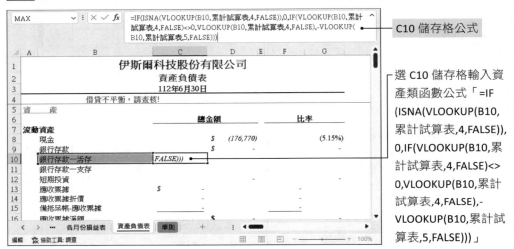

C10 儲存格公式

選 C10 儲存格輸入資產類函數公式「=IF(ISNA(VLOOKUP(B10,累計試算表,4,FALSE)),0,IF(VLOOKUP(B10,累計試算表,4,FALSE)<>0,VLOOKUP(B10,累計試算表,4,FALSE),-VLOOKUP(B10,累計試算表,5,FALSE)))」

Step.02

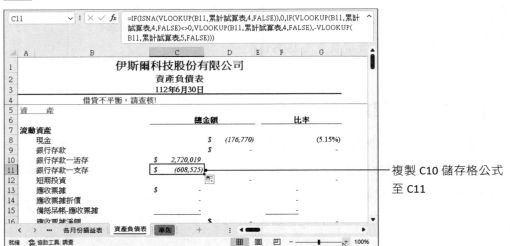

複製 C10 儲存格公式至 C11

Step. 03

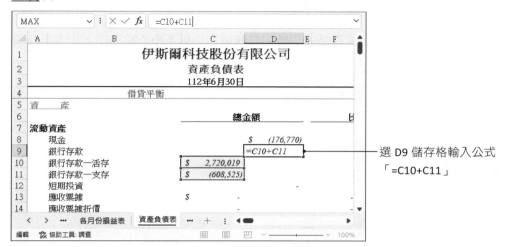

選 D9 儲存格輸入公式
「=C10+C11」

Step. 04

❷ 執行此指令

❶ 選取列 10 與列 11，
按滑鼠右鍵

Step. 05

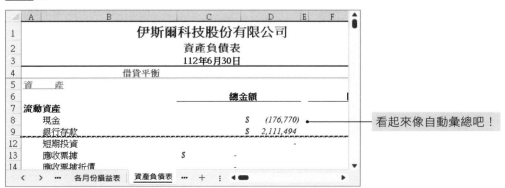

看起來像自動彙總吧！

11-2 保護財務報表

　　辛辛苦苦輸入的資料或者公式函數，被哪個冒失鬼不小心給刪除，或者是沒發現編製出錯誤的財務報表，那後果可就不敢想像了。因此，資料保護是非常重要的，筆者就介紹一些常用的保護資料小技巧。請開啟範例檔，切換到「資產負債表」工作表。

範例 **保護財務報表**（檔名：資產負債表-05.xlsx）

Step. 01

Step 02

❷ 輸入密碼（例 1234）

❶ 選取此兩項

❸ 按此鈕

Step 03

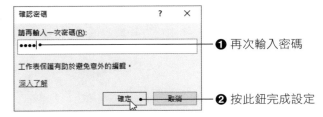

❶ 再次輸入密碼

❷ 按此鈕完成設定

Step 04

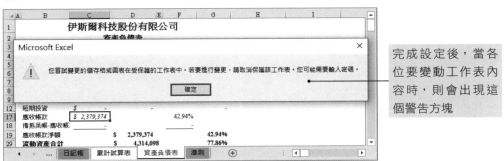

完成設定後，當各位要變動工作表內容時，則會出現這個警告方塊

Tips 保護工作表僅保護指定的那一個工作表，而不是活頁簿中所有的工作表。

　　當各位要修改資產負債表內容時，只須執行「校閱／取消保護工作表」指令，依照對話方塊指示，輸入密碼即可。可是這樣的保護就夠了嗎？筆者可遇過神經大條的人，直接將工作表整個刪除後，才驚覺事情的嚴重性。因此，各位可以執行「校閱／保護活頁簿」指令來保護整個活頁簿檔案。

學習評量

是非題

(　) 1. DSUM() 函數為將清單或資料庫中某一欄內所有符合指定條件的數值予以加總。

(　) 2. 只有當工作表被保護的情況下，鎖定儲存格或隱藏儲存格才會生效。

(　) 3. 保護工作表可保護活頁簿中所有的工作表。

(　) 4. 使用保護活頁簿功能才能避免工作表被整個刪除的危險。

(　) 5. MAX() 函數的功能為傳回引數中的最小值。

(　) 6. 您可以執行「校閱 / 保護活頁簿」指令來保護整個活頁簿檔案。

(　) 7. 如果要取消工作表的保護，可以執行「校閱 / 取消保護工作表」指令。

(　) 8. 我們可以增加輸入儲存格的密碼限制，來達到保護資料的目的。

選擇題

(　) 1. 選擇性貼上功能可貼上所複製儲存格的哪些功能？

　　(A) 公式　　　　　(B) 欄寬度　　　　(C) 格式　　　　(D) 以上皆是

(　) 2. 關於隱藏儲存格的敘述何者為是？

　　(A) 選取要隱藏的儲存格並執行「常用／格式／保護儲存格」指令即可

　　(B) 選取一整欄或列按滑鼠右鍵執行「隱藏」指令即可

　　(C) 選取要取消隱藏的儲存格並執行「格式／儲存格／取消隱藏」指令即可取消隱藏

　　(D) 以上皆是

(　) 3. Excel 的保護功能有哪些？

　　(A) 保護工作表　　　　　　　　(B) 保護活頁簿

　　(C) 設定允許使用者編輯範圍　　(D) 以上皆是

（　　）4. 關於 MAX() 函數的敘述何者有誤？

(A) 傳回引數中的最大值

(B) 屬統計類別函數

(C) 如果引數內有邏輯值即文字將被略過不計

(D) 引數為（value）

（　　）5. 關於 DSUM() 函數的述敘何者有誤？

(A) 屬查閱與參照類別函數

(B) 其引數為（database,field,criteria）

(C) 為將清單或資料庫中某一欄內所有符合指定條件的數值予以加總

(D) 引數 database 是指組成清單或資料庫的儲存格範圍

（　　）6. 下列何者非 Excel 預設的圖表類型？

(A) 股票圖　　　　　(B) 直條圖　　　　(C) 環圈圖　　　　(D) 剖面圖

MEMO

12 製作現金流量表

- 現金流量表設計
- 使用名稱管理員定義範圍
- NOW() 和 TEXT() 函數
- MATCH() 和 INDEX() 函數
- 動態月份
- 圖表精靈

本章簡介

「現金流量表」在財務會計中，是僅次於「資產負債表」及「損益表」的第三大財務報表，畢竟公司資金調度不像個人比較靈活與方便，動輒上萬元的費用支出，甚至規模大的公司上百萬的現金流動都是輕鬆平常的事。透過現金流量表可以顯示出公司在某一段期間中現金流動的情形，並可以預測未來對資金的需求，讓財務人員及公司負責人及早的規劃調度資金。本章的重點是學習如何設計簡單而又一目了然的現金流量表。

範例成果

	A	B	C	D	E	F	G	H	I	J	K	L	M	N	O
1							伊斯爾科技股份有限公司								
2							現金流量分析表								
3															
4	112年一月至112年十二月														
5			一月	二月	三月	四月	五月	六月	七月	八月	九月	十月	十一月	十二月	合計
6															
7	營業活動之現金流量														
8		本期純益	450,000	230,000	3,000	250,000	60,000	75,600	23,500	765,000	45,000	64,500	360,000	25,000	2,351,600
9	加：	呆帳、折舊、攤銷	150,000	150,000	150,000	150,000	150,000	150,000	150,000	150,000	150,000	150,000	150,000	150,000	1,800,000
10		出售資產固定資產之損失	10,000	0	0	0	0	50,000	0	0	0	0	0	0	60,000
11		流動資產減少數	356,800	376,800	47,200	299,000	330,000	400,000	376,000	384,500	267,490	429,000	256,000	331,000	3,852,990
12		流動負債增加數	675,000	345,000	160,900	375,000	90,000	113,400	35,025	114,750	67,050	96,750	54,000	3,750	2,130,625
13	減：	權益法之投資收入	15,670	15,670	15,670	15,670	15,670	15,670	15,670	15,670	15,670	15,670	15,670	15,670	188,040
14		出售資產固定資產之利益	0	0	0	80,000	0	0	0	150,000	0	0	0	0	230,000
15		流動資產增加數	64,224	67,680	84,960	53,820	59,400	72,000	67,680	69,210	48,148	77,220	46,080	59,580	770,002
16		流動負債減少數	135,000	169,000	190,000	175,000	118,000	212,680	217,050	229,500	213,500	319,350	108,000	7,500	2,094,580
17	營業活動之淨現金流入（出）		1,426,906	848,650	70,470	749,510	436,930	438,650	334,125	1,099,870	102,222	328,010	650,250	427,000	6,912,593
18															
19	投資活動之現金流量														
20	加：	出售長期短期投資售價	100,000	60,000	45,000	35,000	60,000	45,000	35,000	60,000	45,000	35,000	20,000	60,000	600,000
21		出售資產固定資產售價	400,000	0	0	680,000	0	0	160,000	0	0	0	0	0	1,240,000
22	減：	購入長期短期投資售價	50,000	50,000	50,000	50,000	50,000	50,000	50,000	50,000	50,000	50,000	50,000	50,000	600,000
23		購入資產固定資產售價	600,000	0	0	0	0	0	0	0	0	0	0	0	600,000
24	投資活動之淨現金流入（出）		(150,000)	10,000	(5,000)	665,000	10,000	(5,000)	145,000	10,000	(5,000)	(15,000)	(30,000)	10,000	640,000
25															
26	理財活動之現金流量														
27	加：	借款增加	556,000	0	500,000	250,000	0	0	0	300,000	0	0	0	0	1,606,000
28		現金增資發行新股售價	0	0	0	0	0	0	0	0	0	0	0	0	0
29	減：	償還借款（本金）	120,000	0	0	0	670,000	0	0	500,000	0	150,000	166,000	0	1,606,000
30		發放現金股利	0	0	3,000,000	0	0	0	2,500,000	0	0	0	0	0	5,500,000
31		贖回特別股庫藏股及減資	0	0	0	0	0	0	0	0	60,000	0	0	500,000	560,000
32	理財活動之淨現金流入（出）		436,000	0	(2,500,000)	250,000	(670,000)	0	(2,500,000)	(200,000)	(60,000)	(150,000)	(166,000)	(500,000)	(6,060,000)
33															
34	加：期初現金餘額		123,000	1,835,906	2,694,556	260,026	1,924,536	1,701,466	2,135,116	114,241	1,024,111	1,061,333	1,224,343	1,678,593	123,000
35	期末現金餘額		1,835,906	2,694,556	290,026	1,924,536	1,701,466	2,135,116	114,241	1,024,111	1,061,333	1,224,343	1,678,593	1,615,593	1,615,593

現金流量表　　圖表　　＋

12-1　設計現金流量表

　　如同前兩章一樣，財務報表的表頭有一定的格式，科目內容也有一定的規則，在此則不贅述。現金流量表的表單樣式，大致如下圖所示：請開啟範例檔「現金流量表-01.xlsx」來對照。

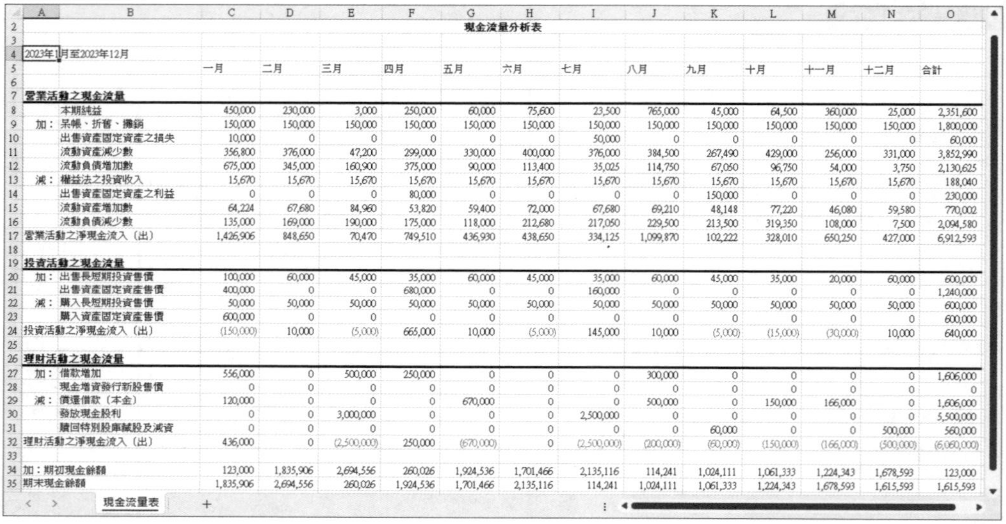

12-1-1　使用名稱管理員

　　名稱管理員主要是管理已經定義的範圍名稱，在名稱管理員中可以新增、編輯、刪除範圍名稱。首先整理要在此範例中將會使用到的「範圍名稱」，列表如下：

名稱	範圍
營業活動現金流量	$C17:$O17
投資活動現金流量	$C24:$O24
理財活動現金流量	$C32:$O32
期初現金餘額	$C34:$O34

　　請開啟範例檔，一起使用名稱管理員建立「範圍名稱」。

範例 **建立範圍名稱**（檔名：現金流量表-01.xlsx）

Step, 01

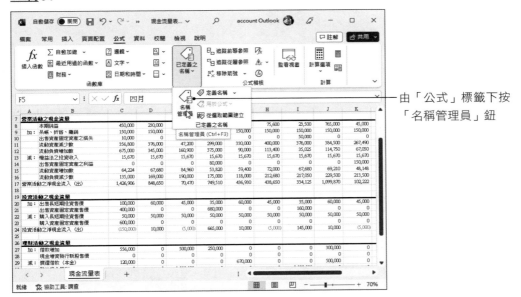

由「公式」標籤下按
「名稱管理員」鈕

Step, 02

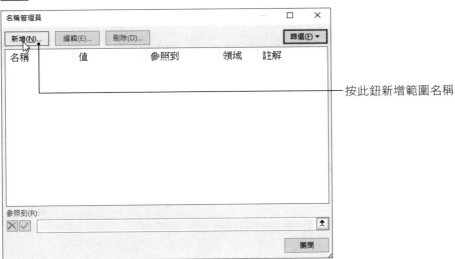

按此鈕新增範圍名稱

Step. 03

❶ 輸入名稱

❷ 輸入範圍

❸ 按此鈕

Step. 04

按此鈕繼續輸入其他定義範圍名稱

顯示已定義的範圍名稱

依照 2、3 步驟，依序將表列範圍名稱定義完成，如下圖所示。

按此鈕關閉名稱管理員

12-1-2 使用「範圍名稱」運算

「C35=C17+C24+C32+C34」，這樣的運算式無法讓使用者立即瞭解運算式所代表的涵義，如果直接利用「範圍名稱」列運算式，這樣可以看明白了。

現金流量表各期的期末現金餘額為：

> 營業活動現金流動 + 投資活動現金流動 + 理財活動現金流動 + 期初現金餘額 = 期末現金餘額

將 C35:O35 儲存格各公式內容改成上述運算式，不但簡易清楚，如果參照欄位有所變動時，只需修改「範圍名稱」中的參照欄位即可，是不是很方便？

範例 **範圍名稱的運算**（檔名：現金流量表-02.xlsx）

Step.01

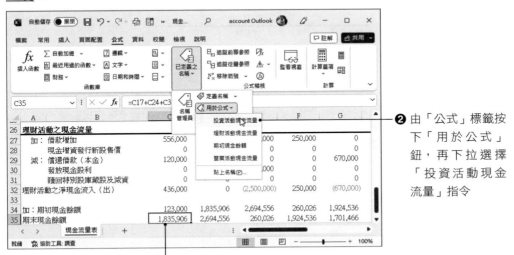

❷ 由「公式」標籤按下「用於公式」鈕，再下拉選擇「投資活動現金流量」指令

❶ 選擇 C35 儲存格，清除內容後輸入「=」

Step, 02

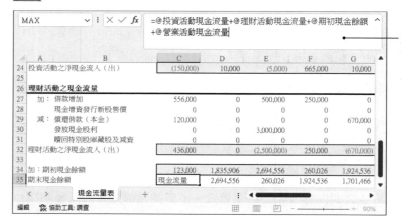

重複「公式」標籤按下「用於公式」鈕，更改運算式如圖示

Step, 03

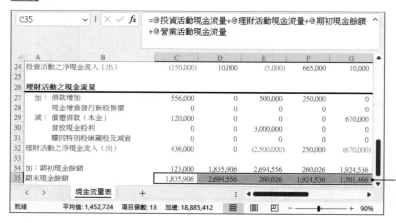

拖曳複製儲存格
D35:O35

Step, 04

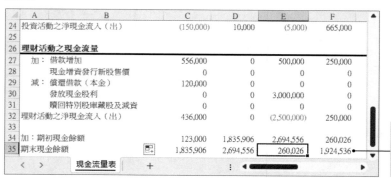

仔細比對！運算結果和原先的相同，這真是太神奇了

合計中的「期初現金餘額」，是指開始月份的金額，而不是前一個月份的期初金額。

12-1-3　設定表首日期

依照慣例財務報表的表首，都一定有報表內容相關的日期，可以利用 Excel 預設的函數功能，實際應用到現金流量表中。首先，先介紹 Excel 中的「NOW()」和「TEXT()」這兩個函數。

▶ NOW() 函數

語法：NOW()

說明：是以 Excel 依照循序數列來儲存日期與時間的序列值。

NOW() 函數並不需要引數，也不會時常更新，只有工作表重新計算時，或是執行此函數的巨集時才會更新。

使用者通常在螢幕上看到如下圖所示的 Excel 預設日期，與 NOW() 所代表的意義是不同的，至於其中如何轉換成日期格式，不在這次討論的範圍。

▶ TEXT() 函數

語法：TEXT(value,format_text)

說明：將指定參照儲存格位置的數值，轉換成為「文字」型態。「Format_text」是指文字型態的數值格式，可以參考「儲存格格式」對話方塊的日期格式，如下圖。例如：「e 年 m 月 d 日」則代表民國日期。

經 TEXT() 函數轉換 B1 儲存格成為指定的文字型態，會如下圖所示：

　　瞭解這兩個函數的語法，現在開始應用在現金流量表的表首日期上，請延續上一個範例檔，跟著下面的步驟執行。

範例 **設定表首日期**（檔名：現金流量表-02.xlsx）

<u>Step</u> 01

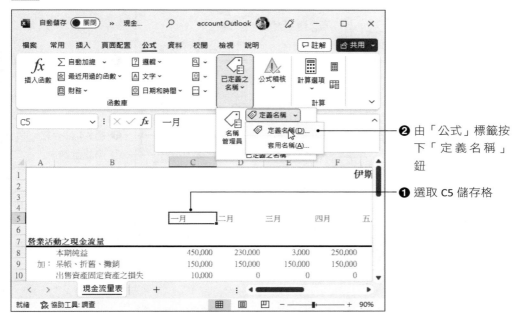

❷ 由「公式」標籤按下「定義名稱」鈕

❶ 選取 C5 儲存格

<u>Step</u> 02

❶ 定義範圍名稱為「開始月份」

❷ 按此鈕確定

Tips 「開始月份」有可能不是當年度的一月，因此先預設 C5 儲存格為「開始月份」，可以隨著動態月份變動自動更新。

<u>Step.</u> 03

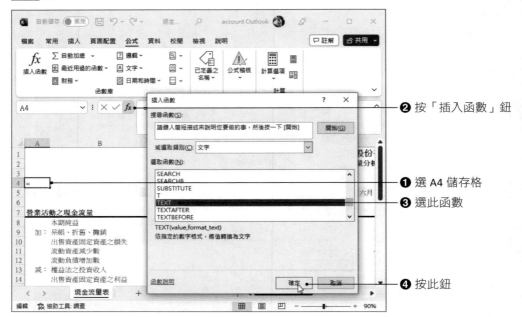

❷ 按「插入函數」鈕

❶ 選 A4 儲存格

❸ 選此函數

❹ 按此鈕

<u>Step.</u> 04

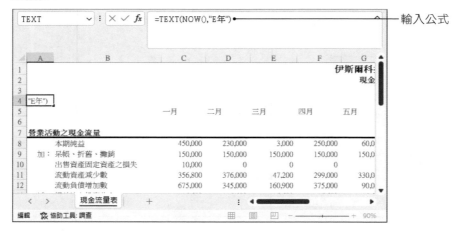

輸入公式

`=TEXT(NOW(),"E年")`

Step. 05

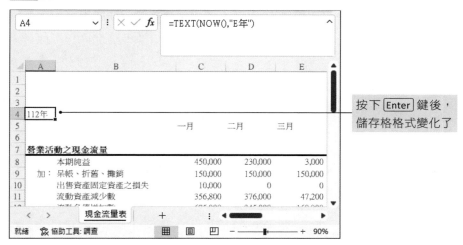

按下 [Enter] 鍵後，
儲存格格式變化了

Step. 06

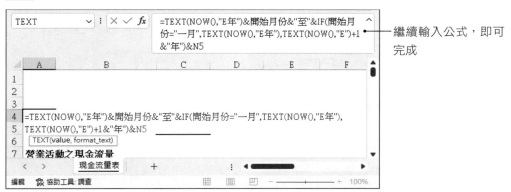

繼續輸入公式，即可
完成

　　為了要讓表首日期有年、月的顯示，並結合後面將介紹的「動態月份」，於步驟 7 的設定值加上「 & 」（也就是「連接號」）及 IF() 函數，這樣才可以完整表現表首的起迄日期。

12-1-4　自動顯示異常資料

　　現金流量表除了告知報表使用者現金使用的來龍去脈，最主要還是要提醒報表使用者，「現金餘額」是否足以應付未來幾個月營運的需求。

　　當營運現金低於某一個水平的時候，表示有異常的警訊，因此，利用「設定格式化條件」，當餘額高於 150 萬或低於 50 萬時，就讓儲存格變成紅底黑字加上黃色的框線。

範例　**自動顯示異常資料**（檔名：現金流量表-03.xlsx）

Step. **01**

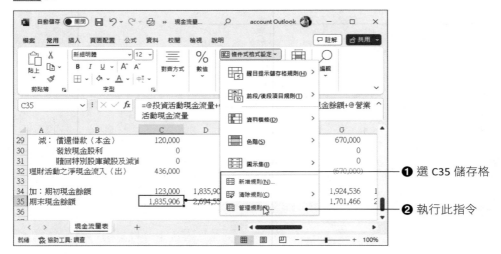

❶ 選 C35 儲存格

❷ 執行此指令

Step. **02**

按此鈕

Step. 03

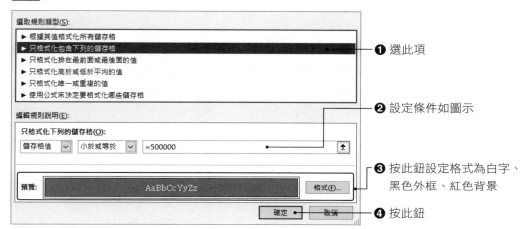

❶ 選此項

❷ 設定條件如圖示

❸ 按此鈕設定格式為白字、
黑色外框、紅色背景

❹ 按此鈕

Step. 04

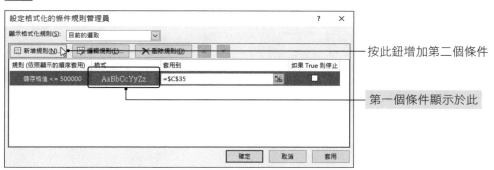

按此鈕增加第二個條件

第一個條件顯示於此

Step. 05

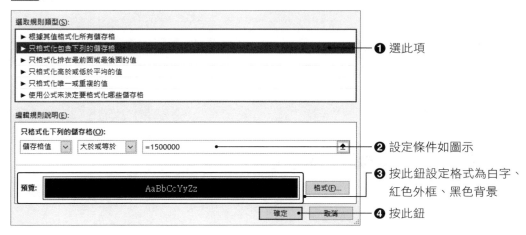

❶ 選此項

❷ 設定條件如圖示

❸ 按此鈕設定格式為白字、
紅色外框、黑色背景

❹ 按此鈕

Step. 06

❶ 兩個設定的條件顯示於此

❷ 按此鈕完成設定

Step. 07

	A	B	C	D	E	F
29	減：	償還借款（本金）	120,000	0	0	0
30		發放現金股利	0	0	3,000,000	0
31		贖回特別股庫藏股及減資	0	0	0	0
32	理財活動之淨現金流入（出）		436,000	0	(2,500,000)	250,000
33						
34	加：期初現金餘額		123,000	1,835,906	2,694,556	260,026
35	期末現金餘額		1,835,906	2,694,556	260,026	1,924,536

現金流量表

出現符合條件的格式

Step. 08

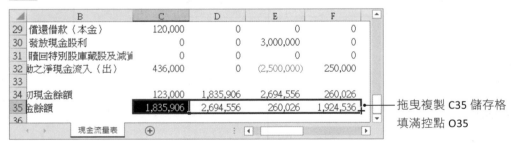

	B	C	D	E	F
29	償還借款（本金）	120,000	0	0	0
30	發放現金股利	0	0	3,000,000	0
31	贖回特別股庫藏股及減資	0	0	0	0
32	動之淨現金流入（出）	436,000	0	(2,500,000)	250,000
33					
34	初現金餘額	123,000	1,835,906	2,694,556	260,026
35	金餘額	1,835,906	2,694,556	260,026	1,924,536
36					

現金流量表

拖曳複製 C35 儲存格填滿控點 O35

Step. 09

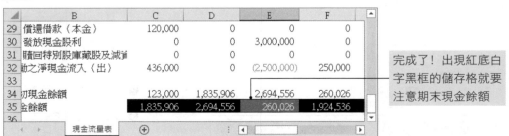

	B	C	D	E	F
29	償還借款（本金）	120,000	0	0	0
30	發放現金股利	0	0	3,000,000	0
31	贖回特別股庫藏股及減資	0	0	0	0
32	動之淨現金流入（出）	436,000	0	(2,500,000)	250,000
33					
34	初現金餘額	123,000	1,835,906	2,694,556	260,026
35	金餘額	1,835,906	2,694,556	260,026	1,924,536
36					

現金流量表

完成了！出現紅底白字黑框的儲存格就要注意期末現金餘額

12-2 動態月份

製作連續月份表單時，最常利用滑鼠右鍵拖曳，選擇以數列填滿儲存格。如果各位只會這個方法，那各位 Excel 的功力就太弱了，想增加功力嗎？一起來練功吧！

12-2-1 MATCH() 及 INDEX() 函數

製作動態月份前先來認識 MATCH() 及 INDEX() 函數。

▍**MATCH() 函數**

語法：MATCH(lookup_value,lookup_array,match_type)

說明：在指定儲存格範圍中，參照指定條件的儲存格，並傳回該儲存格位置的值。

引數名稱	說明
lookup_value	指要在陣列或儲存格範圍中尋找的值。
lookup_array	指陣列或儲存格範圍，其中含有被比對值的資料。
match_type	是個數字，其值有三種可能：-1、0 或 1，用以指定 Excel 如何從 lookup_array 裡尋找 lookup_value。

match_type 值與其他引數的關係：

match_type 值	lookup_value 值	lookup_array 值
1 （預設值）	等於或僅次於	遞增次序排列：...，-2，-1，0，1，2，...A-Z，FALSE，TRUE
0	完全等於	任意次序排列
-1	等於或大於	遞減次序排列：TRUE,FALSE,Z-A,...2,1,0,-1,-2,... 等

例如下列範圍中：

↗ MATCH(84.6%,C2:C6,1) 所得的值是 3。

↗ MATCH(87.7%,C2:C6,0) 所得的值是 4。

	A	B	C
1	國名	參加人數	報到比率
2	英國	490	57.40%
3	日本	980	77.40%
4	韓國	830	84.60%
5	美國	540	87.70%
6	澳洲	380	90.00%

工作表1

▶ INDEX() 函數

語法：INDEX(array,row_num,column_num)

說明：在指定儲存格範圍中，參照指定儲存格的位置，並傳回該儲存格的內容。
相關引數說明如下：

引數	說明
array	指儲存格範圍。
row_num	指定要傳回的元素是位於儲存格範圍的第幾列。
column_num	指定要傳回的元素是位於儲存格範圍裡的第幾欄。

儲存格範圍只含單一列或欄時，所對應的「Row_num」或「Column_num」可省略。如果儲存格範圍含有多列多欄，只單獨使用「Row_num」或「Column_num」，則會傳回儲存格範圍某一整列或整欄。

例如下列範圍中：

↗ INDEX(A2:C6,2,3) 所傳回的值是 87.7%。

↗ INDEX(A2:C6,3,1) 所傳回的值是澳洲。

	A	B	C
1	國名	參加人數	報到比率
2	日本	980	77.40%
3	美國	540	87.70%
4	澳洲	380	90.00%
5	英國	490	57.40%
6	韓國	830	84.60%

工作表1

12-2-2　動態月份表單製作

知道上述函數的使用方法後，沒有實際運用如何知道功效何在？

動態月份表單製作（檔名：現金流量表-04.xlsx）

<u>Step</u> 01

❷ 按「插入函數」鈕，
執行 MATCH() 函數

❸ 輸入各引數

❶ 選 C66 儲存格

❹ 按此鈕完成設定

<u>Step</u> 02

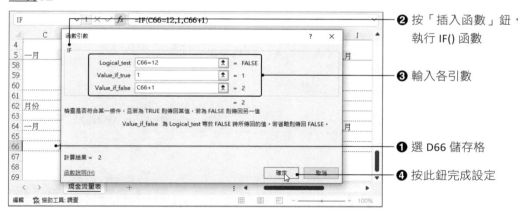

❷ 按「插入函數」鈕，
執行 IF() 函數

❸ 輸入各引數

❶ 選 D66 儲存格

❹ 按此鈕完成設定

<u>Step</u> 03

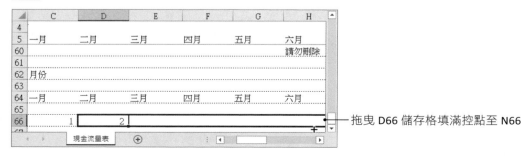

拖曳 D66 儲存格填滿控點至 N66

Step. 04

❶ 選 D5 儲存格並按下「插入函數」鈕，選擇 INDEX() 函數

❷ 選此項

❸ 按此鈕

Step. 05

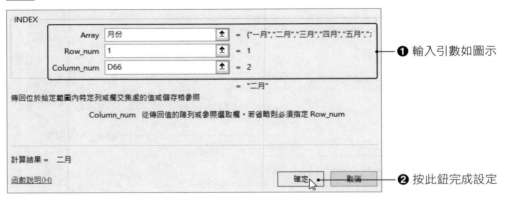

❶ 輸入引數如圖示

❷ 按此鈕完成設定

Step. 06

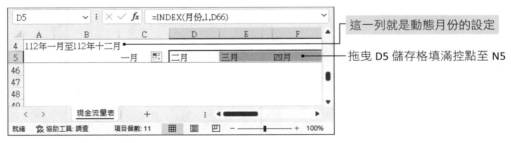

這一列就是動態月份的設定

拖曳 D5 儲存格填滿控點至 N5

Step, 07

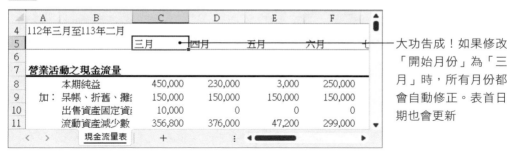

大功告成！如果修改「開始月份」為「三月」時，所有月份都會自動修正。表首日期也會更新

12-3 繪製現金收支圖製作

通常公司做簡報時，會利用圖表來分析、說明現金流量的變化及預測趨勢，不但簡單而且易懂，因此，請 Excel 的「圖表精靈」助一臂之力吧！

範例　**現金收支圖**（檔名：現金流量表-05.xlsx）

Step, 01

❷ 切換至此功能表

❸ 選取此類型圖表

❶ 選取 C34:N35 儲存格

Step、02

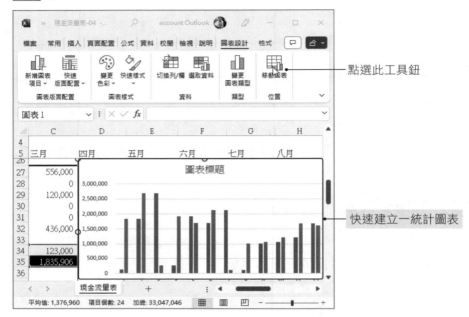

點選此工具鈕

快速建立一統計圖表

Step、03

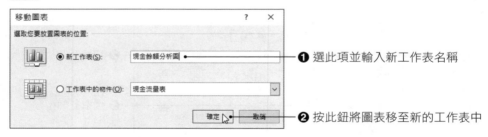

❶ 選此項並輸入新工作表名稱

❷ 按此鈕將圖表移至新的工作表中

Step、04

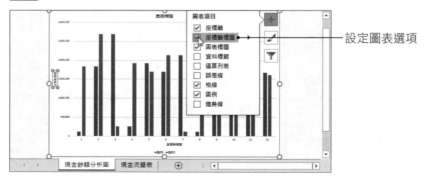

設定圖表選項

Step. 05

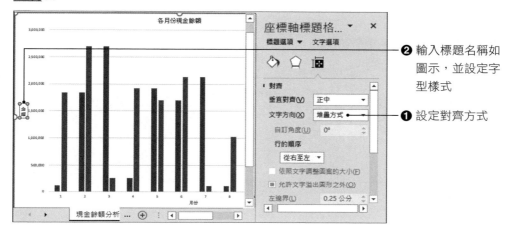

❷ 輸入標題名稱如
圖示，並設定字
型樣式

❶ 設定對齊方式

Step. 06

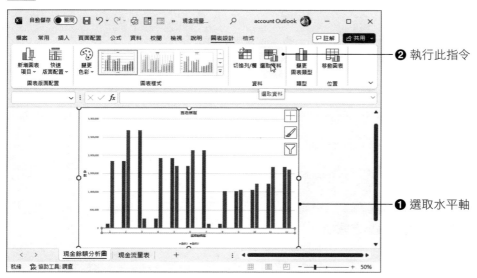

❷ 執行此指令

❶ 選取水平軸

<u>Step</u>、**07**

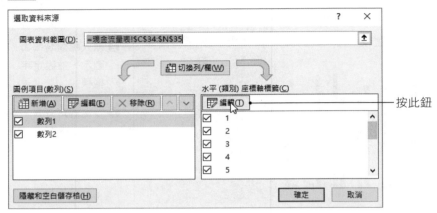

按此鈕

<u>Step</u>、**08**

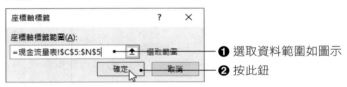

❶ 選取資料範圍如圖示

❷ 按此鈕

<u>Step</u>、**09**

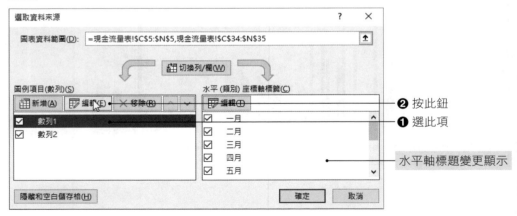

❷ 按此鈕

❶ 選此項

水平軸標題變更顯示

Step, 10

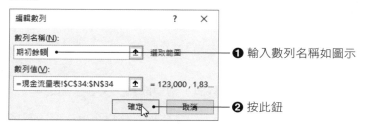

❶ 輸入數列名稱如圖示

❷ 按此鈕

Step, 11

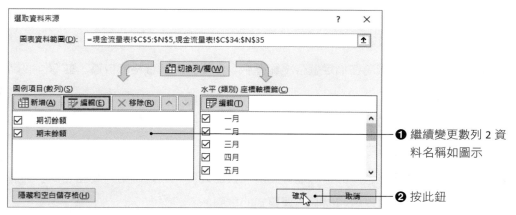

❶ 繼續變更數列 2 資料名稱如圖示

❷ 按此鈕

Step, 12

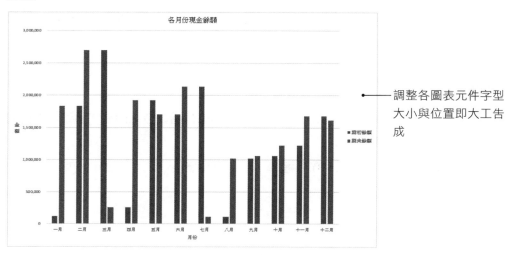

調整各圖表元件字型大小與位置即大工告成

Q&A 學習評量

是非題

( ) 1. TEXT() 函數為將指定參照儲存格位置的數值，轉換成為「文字」型態。

( ) 2. 當輸入多層函數時，輸入完裡層的函數後，只需將插入點移至上一層函數名稱中，則可繼續輸入未完成的函數引數。

( ) 3. MATCH() 函數是指定儲存格範圍中，參照指定條件的儲存格，並傳回該儲存格位置的值。

( ) 4. INDEX() 函數為在指定儲存格範圍中，參照指定儲存格的位置，並傳回該儲存格的內容。

( ) 5. 完成直條圖的圖表後即無法再將其更改為其他類型的圖表。

( ) 6. 在名稱管理員中可以新增、編輯、刪除範圍名稱。

( ) 7. 當無法讓使用者立即瞭解運算式所代表的涵義，可以利用「範圍名稱」列運算式，這樣可以更容易明白運算式的意義。

( ) 8. TEXT(Value,Format_text) 函數中的「Format_text」是指文字型態的數值格式。

( ) 9. MATCH(Lookup_value,Lookup_array,Match_type) 函數中的 Match_type 是個數字，其值只有兩種可能：-1 或 1。

選擇題

( ) 1. 使用格式化條件功能可使符合特定條件的儲存格以特定的格式顯現，下列何者不包含在內？

    (A) 字型　　　　　(B) 外框　　　　(C) 圖樣　　　　(D) 對齊方式

( ) 2. 儲存格格式視窗「字型」標籤頁中有哪些設定項目？

(A) 字型樣式　　　(B) 特殊效果　　　(C) 底線　　　(D) 以上皆是

( ) 3. 下列何者非圖表的組成元件？

(A) 圖表區　　　(B) 格線　　　(C) 繪圖區　　　(D) 圖例符號

( ) 4. 下列何者的顯示，可對應到實際的資料數值，且較易看出資料數列的不同？

(A) 圖例　　　(B) 格線　　　(C) 圖表文字　　　(D) 座標軸

( ) 5. 下列哪一項可以調整圖表大小？

(A) 控制點　　　(B) 座標軸　　　(C) 圖表位置　　　(D) 格線

問答題

1. 伊斯爾公司主管要求小玲每季製作銷售報表，並且包含前三季的資料提供參
考，請依照下列要求完成銷售報表。請開啟範例檔「現金流量表-06.xlsx」

- 表首日期為某年某季至某年某季
- 開始季使用下拉式清單
- 標題列使用動態功能

2. 伊斯爾公司主管對小玲製作的現金收支圖為長條圖有一些意見，希望可以用立體圓柱圖表示。請開啟範例檔「現金流量表-07 xlsx」，並將其改為立體圓柱圖。

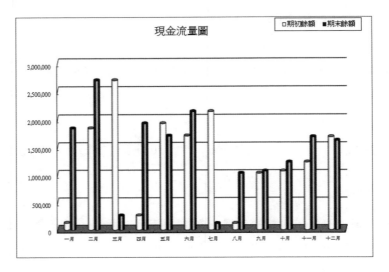

3. 如何呼叫「名稱管理員」？

MEMO

現代化的生活充滿了五光十色的消費誘惑，許多人經常在月初領到了薪水，就大肆地滿足購買慾，直到月底又成了名符其實的月光族。這就是沒有事先做好理財規劃。

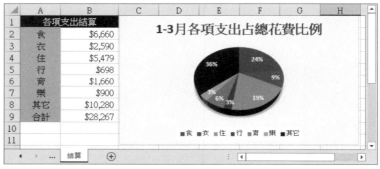

<支出花費比例圖表>

<定期存款方案與購屋貸款方案評估>

此外，隨著資訊網路科技的突飛猛進，目前金融機構對於客戶所提供的金融加值型服務，早已由隨處可見的自動櫃員機（ATM）進展到目前的網路銀行（Internet Bank），包括現代家庭中有許多五花八門的帳單，都可以透過電腦來進行網路轉帳與付費。

甚至於樂於常跑號子的家庭主婦，還可以邊做家事邊上網來下單買賣股票喔！當然您更可以匯入台灣的股市即時（或盤後交易）資訊到 Excel 工作表中，以利您使用資料分析工具來協助您瞭解個股，除此之外，連美國的股市資訊都可以輕鬆下載至您的電腦中。

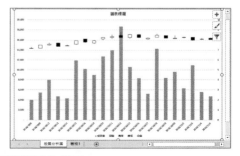

< **Excel** 上顯現股市資訊與股票分析圖 >

13 財務預算管理

學習重點

- SUMIF() 函數
- 合併彙算功能應用

本章簡介

日常生活中的各項瑣碎支出經常不會有人特別注意，雖然每次金額都不大，如果不加以管制，也有可能花掉收入的一大半。如果能讓自己在這些花費上有效的加以控制，才能為其他各項投資理財奠定良好的基礎。本章範例主要是學習如何控制生活上的各個開銷，使其不超過各位對這些花費的預算。

範例成果

	A	B	C	D
1		一月份各項支出金額		
2		各項支出合計	各項支出預算	實際支出-預算支出
3	食	$2,900	$4,000	$1,100
4	衣	$1,000	$2,000	$1,000
5	住	$2,100	$2,000	($100)
6	行	$200	$600	$400
7	育	$580	$1,000	$420
8	樂	$400	$1,000	$600
9	其它	$4,480	$4,000	($480)
10	合計	$11,660	$14,600	$2,940
11		財務預算管理表		
12	日期	類別	摘要	金額
13	1月1日	食	早餐,中餐,晚餐	$150
14	1月2日	食	早餐,中餐,晚餐	$200
15	1月3日	食	早餐,中餐,晚餐	$100
16	1月4日	食	早餐,中餐,晚餐	$150
17	1月5日	食	早餐,中餐,晚餐	$150
18	1月5日	衣	購買衣服*2	$1,000
19	1月6日	食	早餐,中餐,晚餐	$150

〈 〉　各項支出預 ⋯　＋

<各月支出明細與預算差額>

<各項花費結算金額與圖表>

13-1 輸入各項支出資料

　　控制各項花費的第一步便是預估各項支出所需花費的金額並記錄支出的明細資料，以便比對是否超出預算。

13-1-1　輸入各項支出預算額

　　假設將支出類別歸類為「食、衣、住、行、育、樂、其它」等七大項，並先將預計消費依照不同類別設定預算金額。請開啟範例檔，並於各項花費類別欄內輸入預估金額：

 輸入各項支出預算額（檔名：預算管理-01.xlsx）

Step. 01

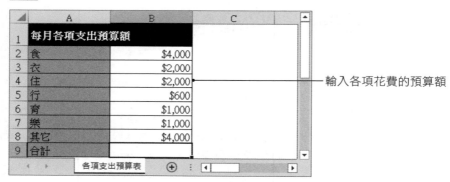

————輸入各項花費的預算額

Step 02

❷ 由「常用」標籤按下「自動加總」鈕,再下拉選擇「加總」指令

❶ 選取 B2:B9 儲存格

Step 03

自動加總預估花費的合計額

13-1-2 輸入各項支出明細

完成預算表後,接著依照日常生活開支,記錄各項支出明細。

範例　**輸入各項支出明細**（檔名：預算管理-02.xlsx）

Step.01

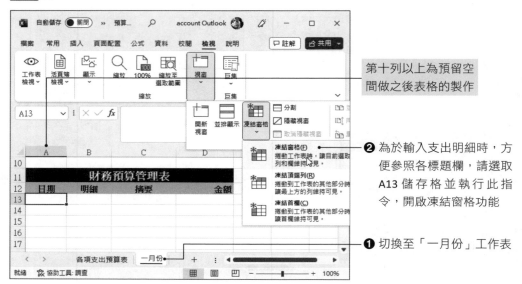

第十列以上為預留空間做之後表格的製作

❷ 為於輸入支出明細時，方便參照各標題欄，請選取 A13 儲存格並執行此指令，開啟凍結窗格功能

❶ 切換至「一月份」工作表

Step.02

❷ 由「資料」標籤按下「資料驗證」鈕，並下拉「資料驗證」指令

❶ 輸入日期後，選取 B13 儲存格

Step, 03

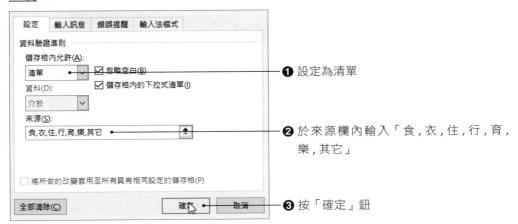

❶ 設定為清單

❷ 於來源欄內輸入「食,衣,住,行,育,樂,其它」

❸ 按「確定」鈕

Step, 04

於 B3 儲存格內出現下拉式選單鈕

拖曳 B13 儲存格自動填滿控點至 B40，使各儲存格都能套上選單樣式

Step, 05

下拉 B13 儲存格選單，並選擇支出類別

Step. 06

繼續輸入各支出明細資料

請依照以上步驟逐一輸入每日消費明細,或開啟範例檔「預算管理-03.xlsx」,參考於範例內已輸入的各項支出明細。

13-2 計算當月各項支出合計數

每當月底時,所有支出明細皆已輸入表格,即可統計各項支出的總額與合計,並檢視是否超出所訂的預算額。

13-2-1 SUMIF() 函數說明

計算合計數會使用到 SUMIF() 函數,因此先介紹此函數的用法:

▶ **SUMIF() 函數**

語法:SUMIF(range,criteria,sum-range)

說明:對儲存格範圍中符合某特定篩選條件的儲存格進行加總,相關引數說明如下:

引數名稱	說明
range	儲存格範圍。
criteria	用以判斷是否要列入計算的篩選條件,可以是數字、表示式或文字。
sum-range	實際要加總的儲存格,如果忽略此引數則以儲存格範圍為加總對象。

13-2-2 使用函數計算合計數

大致瞭解 SUMIF() 函數的語法，接著請開啟範例檔，練習使用函數計算支出合計金額。

 計算支出合計金額（檔名：預算管理-04.xlsx）

Step, 01

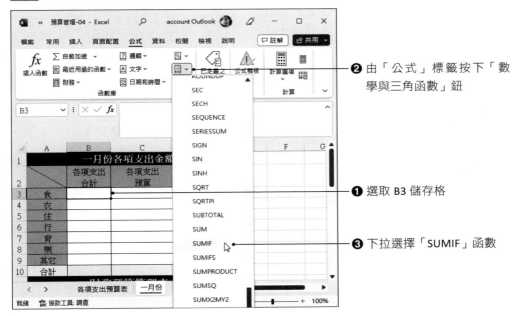

❷ 由「公式」標籤按下「數學與三角函數」鈕

❶ 選取 B3 儲存格

❸ 下拉選擇「SUMIF」函數

Step, 02

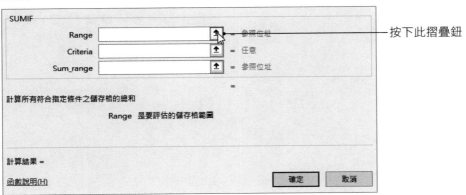

按下此摺疊鈕

Step 03

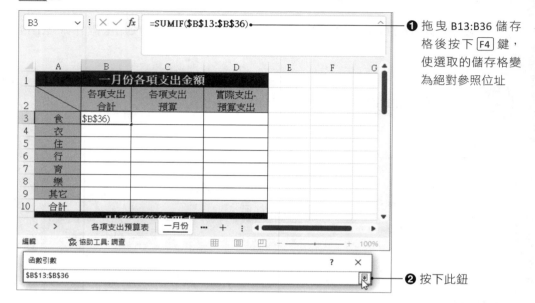

❶ 拖曳 B13:B36 儲存格後按下 F4 鍵，使選取的儲存格變為絕對參照位址

❷ 按下此鈕

Step 04

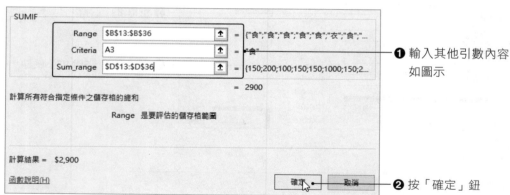

❶ 輸入其他引數內容如圖示

❷ 按「確定」鈕

Step, 05

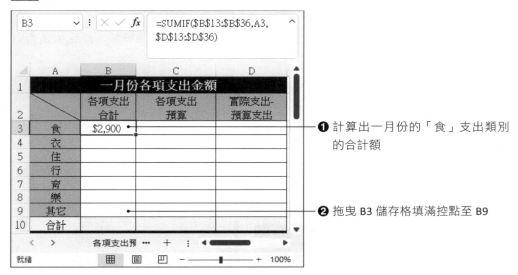

❶ 計算出一月份的「食」支出類別
　的合計額

❷ 拖曳 B3 儲存格填滿控點至 B9

Step, 06

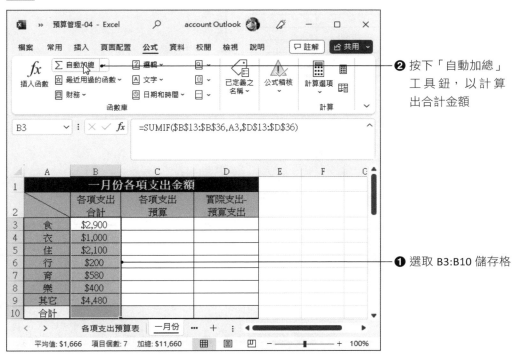

❷ 按下「自動加總」
　工具鈕，以計算
　出合計金額

❶ 選取 B3:B10 儲存格

計算當月各項支出總額與預算額的差數

完成各項支出類別合計之後，請繼續輸入各支出類別的預算額，以比照是否有超出原訂預算。

範例 **輸入各項支出預算**（檔名：預算管理-04.xlsx）

Step. 01

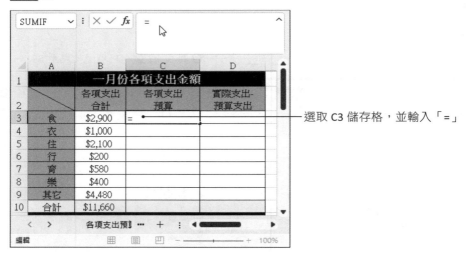

— 選取 C3 儲存格，並輸入「=」

Step. 02

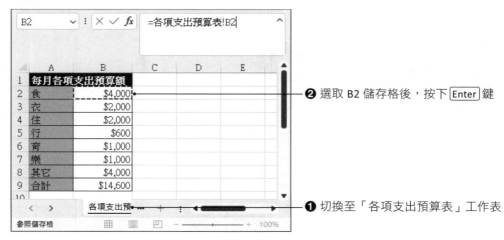

❷ 選取 B2 儲存格後，按下 Enter 鍵

❶ 切換至「各項支出預算表」工作表

<u>Step.</u> **03**

❶ 查詢到「食」支出類別的預算了

❷ 拖曳 C3 填滿控點至 C10

<u>Step.</u> **04**

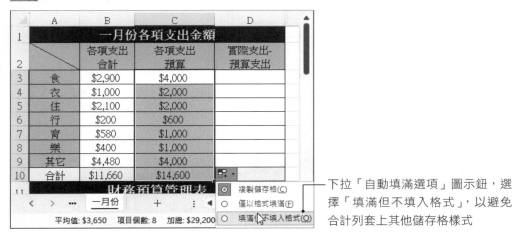

下拉「自動填滿選項」圖示鈕，選擇「填滿但不填入格式」，以避免合計列套上其他儲存格樣式

　　因本章範例的各項支出類別都有依照一定的順序排列，所以可以使用填滿控點功能代替步驟 1 與步驟 2 的動作，如果支出類別沒有依照順序排列，則需重複步驟 1 與步驟 2，以避免參照到錯誤的數值。

各項支出預算輸入完成後，為了比較實際花費與原訂預算的差額，請繼續輸入如下公式：

範例 **計算預算與實際花費差額**（檔名：預算管理-04.xlsx）

Step、01

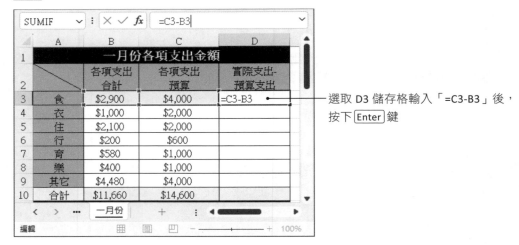

選取 D3 儲存格輸入「=C3-B3」後，按下 Enter 鍵

Step、02

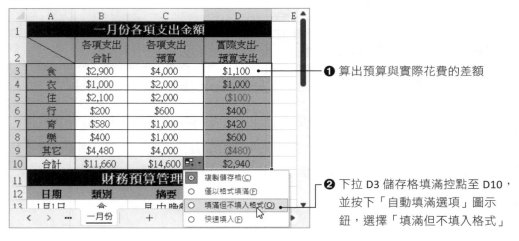

❶ 算出預算與實際花費的差額

❷ 下拉 D3 儲存格填滿控點至 D10，並按下「自動填滿選項」圖示鈕，選擇「填滿但不填入格式」

完成一月份的支出明細與合計後，即可清楚的知道，在一月份的花費裡，「住」與「其他」類別的支出都已超出原訂預算額，某些花費卻還比預算額少了很多，而實際總花費並未超出總預算額。

完成了一月份的支出明細後，即可複製一月份的支出明細至其他工作表，再刪除支出內容即可。另外請再製作二、三月份的支出明細，以便有較客觀的資料將原訂預算額調整至最理想的金額。

範例 **製作其他月份的支出明細**（檔名：預算管理-04.xlsx）

Step. 01

❶ 按下此格以選取整個工作表

❷ 按滑鼠右鍵，並執行「複製」指令

Step. 02

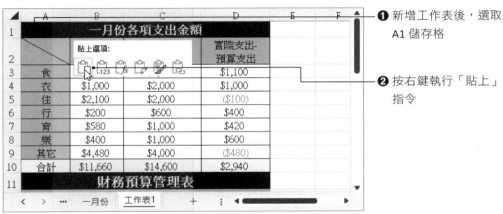

❶ 新增工作表後，選取 A1 儲存格

❷ 按右鍵執行「貼上」指令

Step. 03

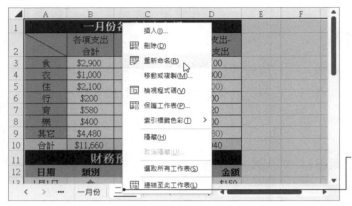

在工作表標籤上按滑鼠右鍵，執行「重新命名」指令，並命名為「二月份」

Step. 04

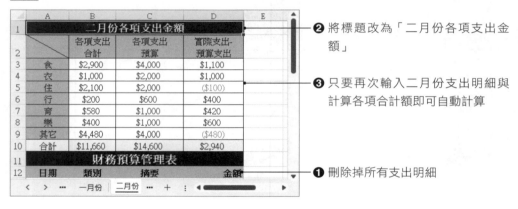

❷ 將標題改為「二月份各項支出金額」

❸ 只要再次輸入二月份支出明細與計算各項合計額即可自動計算

❶ 刪除掉所有支出明細

製作其他月份的支出明細前，必須先新增一個工作表，然後再比照以上步驟複製相關公式即可。

13-4 各項支出項目結算總表

每三個月統計一次各項支出的金額，用來檢視哪些支出金額最多哪些較少，以重新預估各預算額，避免各項支出預算的編列不合實際。

13-4-1 使用合併彙算功能

合併彙算功能主要是用來計算位於不同工作表中相同的表單的內容。

 使用合併彙算功能（檔名：預算管理-05.xlsx）

<u>Step.</u>01

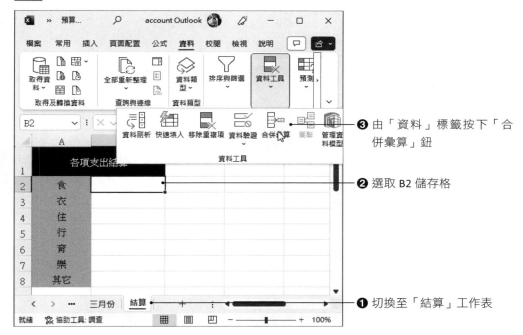

❸ 由「資料」標籤按下「合併彙算」鈕

❷ 選取 B2 儲存格

❶ 切換至「結算」工作表

<u>Step.</u>02

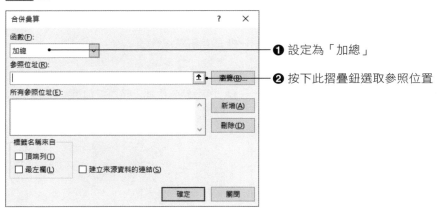

❶ 設定為「加總」

❷ 按下此摺疊鈕選取參照位置

<u>Step.</u> 03

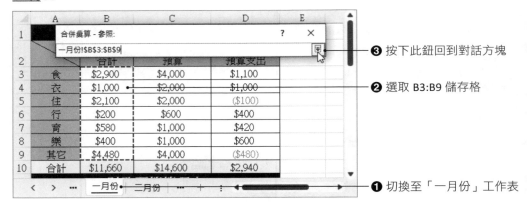

❸ 按下此鈕回到對話方塊

❷ 選取 B3:B9 儲存格

❶ 切換至「一月份」工作表

<u>Step.</u> 04

❶ 參照位址內出現剛選取的範圍

❷ 按「新增」鈕

<u>Step.</u> 05

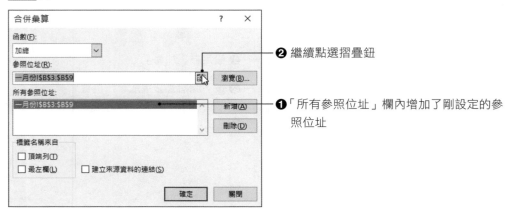

❷ 繼續點選摺疊鈕

❶「所有參照位址」欄內增加了剛設定的參照位址

Step. 06

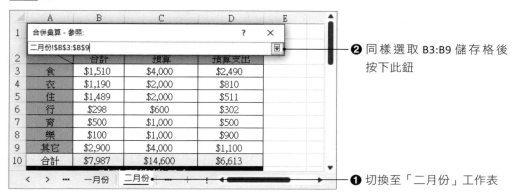

❷ 同樣選取 B3:B9 儲存格後
按下此鈕

❶ 切換至「二月份」工作表

Step. 07

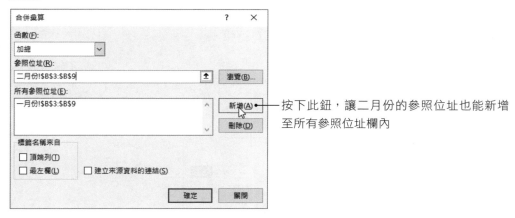

按下此鈕，讓二月份的參照位址也能新增
至所有參照位址欄內

三月份的合併彙算參照位址請比照以上步驟新增即可。

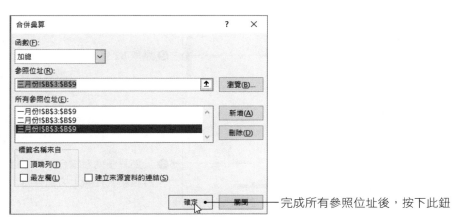

完成所有參照位址後，按下此鈕

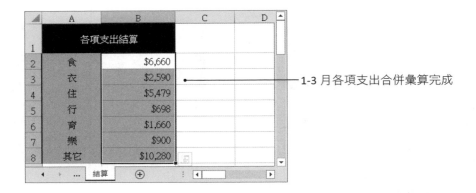

——— 1-3 月各項支出合併彙算完成

13-4-2　增加合併彙算來源範圍

雖已統計各支出類別的合計額，如果能再加上合計額的統計，則可方便平均三個月來實際花費的總支出，再估算新的預算總額。

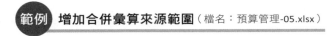

範例　**增加合併彙算來源範圍**（檔名：預算管理-05.xlsx）

Step 01

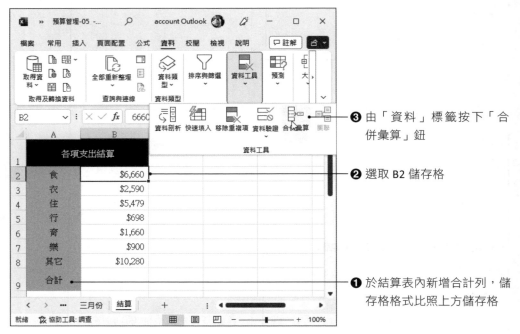

❸ 由「資料」標籤按下「合併彙算」鈕

❷ 選取 B2 儲存格

❶ 於結算表內新增合計列，儲存格格式比照上方儲存格

Step. 02

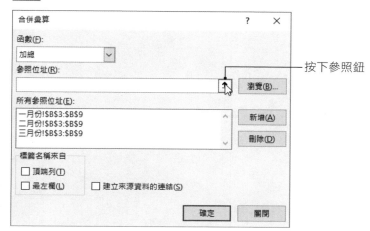

按下參照鈕

Step. 03

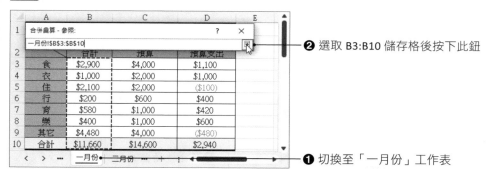

❷ 選取 B3:B10 儲存格後按下此鈕

❶ 切換至「一月份」工作表

Step. 04

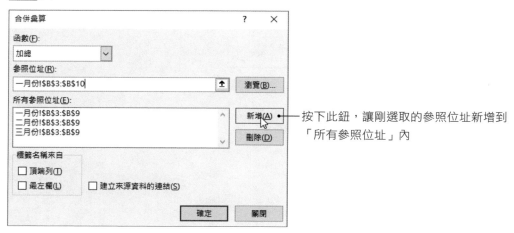

按下此鈕，讓剛選取的參照位址新增到
「所有參照位址」內

Step. 05

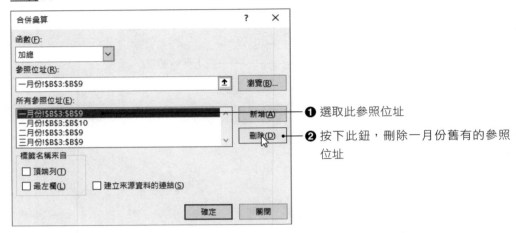

❶ 選取此參照位址

❷ 按下此鈕，刪除一月份舊有的參照
　位址

除了用按下參照鈕更新參照位址的方法外，也可於參照位址內直接做修改即可。

Step. 06

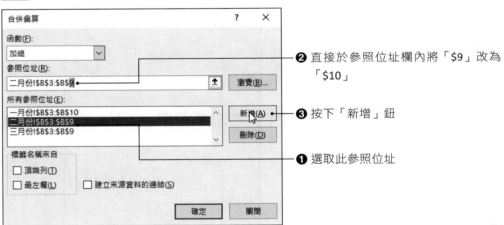

❷ 直接於參照位址欄內將「$9」改為
　「$10」

❸ 按下「新增」鈕

❶ 選取此參照位址

Step 07

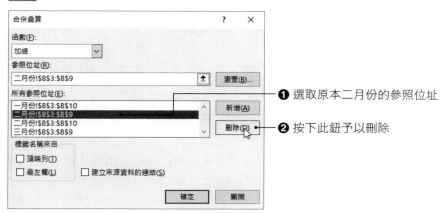

❶ 選取原本二月份的參照位址

❷ 按下此鈕予以刪除

Step 08

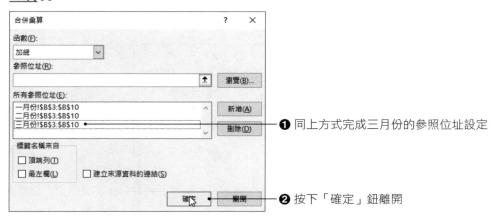

❶ 同上方式完成三月份的參照位址設定

❷ 按下「確定」鈕離開

Step 09

合併彙算來源範圍新增完成

> **Tips**　如果於完成合併彙算功能後，卻發現有些支出金額需做更改，可再執行一次「資料／合併彙算」指令，於「合併彙算」對話框裡按下確定鈕，即可完成合併彙算手動更新。

13-5　製作各項支出項目結算圖表

　　單單只看各支出項目的總表似乎較不易看出各個項目占總支出的比例，這時即可製作各支出項目的比較圖表，以便看出其差異性。

範例　**製作各項支出結算圖**（檔名：預算管理-06.xlsx）

Step. 01

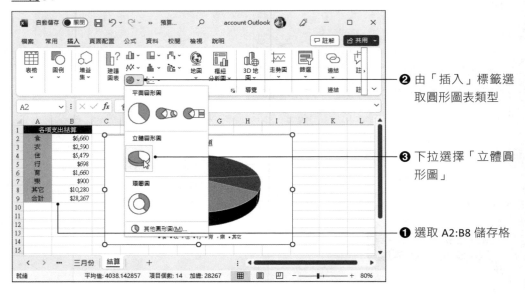

❷ 由「插入」標籤選取圓形圖表類型

❸ 下拉選擇「立體圓形圖」

❶ 選取 A2:B8 儲存格

Step. 02

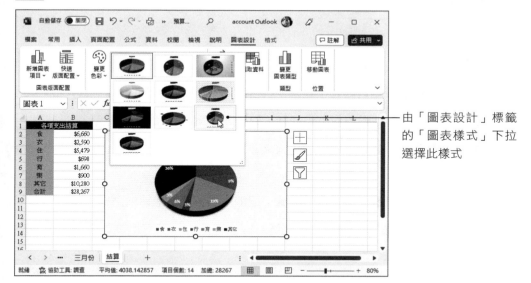

由「圖表設計」標籤
的「圖表樣式」下拉
選擇此樣式

Step. 03

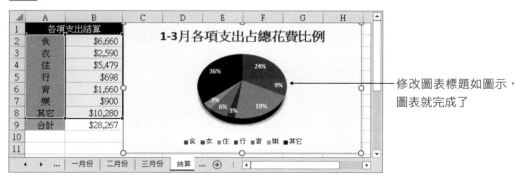

修改圖表標題如圖示,
圖表就完成了

Q&A 學習評量

是非題

( )　1. SUMIF() 函數為對儲存格範圍中符合某特定篩選條件的儲存格進行加總。

( )　2. 合併彙算可設定與資料來源連結，以更新檔案。

( )　3. 合併彙算的手動更新是指於修改來源資料後，使用合併彙算的數值也可同時更新。

( )　4. 由「公式」標籤按下「合併彙算」鈕即可開啟合併彙算對話框。

( )　5. 建立圖表可先於工作表中完成資料數後再建立，亦可以先建立圖表再建立資料。

( )　6. SUMIF(Range,Criteria,Sum-range) 其中的 Criteria 是用以判斷是否要列入計算的篩選條件，可以是數字、表示式或是文字。

選擇題

( )　1. 下列關於 SUMIF() 函數的敘述何者有誤？

(A) 為統計類別函數

(B) 其引數為 (Range,Criteria,Sum-range)

(C) 引數 Range 是指儲存格範圍

(D) 引數 Sum-range 為實際要加總的儲存格

( )　2. 下列關於工作表索引標籤的敘述何者有誤？

(A) 可重新命名　　　　　　　　(B) 可改變色彩

(C) 可移動或複製　　　　　　　(D) 可替其加上線條外框

( )　3. 下列何者非合併彙算對話框內的函數類型？

(A) 加總　　　　(B) 平均值　　　　(C) 中間值　　　　(D) 最大值

( ) 4. 下列何者不是 Excel 預設的圖表類型之一？

    (A) 直條圖　　　　　(B) 剖面圖　　　　　(C) 圓型圖　　　　　(D) 區域圖

問答題

1. 請開啟範例檔「預算管理-08.xlsx」，算出各月份各項費用的合計額。

2. 請延續上例，利用合併彙算功能，算出三個月份各個費用的支出合計額。

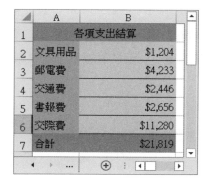

投資理財私房專案規劃

學習重點

- 單變數、雙變數運算列表使用
- 利用 PV() 函數試算投資成本
- 利用 NPV() 函數試算保險淨現值
- 定期定額基金試算
- 利用 XNPV() 函數評估投資方案

本章簡介

在 Excel 所提供的「財務」類別函數中，有相當多功能實用的函數，加上一些如「藍本分析」、「變數運算列表」…等工具，可以幫各位助計算存款本利和、利息、評估投資成本…等工作，同時對個人理財方面也有著相當大的幫助。在本章中，將介紹數個生活上常見的投資、理財範例，讓各位輕輕鬆鬆用 Excel 成為理財大師，從此不必再拿一本筆記簿、一台計算機辛苦地規劃投資理財計畫。

範例成果

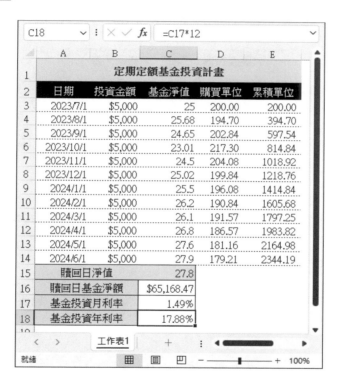

14-1 定期存款方案比較

金融公司的「定期存款」業務（簡稱「定存」）是相當普遍的營業項目。只要事先存入一筆固定的金額，並且依照與銀行約定的利率，在合約期滿後即能領回本利和，在利率方面通常也較「活期存款」為高。

假設泓宇目前有一筆 10 萬元的現金，打算規劃 2 年期的定期存款，他收集了目前市面上主要銀行的兩年期定存利率，如下表所示：

銀行名稱	年利率（%）
復邦銀行	2.5
信託銀行	2.8
台欣銀行	2.65
精誠銀行	2.95
合庫銀行	3.2

接下來，試算看看這筆錢分別存入這些銀行，兩年後各可以回收多少錢？

14-1-1 建立定期存款公式

計算「定期存款」的本利和並不需要特別的函數來完成，只要建立如下的公式即可：

本利和 = 本金 ×(1+ 年利率)

但現在需要同時比較多家銀行在兩年後的本利和，而且它們具有不同的利率水準，因此「不適合」使用上述公式逐一算出各銀行兩年後的給付金額，然後再加以比較；對於此專案，使用「單變數運算列表」的功能來進行試算評估則較為妥當。

14-1-2 單變數運算列表

「單變數運算列表」乃是指公式內僅有一個變數，只要輸入此變數即能改變公式最後的結果並輸出。

在上面的這個案例中，「存款 10 萬元」及「兩年的合約」可以視為固定的常數，而各家銀行不同的「利率」則可以視為「變數」。因此，只要控制「利率」這項變數，便能夠計算出各銀行在合約到期後所給付的本利和。

 範例 單變數運算列表（檔名：投資理財-01.xlsx）

Step.01

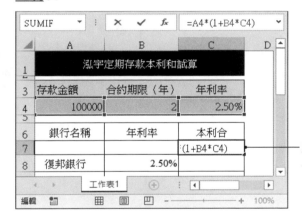

點選 C7 儲存格，並輸入定期存款的計算公式「=A4*(1+B4*C4)」後按 Enter 鍵

Tips 在建立運算列表前，必須先挑選一份合約來建立「對應公式」，如此 Excel 才能知道公式該如何計算。

Step. 02

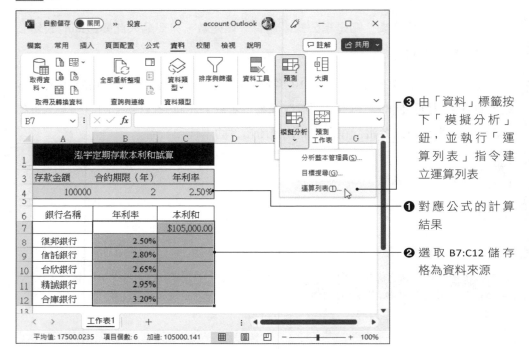

❸ 由「資料」標籤按下「模擬分析」鈕,並執行「運算列表」指令建立運算列表

❶ 對應公式的計算結果

❷ 選取 B7:C12 儲存格為資料來源

Step. 03

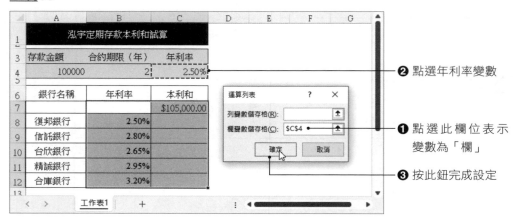

❷ 點選年利率變數

❶ 點選此欄位表示變數為「欄」

❸ 按此鈕完成設定

由於「年利率」變數是放置於「欄」儲存格中，所以在「欄變數儲存格」欄位中輸入變數位址。

Step. 04

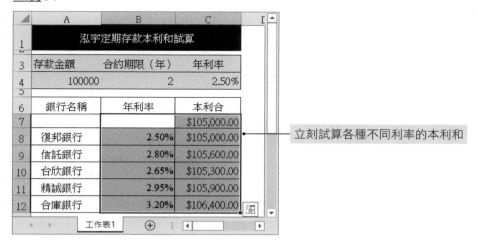

立刻試算各種不同利率的本利和

當建立變數運算列表時，如果變數以「欄」為儲存格位置，則對應公式儲存格 (C7) 必須位於運算結果區 (A8:C12) 的上方；相同地，如果變數以「列」為儲存格位置，則對應公式儲存格必須位於運算結果區的左方。

14-1-3 雙變數運算列表

上小節中僅談到使用一個「年利率」的變數來產生運算列表，實際上也可以同時採用兩個變數來產生運算列表。例如，除了「年利率」變數外，假設「本金」的部分可能是 5 萬、10 萬或 15 萬…等，便可以交叉分析出，在不同「本金」及「利率」的兩組變數下，上述的案例將會產生哪些新的資訊供參考及評估。

範例 **雙變數運算列表應用**（檔名：投資理財-02.xlsx）

Step. 01

❷ 選取 B7 儲存格並輸入公式「=A4*(1+B4*C4)」如圖示

❶ 筆者已經將各種不同本金的變數輸入於列中

Step. 02

❷ 由「資料」標籤按下「模擬分析」鈕，並執行「運算列表」指令建立運算列表

❶ 選取 B7:F12 儲存格為範圍

Step. 03

❶ 將欄變數與列變數分別設定為 A4 及 C4 儲存格

❷ 按此鈕完成設定

Step. 04

列出各種不同利率與本金的組合下的本利和

　　利用雙變數運算列表，可以很快的試算出在不同的組合下將會產生何種結果，對各種方案的評估也會較為完整。

　　有關於「對應公式」（B7 儲存格）的位置問題，可以在步驟 4 中看得更加清楚，此對應公式必須位於「欄變數的上方，列變數的左方」，否則無法產生運算列表。

14-2　試算投資成本與 PV() 函數說明

　　金融或保險公司經常推出一系列的儲蓄投資專案，事先繳交一筆較大數額的存款後，可以逐年領回固定的金額，讓各位的生活更有保障。雖然這樣的投資具有儲蓄及保障的功能，如果不仔細比較實在難以判斷是否符合投資報酬率？或者划不划算？因此，本節中將試算此類型的金融商品，評估投資成本是否獲得最大利益，作為投資與否的參考。

　　假設奕宏工作數年後存了一些錢，後續生涯規劃想要回到學校進修四年，因此準備參加「台欣」銀行的「進修基金儲蓄投資計畫」專案，來讓未來四年內即使毫無收入，也能夠安心唸書。此專案計畫需繳交 40 萬元，未來的 4 年內每年可領回 11 萬元作為基本的生活費用，預定年利率為 4%。現在來評估這種金融商品是否值得投資。

14-2-1　PV() 函數說明

　　想要評估上述的投資方案是否可行，必須利用 PV() 函數。使用 PV() 函數可以計算出某項投資的年金現值，而此年金現值則是未來各期年金現值的總和。接下來，先來看此函數的相關說明：

▶ **PV() 函數**

語法：PV(rate,nper,pmt,fv,type)

說明：以下表格為 PV() 函數中的引數說明。

引數名稱	說明
rate	各期的利率。
nper	總付款期數。
pmt	各期應該給予（或取得）的固定金額。通常 pmt 包含本金及利息，如果忽略此引數，則必須要有 pv 引數。
pv	為最後一次付款完成後，所能獲得的現金餘額（年金終值）。如果忽略此引數，則預設為「0」，並且需有 pmt 引數。
type	為「0」或「1」的邏輯值，用以判斷付款日為期初（1）或期末（0）。忽略此引數，則預設為「0」。

14-2-2 計算投資成本

現在就來幫奕宏計算此項的投資是否有利。

 範例 **投資成本評估**（檔名：投資理財-03.xlsx）

Step. 01

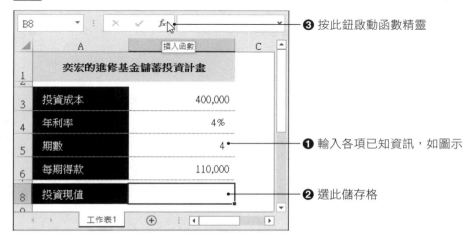

❸ 按此鈕啟動函數精靈

❶ 輸入各項已知資訊，如圖示

❷ 選此儲存格

Step. 02

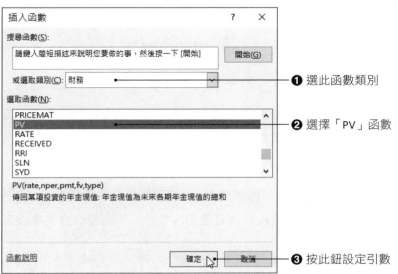

❶ 選此函數類別

❷ 選擇「PV」函數

❸ 按此鈕設定引數

Step. 03

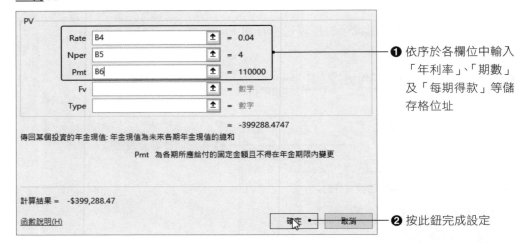

❶ 依序於各欄位中輸入
「年利率」、「期數」
及「每期得款」等儲
存格位址

❷ 按此鈕完成設定

Step. 04

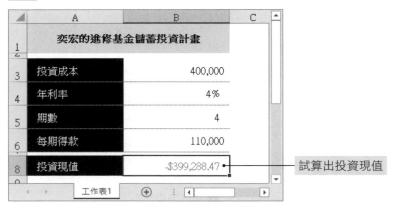

試算出投資現值

　　經由上面步驟的試算，可以發現此投資計畫的年金現值只有 399,288.47 元，還不及所投資的 40 萬元；也就是說，其實只要投資 399,288.47 元就可享有同樣的投資報酬率，不需花費到 40 萬元。因此判斷此投資方案並不可行。

　　雖然上述的投資專案看似不可行，但如果在 A8 儲存格公式中設定「type」引數，將它設定為「1」後，各位便會發現一個有趣的現象——「此投資專案變成可行了」。

Step.01

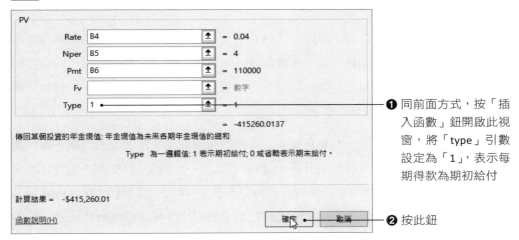

❶ 同前面方式，按「插入函數」鈕開啟此視窗，將「type」引數設定為「1」，表示每期得款為期初給付

❷ 按此鈕

Step.02

投資現值大於投資成本

也就是說，此專案如果能將每期的給付方式由「期末給付」更改為「期初給付」，那就表示此投資專案是可獲利的。瞭解其中的差異後，便可與金融商品公司協商或變更現行的作法，以便得到更多的獲利。

14-3 計算保險淨值與 NPV() 函數

「保險」商品通常具有「保障」、「儲蓄」及「投資」等特性，好的保險商品除了可以讓各位將投資的金錢在若干年後回收，並且還有一定金額的利息，同時在契約時間內還享有一些醫療等相關保障及給付。對於這些「保險」商品，同樣可以藉由 Excel 強大的功能來試算一番！

假設泓宇想為自己買一個兼具投資、保障的保險商品，在朋友的介紹下她接觸了「欣光人壽」的「投資型保險計畫」。該計畫為 15 年合約，只要前 5 年每年繳交 3 萬元的保費，從此不需再繳交保費，同時第 5～10 年每年可領回 2 萬元的紅利，第 11～15 年則每年可領回 2 萬 3 千元的紅利。看起來此專案似乎蠻誘人的，但還需考慮通貨膨脹的因素，也就是「年度折扣率」（這幾年平均值約 5％）。現在來試算此保險計畫是否值得購買。

14-3-1 NPV() 函數說明

上述有關保險商品的試算，可以使用 NPV() 函數。該函數可以透過年度通貨膨脹比例（或稱年度折扣率），以及未來各期所支出及收入的金額，進行該方案的淨現值計算。NPV() 函數相關的說明如下：

▶ **NPV() 函數**

語法：NPV(rate,value1,value2,...)

說明：以下表格為 NPV() 函數中的引數說明。

引數名稱	說明
rate	通貨膨脹比例或年度折扣率。
value1,value2,...	未來各期的現金支出及收入，最多可以使用 29 筆記錄。

14-3-2 計算保險淨現值

現在來計算此保險商品是否有獲利的空間。

 範例 **保險淨現值計算**（檔名：投資理財-04.xlsx）

Step.01

❸ 按「插入函數」鈕

輸入年度保費時，由於前五年為支出（繳交）保費，所以採用負數輸入

❶ 輸入各年度的保費，如圖示

❷ 選此儲存格

> **Tips** 輸入年度保費時，由於前五年為支出（繳交）保費，所以採用負數輸入。

<u>Step</u>. 02

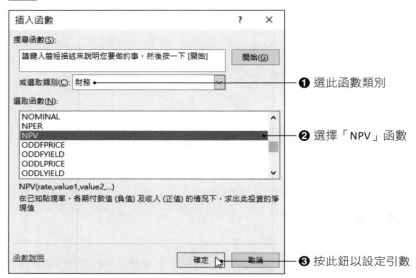

❶ 選此函數類別

❷ 選擇「NPV」函數

❸ 按此鈕以設定引數

<u>Step</u>. 03

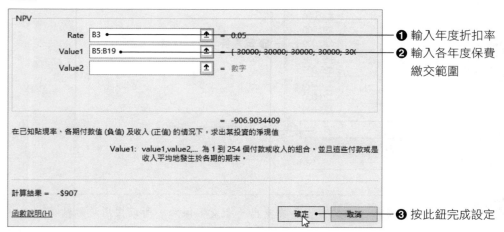

❶ 輸入年度折扣率

❷ 輸入各年度保費
　繳交範圍

❸ 按此鈕完成設定

Step. 04

	A	B
1	欣光投資型保險計畫	
3	年度折扣率	5%
4	保費年度	保費金額
5	第1年	-$30,000
6	第2年	-$30,000
7	第3年	-$30,000
8	第4年	-$30,000
9	第5年	-$30,000
10	第6年	$20,000
11	第7年	$20,000
12	第8年	$20,000
13	第9年	$20,000
14	第10年	$20,000
15	第11年	$23,000
16	第12年	$23,000
17	第13年	$23,000
18	第14年	$23,000
19	第15年	$23,000
21	保險現淨值	-$907

保險現淨值已試算出來

　　經過試算後，此份保單的現淨值為「-906.90 元」，如果單純以「理財」或「投資」的角度來看，此份保單並不是最佳的選擇。但是保險通常還會附帶有「醫療保障」，當生病或住院時可能還會獲得一些補貼或給付，因此也是值得考慮的方案。

14-4 投資方案評估與 XNPV() 函數

　　通常投資專案不見得是一開始就參與，而且專案進行期間還會有資金的流動，一時之間也難以評估是否值得加入投資。因此不妨等到專案已經進行一段時間且經過評估後，再決定是否加入投資的行列。此種方法的好處是可以利用專案在這段時間內所投入的資金，以及所獲得的營收，作為評估專案截至目前是處於獲利或虧損的狀態，如此在投資上則更加有保障。

　　假設恩諾的朋友三個月前開了一家飾品店，日前邀請恩諾入股成為該店的股東，因此恩諾向這位朋友要了此店面這三個月年來的營業收支狀況，如下表所示：

日期	收入	支出	備註
2023 / 9 / 1		120000	開店相關費用
2023 / 9 / 30	130000		9 月份營收額
2023 / 10 / 5		65000	人事管銷費用
2023 / 10 / 15		20000	進貨
2023 / 10 / 31	150000		10 月份營收額
2023 / 11 / 5		65000	人事管銷費用
2023 / 11 / 15		250000	進貨
2023 / 11 / 30	200000		11 月份營收額

　　除了上述營收及支出的明細外，恩諾的朋友還主動提供了「現金流動折價率 8％」的參考數據，以作為評估之用。有了上述的資訊，接下來就來評估此投資方案到底值不值得投資。

14-4-1 XNPV() 函數說明

　　要計算這種不定期投入或支出資金的投資方案，可以使用「XNPV()」函數。XNPV() 函數可以依據方案投資期間內不定期的收入與支出情形，並透過現金流動折價率的參考因數，以計算出該方案的現淨值。先來看此函數的相關說明：

▶ **XNPV() 函數**

語法：XNPV(rate,values,dates)

說明：該函數可以傳回現金流量表的淨現值，且該現金流量不須是定期性的。相關引數說明如下：

引數名稱	說明
rate	現金流動折價率。
value	支出或收入資金的流動金額。
dates	支出或收入資金的流動日期。

Tips　　上述「value」及「dates」引數的資料範圍必須是相對應的，否則無法計算。

14-4-2　計算投資方案淨現值

瞭解恩詰的需求及 XNPV() 函數後，參考下面的範例來操作。

 範例 **計算投資方案淨現值**（檔名：投資理財-05.xlsx）

Step. 01

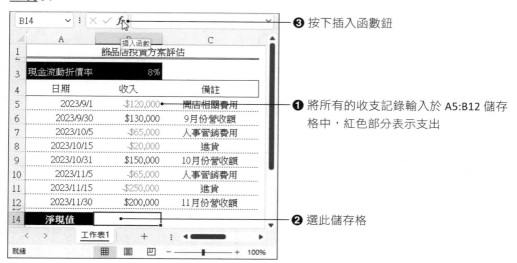

❸ 按下插入函數鈕

❶ 將所有的收支記錄輸入於 A5:B12 儲存格中，紅色部分表示支出

❷ 選此儲存格

Step. 02

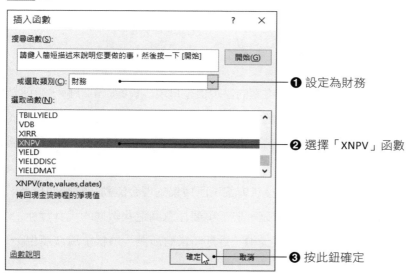

❶ 設定為財務

❷ 選擇「XNPV」函數

❸ 按此鈕確定

Step. 03

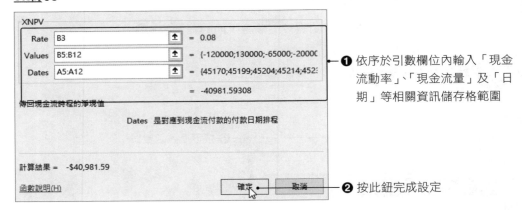

❶ 依序於引數欄位內輸入「現金流動率」、「現金流量」及「日期」等相關資訊儲存格範圍

❷ 按此鈕完成設定

Step. 04

計算投資方案的淨現值

　　從上面的範例中，可以看到此投資方案的淨現值是呈現「負數」的狀態，也就是說，目前此投資方案在帳面上仍然處於虧損的狀態，暫時不適合進行投資。不過由於上面個案僅經營三個月，就長期投資的角度來看也不能早下定論，還必須考量其發展潛力及大經濟環境等因素。事實上，此個案在現實的經濟環境中，仍然屬於不錯的投資標的。利用 XNPV() 函數來評估某項投資方案，所搜集的現金流動記錄時間越長、金額越詳實，則評估出來的數據會越準確，但千萬要注意到這些數據的「真實性」，以免因為不正確的評估數據而導致投資受損（近期時常有所謂「壞帳」風波產生）。

14-5 共同基金績效試算

　　「共同基金」是最近幾年來較為熱門的投資管道，它是由專業的證券投資信託公司合法募集眾人的資金，由基金經理人將資金投資運用在指定的金融工具上，例如股票、債券或是貨幣市場工具等，並且將其獲利平均分配給購買基金的投資人。此種投資方式不但可分享全球投資機會，而且投資獲利免稅，當買出基金時也僅收取一些手續費（約 1.5％），因此可以達到分散風險、專業管理與節稅等多項好處。至於「定期定額」的意思，就是在每個月固定的時間投入固定的資金來購買該基金，就好像是「定期存款」一樣。

14-5-1 共同基金利潤試算

　　燕子想要將每個月的薪資固定提撥 5000 元來作為理財投資，但對股票的操作不熟悉且沒有多餘的時間去觀察行情，對於民間的「互助會」在一片「倒風」下又小生怕怕！燕子決定要購買「定期定額共同基金」來作為理財投資。

　　雖然共同基金有專家幫忙操盤，但也不一定「穩賺不賠」，所以還是要幫燕子用 Excel 建立一些相關資訊，以瞭解所投資的共同基金到底有無利潤？

範例 **定期定額基金試算**（檔名：投資理財-06.xlsx）

Step.01

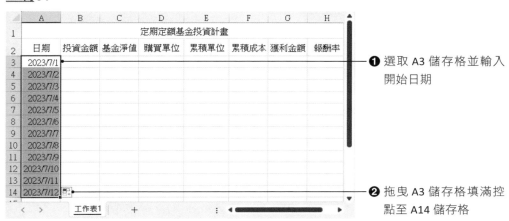

❶ 選取 A3 儲存格並輸入開始日期

❷ 拖曳 A3 儲存格填滿控點至 A14 儲存格

工作表中各標題欄位所代表的意義如下：

日期	購買基金的日期。如果是購買「定期定額」類型的基金，即是每月的固定繳款日（本例中以每月 1 日為繳款日）。
投資金額	購買基金的金額，本例中設定為每月固定 5,000 元。
基金淨值	基金購買當日由基金公司公佈的淨值，基金的淨值會隨著時間而有所上下波動並產生獲利或虧損。
購買單位	該次購買基金的單位數量，即「投資金額／基金淨值」。
累積單位	目前累積已購買的基金單位數量。
累積成本	目前累積投入購買基金的總金額。
獲利金額	基金淨值的變化並扣除成本後所獲得的利潤或虧損。
報酬率	投資報酬率，即「獲利金額／累積成本」。

Step. 02

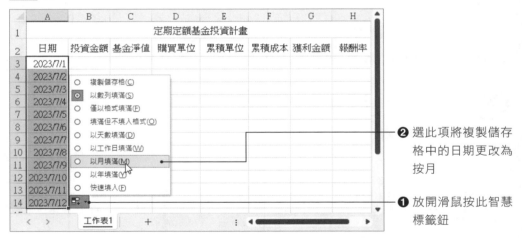

❷ 選此項將複製儲存格中的日期更改為按月

❶ 放開滑鼠按此智慧標籤鈕

Step. 03

在 B3 儲存格輸入「5000」，並拖曳填滿控點到 B14 儲存格填滿

Step. 04

輸入各月份購買日的基金淨值（基金淨值資訊可以在每天的晚報等主要媒體以及基金公司的網站上，皆可查詢到基金淨值）

Step. 05

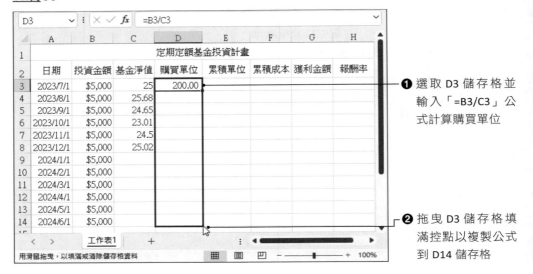

❶ 選取 D3 儲存格並
輸入「=B3/C3」公
式計算購買單位

❷ 拖曳 D3 儲存格填
滿控點以複製公式
到 D14 儲存格

Step. 06

❷ 選取 E3 儲存格，
因第 1 次計算累積
單位，所以與 D3
的購買單位相同，
因此輸入「=D3」

❶ 由於 D9:D14 儲存格因 C9:C14 儲存格尚未輸入資料，所以產生
「#DIV/0!」（除數為 0）的錯誤訊息，暫時不用理會它！

<u>Step</u>、07

❶ 選取 E4 儲存格，累積單位為本次購買單位加上前次累積單位，所以輸入「=E3+D4」

❷ 拖曳 E4 儲存格填滿控點到 E14 儲存格

<u>Step</u>、08

選取 F3 儲存格，因第 1 次計算累積成本，所以與 B3 的投資金額相同，因此輸入「=B3」

<u>Step</u> 09

❶ 選取 F4 儲存格，累積成本為本次投資金額加上前次累積成本，所以輸入「=F3+B4」

❷ 拖曳複製 F4 儲存格內容到 F14 儲存格

<u>Step</u> 10

❶ 因第一次投資尚無獲利可言，所以 G3 儲存格保持空白即可

❷ 選取 G4 儲存格輸入「=E4*C4-F4」並拖曳填滿控點到 G14 儲存格。獲利金額為累積單位乘以基金淨值，但還要扣除累積成本，所得的結果如果是「正數」表示獲利，但如果是「負數」則表示「虧損」

Step, 11

❶ H3 儲存格保持空白即可

❷ 選取 H4 儲存格輸入「=G4/F4」並複製到 H14 儲存格。報酬率為獲利金額除以累積成本,所得的結果如果是「正數」表示獲利,但如果是「負數」則表示「虧損」

> **Tips** 報酬率儲存格中的資料格式最好設定為「百分比」類型,如果為一般數值或通用類型,則會產生如「0.0136」的內容,在閱讀上較難以瞭解其含意。

　　此工作表建立後,日後只要每個月 1 日在「基金淨值」欄位中輸入當日的基金淨值數目,後面欄位的分析資料會自動計算出來,提供各位參考。筆者已將上面範例檔的結果儲存為「投資理財-07.xlsx」,讀者可以直接開啟使用。日後如果各位想繼續投資本基金,只要選取「A14:H14」儲存格範圍,並複製到下方的工作表中,即能將公式與格式內容一併複製。

> **Tips** 如果中斷投資基金,只要在「投資金額」欄(B 欄)內輸入「0」即可,一樣可以繼續觀察手上擁有的基金價值情形及相關資訊。

14-5-2　RATE() 函數說明

計算共同基金的利率會使用 RATE() 函數，此函數的相關說明如下：

▶ **RATE() 函數**

語法：RATE(nper,pmt,pv,fv,type,guess)

說明：可以傳回年金淨值的每期利率，其相關引數說明如下：

引數名稱	說明
nper	總付款或投資期數。
pmt	為各期所應給付（或所能取得）的固定金額，一般來說包含了本金及利息。
pv	未來各期年金現值的總和。
fv	為最後一次付款或投資完成後，所能獲得的現金餘額（年金終值）。如果忽略此引數，則預設為「0」。
type	為「0」或「1」的邏輯值，用以判斷付款日為期初（1）或期末（0）。忽略此引數，則預設為「0」。
guess	對期利率的猜測數，省略此引數即可。

14-5-3　共同基金月／年利率試算

投資共同基金一段時間後或是準備贖回（賣出）前，可以試算投資這段時間內它的月利率或年利率如何，如此可比較同樣的存款金額是放在定期存款較為優惠，還是投資共同基金獲利較大。接下來，請開啟範例檔，試算當共同基金投資一年後所換算的利率。

範例 **共同基金月／年利率試算**（檔名：投資理財-08.xlsx）

Step. 01

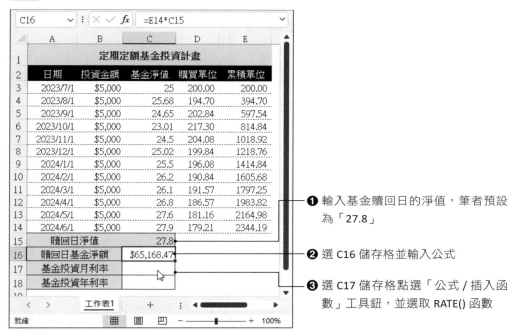

❶ 輸入基金贖回日的淨值，筆者預設為「27.8」

❷ 選 C16 儲存格並輸入公式

❸ 選 C17 儲存格點選「公式／插入函數」工具鈕，並選取 RATE() 函數

Step. 02

❷ 輸入每期投資金額，因函數計算關係在此加上負號

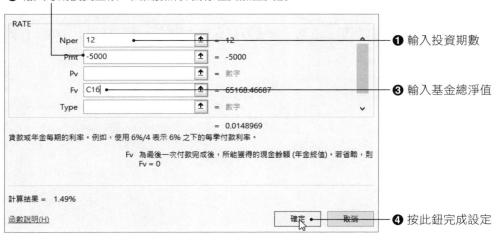

❶ 輸入投資期數

❸ 輸入基金總淨值

❹ 按此鈕完成設定

Step. 03

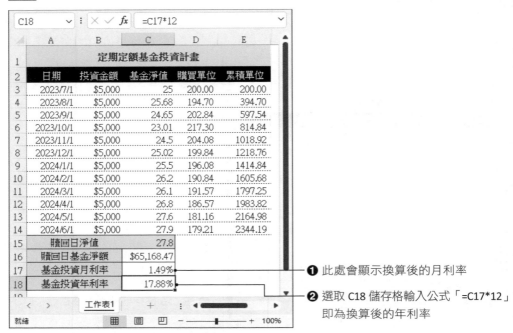

❶ 此處會顯示換算後的月利率

❷ 選取 C18 儲存格輸入公式「=C17*12」
即為換算後的年利率

　　利用上述方法可以得到投資基金所換算的月利率及年利率，因此可以比較與定期存款利率的差別，進而選擇一個較有利的投資管道。不過就投資風險上來說，基金的風險較定期存款為大（可能會下跌），投資時也要注意此事項。

　　本節範例僅示範基金的計算公式，對於其他如手續費、中途售出基金單位、海外基金匯率換算…等問題暫且忽略，讀者可以根據實際的需求來修改上述的工作表內容。

學習評量

是非題

( ) 1. FV() 函數的引數 pv 是指現淨值或分期付款的目前總額。

( ) 2. NPV() 函數可透過年度通貨緊縮比例，以及未來各期所支出及收入的金額，進行該方案的淨現值計算。

( ) 3.「單變數運算列表」乃是指公式內僅有一個變數，只要輸入此變數即能改變公式最後的結果並輸出。

( ) 4. 雙變數運算列表其所對應的公式必須位於「欄變數的右方，列變數的左方」，否則無法產生運算列表。

( ) 5. 選取儲存格後，於名稱方塊內輸入名稱一樣具有定義名稱的功能。

( ) 6.「藍本分析」、「變數運算列表」是 Excel 的「統計」類別函數。

( ) 7.「保險」商品通常具有「保障」、「儲蓄」及「投資」等特性。

( ) 8. XNPV() 函數可以傳回現金流量表的淨現值，且該現金流量不須是定期性的。

( ) 9. RATE() 函數可以傳回年金淨值的每期利率。

選擇題

( ) 1. 當要計算零存整付定期存款的報酬總額時，應使用何函數？

   (A) PMT()　　　　(B) FV()　　　　(C) PV()　　　　(D) SUM()

( ) 2. 下列關於 PV() 函數的敘述何者有誤？

   (A) 用以計算出某項投資的年金現值，而此年金現值則是未來各期年金現值的總和

   (B) 為財務類別函數

   (C) 引數 pv 為各期應該給予（或取得）的固定金額

   (D) 引數為 (rate,nper,pmt,fv,type)

( ) 3. 下列關於 NPV() 函數的敘述何者有誤？

　　(A) 屬財務類別函數

　　(B) 引數為 (rate,value1,value2,...)

　　(C) 引數 rae 是指通貨緊縮比例或年度折扣率

　　(D) value1,value2... 引數未來各期的現金支出及收入，最多可以使用 29 筆
　　　　記錄

( ) 4. 下列關於 PMT() 函數的敘述何者有誤？

　　(A) 用以計算當貸款金額非固定的條件下，每期必須償還的貸款金額

　　(B) 屬財務類別函數

　　(C) 其引數為 (rate,nper,pv,fv,type)

　　(D) 引數 rate 是指各期的利率

( ) 5. 下列關於分析藍本的敘述何者有誤？

　　(A) 可同時建立多個藍本資料

　　(B) 分析藍本對話框內的註解欄會顯示所插入的註解文字

　　(C) 可與其他檔案或工作表的分析藍本合併

　　(D) 可建立分析藍本摘要報告

( ) 6. 下列關於 XNPV() 函數的敘述何者有誤？

　　(A) 可以傳回現金流量表的淨現值，且該現金流量必須是定期性的

　　(B) 其引數為 (rate,values,dates)

　　(C) 引數 value 與 date 的資料範圍必須相對應

　　(D) 非 Excel 預設安裝的函數

( ) 7. 下列關於 RATE() 函數的敘述何者有誤？

　　(A) 其引數為 (nper,pmt,pv,fv,type,guess)

　　(B) 引數 nper 是指總付款或投資期數

　　(C) 引數 fv 為第一次付款或投資完成後，所能獲得的現金餘額

　　(D) guess 引數可省略

問答題

1. 「欣光保險」推出一保險專案,只要各位事先繳交 50 萬元(年初),在爾後的五年內每年可領回 11 萬元(每年年底)。如果以目前的定存利率 2.5% 來計算,請評估此專案是否符合投資成本。

   提示:使用 PV() 函數

2. 小承目前年齡為 34 歲,他購買了一份 20 年期的保險。該保險只要在前 20 年內每年繳交保費 3 萬元,20 年期滿後即無須再繳款,並且每年可以領回 25,000 元,一直領到死亡為止。如果以目前國民平均壽命 75 歲,以及 7.5% 的年度折扣率來計算,請問此保險的淨值為何?

   提示:使用 NPV() 函數

3. 請使用「雙變數運算列表」功能,針對範例檔「投資理財-09.xlsx」中各銀行的存款利率與存款額度組合,分別計算出各種組合的本利和。

購屋資金籌備計畫

學習重點

- 使用 FV() 函數試算零存整付存款
- 使用 PMT() 函數試算貸款每期攤還金額
- 使用雙變數運算列表評估貸款組合
- 使用目標搜尋功能評估每月應儲蓄金額
- 使用 CUMPRINC() 函數試算已償還本金
- 寬限期與提前還款試算

本章簡介

台灣男性青年的成長歷程來說，求學、服役、就業以及成家，大概是三十五歲以前不可少的人生歷程，然而「成家」又包含了「婚姻」與「購屋」兩件大事。在本章中，將針對「購屋貸款」的相關事項進行精闢的解說，畢竟台灣還是一個「高房價」的時代，「購屋」可不是如買車子、買一般日用品簡單，從計畫、存頭期款、銀行貸款、貸款每月償還…等與「金錢」有關的階段，都必須「精打細算」！接下來，就要探討如何使用 Excel 來幫助「成家」──「購屋」。

範例成果

▲	A	B	C	D	E	F
1			「成家立業房貸」專案試算			
2		貸款金額	年利率	償還期限		
3		$ 4,000,000	5%	20		
5		每月償還金額		償還期限		
6		-$26,398	15	20	25	30
7	貸	$ 2,000,000	-$ 15,816	-$ 13,199	-$ 11,692	-$ 10,736
8	款	$ 2,500,000	-$ 19,770	-$ 16,499	-$ 14,615	-$ 13,421
9	金	$ 3,000,000	-$ 23,724	-$ 19,799	-$ 17,538	-$ 16,105
10	額	$ 3,500,000	-$ 27,678	-$ 23,098	-$ 20,461	-$ 18,789
11		$ 4,000,000	-$ 31,632	-$ 26,398	-$ 23,384	-$ 21,473
12		$ 4,500,000	-$ 35,586	-$ 29,698	-$ 26,307	-$ 24,157

零存整付試算　貸款試算　… ⊕

<各種購屋貸款方案評估>

15-1 購屋準備—零存整付累積頭期款

　　「購屋」前要準備的工作相當多，且準備的時間也相當長，從購屋地段、成屋或預售屋、坪數、房屋總價、銀行可貸款額度…等相關資訊的收集，一個也不可少！但最重要的是——「各位的頭期款準備好了嗎？」，因為房子的總價不可能百分之百由銀行貸款來繳付。

　　明豪自軍中退伍，目前也有一份穩定的工作，接下來已經著手規劃想要擁有人生的第一棟房子供自己及家人居住。目前暫時鎖定購置約 500 萬元的房屋，目前的房屋貸款利率約為年息 4%，除了每月固定存款外，他還作一些相關的小額投資。

15-1-1 FV() 函數說明

　　一般來說，銀行對房屋貸款的核定除了有固定額度外，同時也僅能貸到房價的八成左右，因此，剩餘的兩成即是自行準備的「頭期款」。

　　使用零存整付是累積頭期款的好方法，計算「零存整付」的本利和必須使用 FV() 函數，它能夠在固定金額、利率及期數下，計算出合約截止後可領回的本利和。

▶ **FV() 函數**

語法：FV(rate,nper,pmt,pv,type)

說明：根據週期性、固定支出，以及固定利率，傳回投資的未來總值。相關的引數說明如下：

引數名稱	說明
rate	各期的利率。
nper	總付款期數。
pmt	各期存款的固定金額。通常 pmt 包含本金及利息，如果忽略此引數，則必須要有 pv 引數。
pv	指現淨值或分期付款的目前總額。如果忽略此引數，則預設為「0」，並且需有 pmt 引數。
type	付款時間點設定。如果為「0」或忽略，表示每期末為繳款日；如果為「1」，則表示初期繳款。

15-1-2　計算頭期款金額

以本例而言，總價 500 萬元的房屋，頭期款約需準備 100 萬元以上。明豪打算每個月自薪水中提撥 1.5 萬元，來參加「復邦銀行」的「零存整付」存款儲蓄（年利率 2.1％），希望能在 4 年後存到購屋的頭期款 100 萬。現在試算看看，這樣子能否達到他所設定的目標？

瞭解了上述公式後，請開啟範例檔，並切換到「零存整付試算」工作表。

範例 **頭期款零存整付試算**（檔名：購屋-01.xlsx）

Step 01

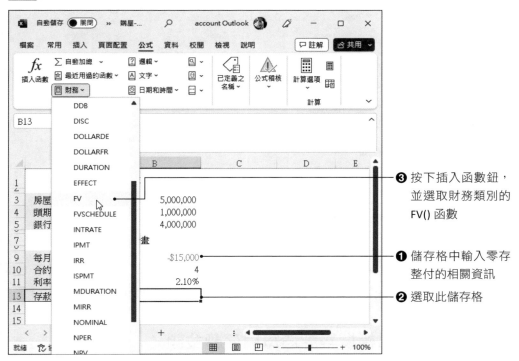

❸ 按下插入函數鈕，並選取財務類別的 FV() 函數

❶ 儲存格中輸入零存整付的相關資訊

❷ 選取此儲存格

Tips 因為「每月存入金額」是屬於「支出」項目，因此使用「負數」表示。

Step. 02

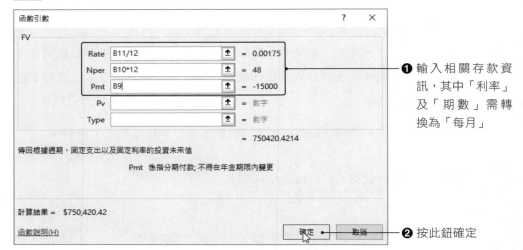

❶ 輸入相關存款資訊，其中「利率」及「期數」需轉換為「每月」

❷ 按此鈕確定

Step. 03

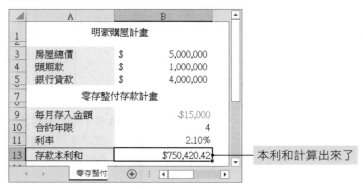

本利和計算出來了

經過 FV() 函數試算後發現，每月僅存入 15000 元似乎無法在四年後有超過 100 萬元的存款收入。因此，必須調整存款中的某一項「變數」，使其達到所設定的目標。

15-1-3　使用目標搜尋評估每月存款金額

影響零存整付本利和的三個因素（每月存入金額、利率及合約年限）下，最有可能改變的因素應該是「每月存入金額」（因利率為銀行所固定，而合約年限如果延

長則不符合個人目標），只有提高每月存款的數額才有可能獲得較高的本利和。但是要每月存多少錢才能符合上述的目標（四年內存 100 萬）呢？因此不妨使用 Excel「目標搜尋」功能，輔助找出每月應該儲存的金額。

 範例 **使用目標搜尋評估每月存款金額**（檔名：購屋-02.xlsx）

Step. 01

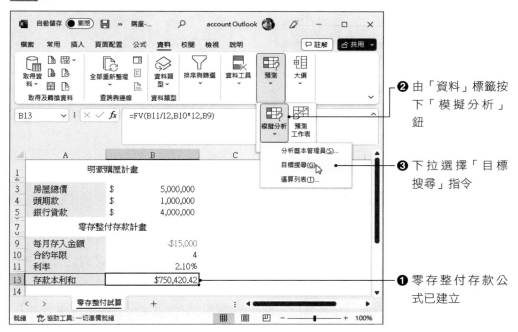

❷ 由「資料」標籤按下「模擬分析」鈕

❸ 下拉選擇「目標搜尋」指令

❶ 零存整付存款公式已建立

Step. 02

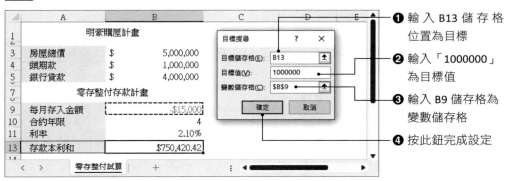

❶ 輸入 B13 儲存格位置為目標

❷ 輸入「1000000」為目標值

❸ 輸入 B9 儲存格為變數儲存格

❹ 按此鈕完成設定

<u>Step</u>、03

顯示已計算出目標值

　　經過上面「目標搜尋」功能試算後，可以在 B9 儲存格中發現，每個月必須存「19,989 元」以上，才能在 4 年後累積 100 萬元以上的存款。所以，明豪必須在「緊衣縮食」的情況下，每月提撥 2 萬元進行零存整付存款。

15-2 貸款方案評估

　　如果急需購屋頭期款，來不及等到存款到期，各金融行庫紛紛推出小額信用貸款，金額從 10 萬元到 50 萬元不等，因此，「手頭緊」的民眾為解燃眉之急，雖然其利率較高，但也趨之若鶩。本節中，要使用「藍本分析」功能，藉由輸入各種數值、資訊，然後加以分析、比較各種不同的小額信用貸款方案，以找出最適合者。

　　明豪想向銀行辦理小額信用貸款來支付部分的頭期款，各家銀行的方案如下表所示：

銀行名稱	貸款額度（萬）	年利率（％）	清償期限
合庫銀行	30	15.5	7
信託銀行	20	16.5	5
台欣銀行	25	17	3
復邦銀行	28	16	7

從上表中得知，每家銀行的貸款額度、利率及清償期限皆不同。現在就來幫明豪找出一個利用每月薪資可以負擔的貸款方案。

15-2-1 PMT() 函數說明與應用

在使用「藍本分析」功能前，必須使用「PMT()」函數來計算出每一個貸款方案必須償還的金額。PMT() 函數可以計算當貸款金額、還款期數及利率皆固定的條件下，每期必須償還的貸款金額。相關的說明如下：

▶PMT() 函數

語法：PMT(rate,nper,pv,fv,type)

說明：以下表格為 PMT() 函數中的引數說明。

引數名稱	說明
rate	各期的利率。
nper	總付款期數。
pv	貸款總金額，也就是未來各期年金現值的總和。
fv	為最後一次付款完成後，所能獲得的現金餘額（年金終值）。如果忽略此引數，則預設為「0」。
type	為「0」或「1」的邏輯值，用以判斷付款日為期初（1）或期末（0）。忽略此引數，則預設為「0」。

瞭解了 PMT() 函數的使用方法後，首先建立此公式。

範例 **建立貸款公式及定義儲存格名稱**（檔名：購屋-03.xlsx）

Step, 01

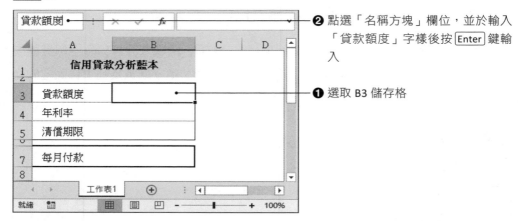

❷ 點選「名稱方塊」欄位，並於輸入「貸款額度」字樣後按 Enter 鍵輸入

❶ 選取 B3 儲存格

Tips 請依此步驟將 B4 及 B5 儲存格名稱定義為「年利率」及「清償期限」，以利後面執行藍本分析。

Step, 02

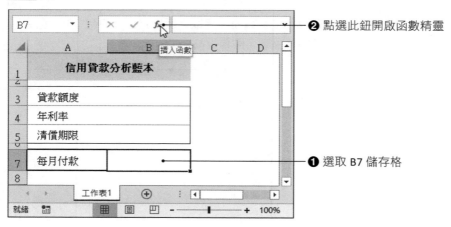

❷ 點選此鈕開啟函數精靈

❶ 選取 B7 儲存格

Step. 03

❶ 選擇「財務」函數類別

❷ 選此函數

❸ 按此鈕確定

Step. 04

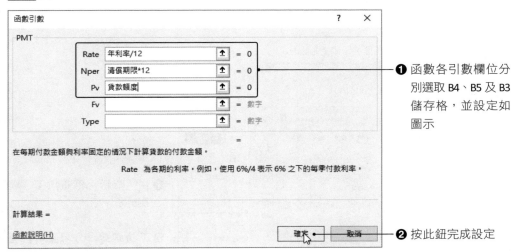

❶ 函數各引數欄位分
別選取 B4、B5 及 B3
儲存格，並設定如
圖示

❷ 按此鈕完成設定

Tips　　因為貸款方案採用「年利率」，引此「Rate」引數必須除以「12」，以換算為
「月利率」；而「Nper」引數也是相同的道理，必須乘上「12」以換算成每月還
款的期數。

<u>Step</u> 05

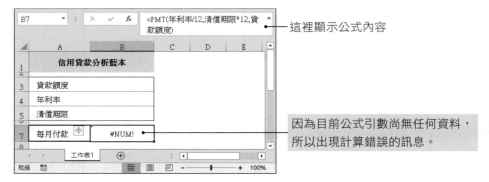

這裡顯示公式內容

因為目前公式引數尚無任何資料，所以出現計算錯誤的訊息。

　　儲存格名稱及公式建立後，接下來就要開始進行「分析藍本」功能，我們將此結果儲存成範例檔「購屋-04.xlxs」供參考。

15-2-2　建立分析藍本

　　接著延續上面的範例，或開啟範例檔「購屋-04.xlsx」來建立各銀行的分析藍本。

範例 **建立分析藍本**（檔名：購屋-04.xlsx）

<u>Step</u> 01

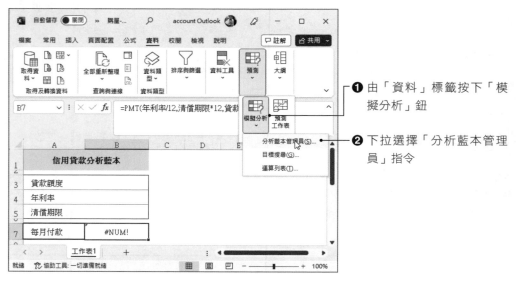

❶ 由「資料」標籤按下「模擬分析」鈕

❷ 下拉選擇「分析藍本管理員」指令

Step. 02

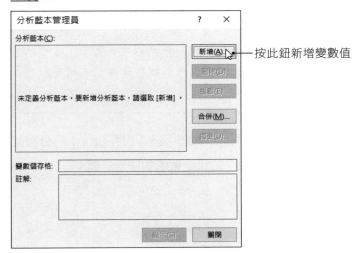

按此鈕新增變數值

Step. 03

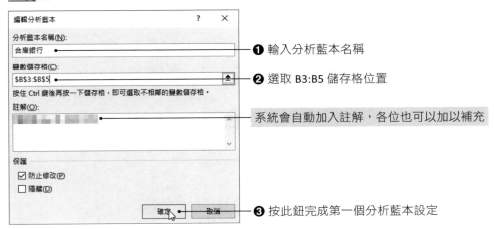

❶ 輸入分析藍本名稱

❷ 選取 B3:B5 儲存格位置

系統會自動加入註解，各位也可以加以補充

❸ 按此鈕完成第一個分析藍本設定

Step. 04

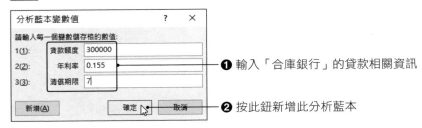

❶ 輸入「合庫銀行」的貸款相關資訊

❷ 按此鈕新增此分析藍本

> **Tips**
> 1. 「年利率」欄位中必須輸入「1.5%」或「0.155」等數值，如此才不會計算錯誤。
> 2. 由於前面曾經對 B3:B5 儲存格進行「名稱定義」，所以在此視窗中會顯示變數儲存格的標題名稱，否則標題名稱會以儲存格位址顯示，較難以明白其變數內容。

　　重複步驟 3、4，依序建立「信託銀行」、「台欣銀行」及「復邦銀行」的分析藍本，使顯現如圖。這三家的「分析藍本變數值」的設定數值如底下三圖：

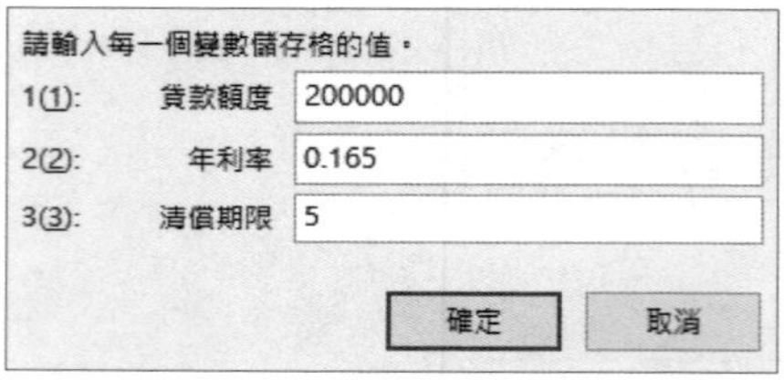

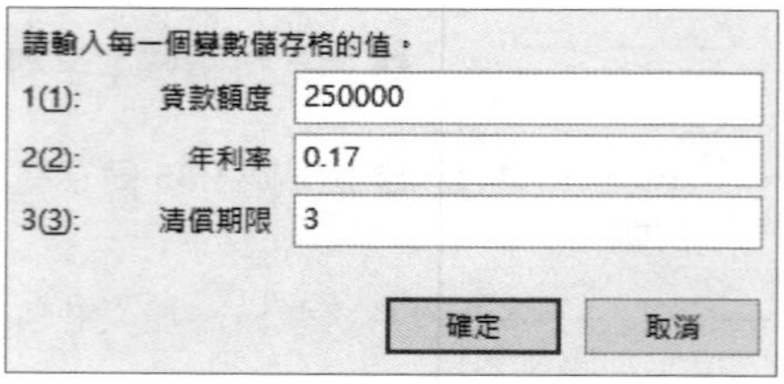

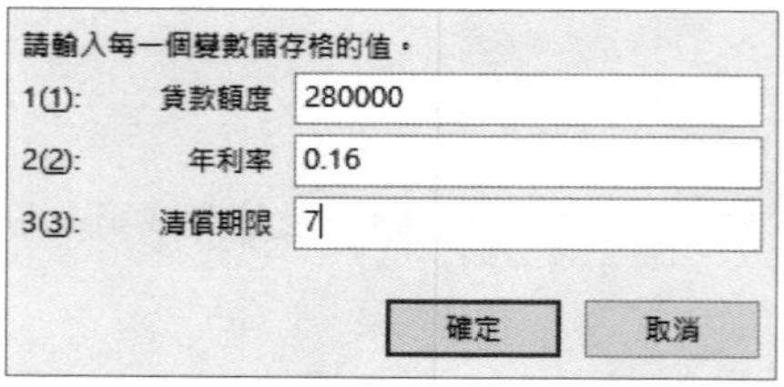

請輸入每一個變數儲存格的值。

1(1):	貸款額度	200000
2(2):	年利率	0.165
3(3):	清價期限	5

　　　　　　　確定　　　取消

請輸入每一個變數儲存格的值。

1(1):	貸款額度	250000
2(2):	年利率	0.17
3(3):	清價期限	3

　　　　　　　確定　　　取消

請輸入每一個變數儲存格的值。

1(1):	貸款額度	280000
2(2):	年利率	0.16
3(3):	清價期限	7

　　　　　　　確定　　　取消

Step 05

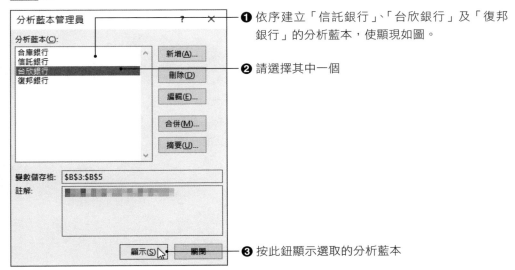

❶ 依序建立「信託銀行」、「台欣銀行」及「復邦銀行」的分析藍本,使顯現如圖。

❷ 請選擇其中一個

❸ 按此鈕顯示選取的分析藍本

Step 06

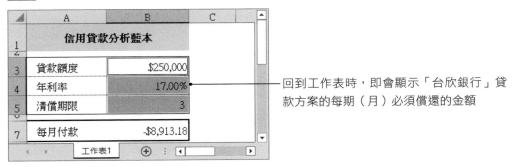

回到工作表時,即會顯示「台欣銀行」貸款方案的每期(月)必須償還的金額

　　工作表上顯示「台欣銀行」貸款方案每期(月)應償還金額後,「分析藍本管理員」視窗並不會關閉,各位可以繼續在此視窗中選取其他銀行的分析藍本,並且同樣會將每期償還金額顯示於 B7 儲存格中,此時各位即可比較這些銀行的貸款方案。

15-2-3 分析藍本摘要製作

　　利用「分析藍本管理員」的「顯示」功能固然可以檢視選取銀行的貸款狀況,不過由於每次僅能顯示一家銀行,因此在比較上顯得有些麻煩。Excel 也能夠將所

有已建立的分析藍本，製作成「摘要」形式並顯現於工作表上，這就是「分析藍本摘要建立」功能。

範例 **分析藍本摘要建立**（檔名：購屋-05.xlsx）

<u>Step.</u> 01

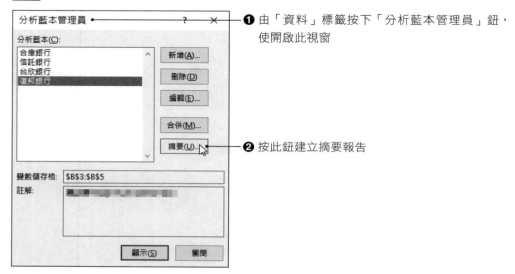

❶ 由「資料」標籤按下「分析藍本管理員」鈕，使開啟此視窗

❷ 按此鈕建立摘要報告

<u>Step.</u> 02

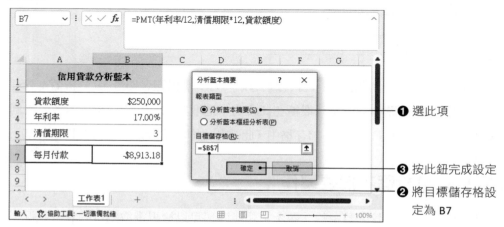

❶ 選此項

❷ 將目標儲存格設定為 B7

❸ 按此鈕完成設定

Step, 03

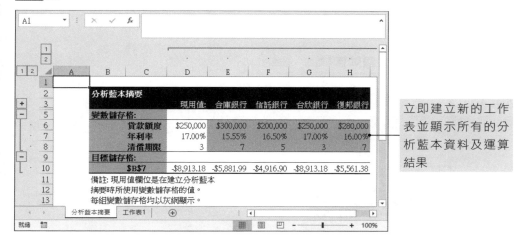

立即建立新的工作表並顯示所有的分析藍本資料及運算結果

　　「藍本分析摘要」建立後，各位可以很清楚的比較各家銀行貸款的相關資訊及每期應償還的金額，而且在工作表欄名及列號的位置會出現「大綱」，各位可以按下 ⊞ 鈕來顯示更多的資訊，或按下 ⊟ 鈕隱藏某些資訊。我們將此範例結果儲存成範例檔「購屋-06.xls」供參考。

15-3 貸款組合評估─使用雙變數運算列表

　　解決頭期款準備目標後，接下來還要考慮的因素相當多，例如各銀行的利率、每月償還能力、償還期限、貸款金額多寡…等因素。在本節中，就以簡單的範例試算貸款方案，以及找出最適合的貸款金額及償還年限。

15-3-1 每月償還金額試算

　　明豪初步打聽到「復邦銀行」的「成家立業房貸專案」似乎提供不錯的貸款條件，該專案最高可以貸得 400 萬元、固定年利率 5%，且分 20 年償還本金及利息。現在，就利用 PMT() 函數來試算此貸款專案，以瞭解是否符合明豪的每月償還能力！

　　請開啟範例檔，並切換到「貸款試算」工作表，以進行此貸款專案每月應償還金額的試算。

 範例 **貸款每月償還金額試算**（檔名：購屋-07.xlsx）

Step. 01

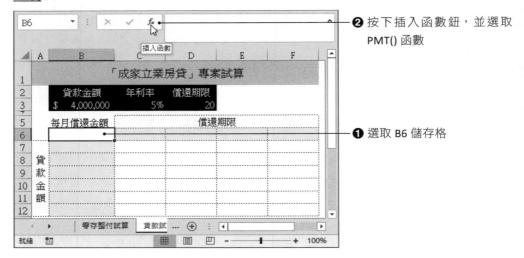

❷ 按下插入函數鈕，並選取 PMT() 函數

❶ 選取 B6 儲存格

Step. 02

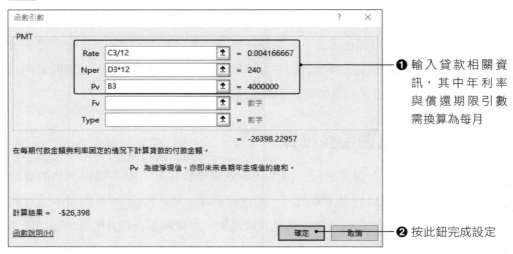

❶ 輸入貸款相關資訊，其中年利率與償還期限引數需換算為每月

❷ 按此鈕完成設定

Step. 03

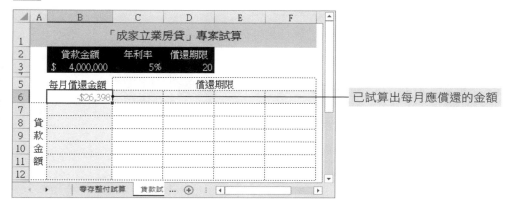

已試算出每月應償還的金額

經過上述貸款方案的的試算後，有發覺每月必須償還 2 萬 6 千元以上，這對明豪的經濟能來說，似乎是一個很大的考驗！

15-3-2 使用雙變數運算列表試算貸款組合

雖然上述的貸款方案經過試算後，似乎並不符合明豪的需求，不過「貨比三家不吃虧」，可以多比較幾家銀行；或者同一家銀行中，也可在不同貸款金額、或不同償還期限中來找到明豪可以負擔的貸款組合。

為瞭解決上述的問題，明豪再度從「復邦銀行」中得知，此專案的貸款額度有200 萬、250 萬、300 萬、350 萬、400 萬及450 萬等六種方案，且償還年限又有可以區分為15 年、20 年、25 年及30 年等四種。因此希望從這些組合中找到符合自己需求及經濟能力的貸款組合。

對於上面的各種貸款組合方案，可以使用「雙變數運算列表」功能，來試算出一個可以符合經濟能力與需求的貸款方案。現在請開啟範例檔，並切換到「貸款試算」工作表。

多重貸款方案評估（檔名：購屋-08.xlsx）

<u>Step.</u> **01**

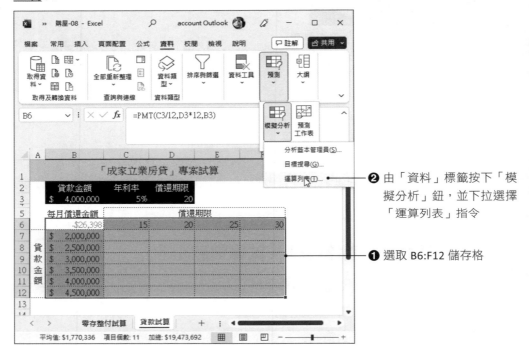

❷ 由「資料」標籤按下「模擬分析」鈕，並下拉選擇「運算列表」指令

❶ 選取 B6:F12 儲存格

<u>Step.</u> **02**

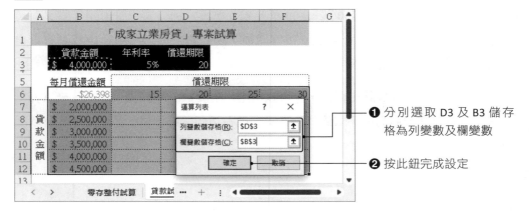

❶ 分別選取 D3 及 B3 儲存格為列變數及欄變數

❷ 按此鈕完成設定

Step. 03

列出各種貸款組合的評估結果

使用「雙變數運算列表」功能後，可以很快的找到符合需求的貸款組合，例如 F11 儲存格中每月償還 21,473 元的組合方案，同樣是貸款 400 萬元，但償還期限增加到 30 年，即能符合每月繳交約 2 萬元貸款的經濟負擔。

貸款方案的選擇通常會遭受到「每月償還能力」、「償還期限」及「貸款額度」等三方面的壓力，也不太可能會有兼顧此三者的方案產生，讀者只要選擇一個能接受此三方面因素的「平衡點」，即可說是一個合適的貸款方案。

15-4 寬限期貸款試算

房屋貸款方案中，有些方案的每月償還金額會在前幾年時較低，此即稱為「貸款寬限期」（或簡稱「寬限期」）。使用 PMT() 函數試算貸款金額時，所求得的每月償還金額中通常包含了「本金」與「利息」兩部分。在貸款初期，每月償還金額中大部分為「利息繳交」，而「本金償還」僅佔一小部分；但到了貸款末期則情況相反。但是，在貸款期限內每個月繳交的金額卻是相同的。有些銀行瞭解貸款者通常於貸款初期時經濟能力較差（較年輕且所得較低），所以，在房屋貸款方案有了所謂「寬限期」的產生，讓各位在「寬限期」內只要繳交貸款本金的利息，等到寬限期過後再依一般貸款方案來試算。

明豪自上節所評估出來的貸款中，他覺得以貸款 400 萬元、分 30 年償還，每月償還 2 萬 1 千餘元是他最可以接受的組合。但因未來的這幾年中可能會與女友結婚，因此經濟壓力較大，希望銀行可以給他 5 年的寬限期僅繳交利息，而後面的 25 年再依照一般的貸款方案來償還。

現在請開啟範例檔，並切換到「寬限期貸款試算」工作表。

範例 **寬限期與非寬限期貸款試算**（檔名：購屋-09.xlsx）

Step. **01**

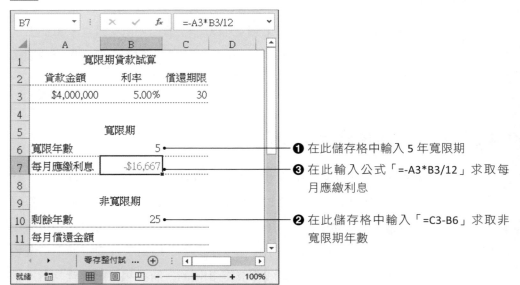

❶ 在此儲存格中輸入 5 年寬限期

❸ 在此輸入公式「=-A3*B3/12」求取每月應繳利息

❷ 在此儲存格中輸入「=C3-B6」求取非寬限期年數

<u>Step</u> 02

❷ 按下插入函數鈕，並選取 PMT() 函數

❶ 選此 B11 儲存格

<u>Step</u> 03

❶ 如圖示輸入各引數

❷ 按此鈕完成設定

Step.04

已試算出非寬限期的每月應償還金額

　　從上面的範例中得知，寬限期 5 年內僅需繳交利息錢，在經濟負擔上確實減輕很多（由 21,473 元降至 16,667 元），但後面的 25 年中，則每月償還金額提高到 23,384 元，這是每一位貸款者需要注意的地方。

15-5 提前償還本金試算

　　接續上面的案例，明豪最後選擇貸款 400 萬元、年利率 5%，分 30 年期間平均攤還（無寬限期）。在貸款繳交了 7 年後，因為投資股票累積了現金 150 萬元，因此決定提前償還未還完的貸款，以減低後面每個月所需要的償還金額。

15-5-1 CUMPRINC() 函數說明

　　要以目前手邊的現金來償還尚未還完的貸款本金前，必須要先明白在這 7 年間已經償還了多少本金。欲瞭解貸款期限某固定時間內已償還的本金數額，不妨使用 CUMPRINC() 函數來計算。它的相關用法如下：

CUMPRINC() 函數

語法：CUMPRINC(rate,nper,pv,start_period,end_period,type)

說明：該函數可以計算貸款期間內，任何時間階段所償還的本金值。相關引數說明如下：

引數名稱	說明
rate	各期的利率。
nper	總付款期數。
pv	貸款總金額，也就是為未來各期年金現值的總和。
start_period	計算過程中的第一個付款期。付款期編號由 1 開始。
end_period	計算過程中的最後一個付款期。
type	為「0」或「1」的邏輯值，用以判斷付款日為期初（1）或期末（0）。忽略此引數，則預設為「0」。

15-5-2 已償還本金試算

瞭解了 CUMPRINC() 函數的用法後，現在請開啟範例檔，並切換到「提前還款試算」工作表。

範例 **已償還本金試算**（檔名：購屋-10.xlsx）

Step 01

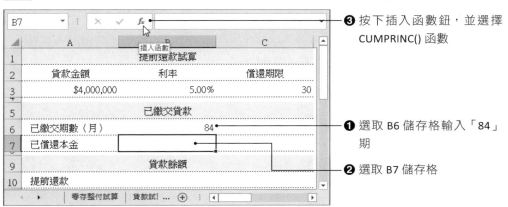

❸ 按下插入函數鈕，並選擇 CUMPRINC() 函數

❶ 選取 B6 儲存格輸入「84」期

❷ 選取 B7 儲存格

Tips 貸款已繳交 7 年整，所以總共繳交 7*12=84 期的貸款期數。

Step. 02

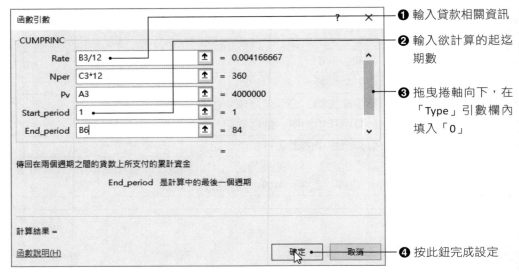

❶ 輸入貸款相關資訊

❷ 輸入欲計算的起迄期數

❸ 拖曳捲軸向下，在「Type」引數欄內填入「0」

❹ 按此鈕完成設定

Step. 03

七年來已償還的貸款本金

Tips 雖然貸款繳交了 7 年，前後大概投入了超過 160 萬（每期約 2 萬，共 84 期），但實際償還的本金卻只有約 48 萬元左右，所以，貸款初期大部分所繳交的金額為「利息」，而非「本金」。

使用上述的方式各位不僅能計算從開始到目前的償還本金金額，還能夠計算出某一段時間（例如第 20 ～ 30 期）內所償還的本金，只要在「start_period」及「end_period」兩個引數欄位中輸入起迄期數即可。

15-5-3 提前還款後每期償還金額試算

試算提前還款後每期應償還金額，首先需將總貸款本金扣除已償還的本金，以及準備提前還款的金額，即能得到目前貸款本金的餘額。再來，使用 PMT() 函數對本金餘額進行貸款試算即可。現在接續上一小節的範例繼續進行。

範例 **還款後每期償還金額試算**（檔名：購屋-10.xlsx）

Step.**01**

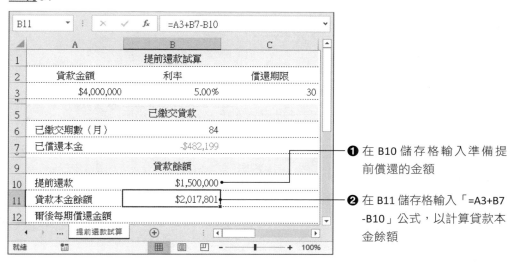

❶ 在 B10 儲存格輸入準備提前償還的金額

❷ 在 B11 儲存格輸入「=A3+B7 -B10」公式，以計算貸款本金餘額

Tips 已償還本金為支出項目所以會以負數呈現，但計算時如果使用減法會變成正數，反而使剩餘的貸款本金增加，因此要特別注意公式的運用！

Step.02

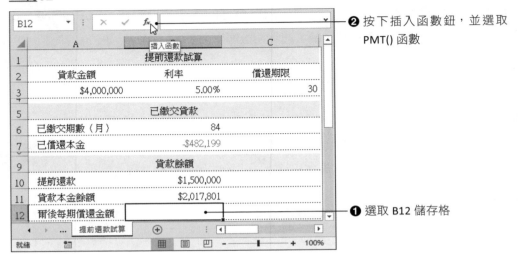

❷ 按下插入函數鈕,並選取
PMT() 函數

❶ 選取 B12 儲存格

Step.03

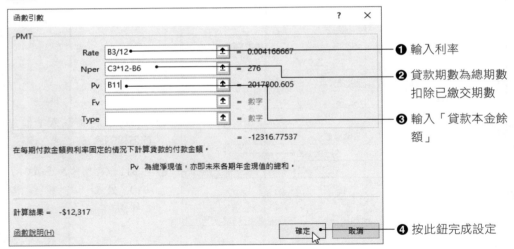

❶ 輸入利率

❷ 貸款期數為總期數
扣除已繳交期數

❸ 輸入「貸款本金餘
額」

❹ 按此鈕完成設定

<u>Step</u> 04

爾後每期只要繳交
「**12,317** 元」即可

本範例的結果儲存在「購屋-11.xlsx」，以供參考。

<u>Tips</u>　對貸款戶提前將本金餘額一次清償的動作，有些銀行會酌收「手續費」或
「違約金」。對於是否應收取本項費用，則視銀行規定及貸款合約細目規定，貸
款戶最好在貸款合約上加註此情形的處理方式，以免屆時產生糾紛。

　　本章中將一般人在購屋貸款時會遇到的幾個主要狀況做了實況上的模擬，各位
可以使用上述的工具與函數加以活用與變化。同時對於貸款的組合可以多比較幾家
銀行，然後使用「雙變數運算列表」功能來交叉分析，以找出最適合各位的貸款方
案。當然，這些實作內容不僅限於「購屋貸款」，一般的信用貸款、融資貸款、汽車
貸款或企業購買固定資產的貸款…等項目，同樣可以運用上面的方式來試算。

學習評量

是非題

( ) 1. 目標搜尋只需有目標儲存格與目標值即可找到所需的數值。

( ) 2. CUMPRINC() 函數可計算貸款期間內，單一時間階段所償還的本金值。

( ) 3. FV() 函數會根據週期性、固定支出，以及固定利率，傳回投資的未來總值。

( ) 4. PMT() 函數可以計算當貸款金額、還款期數及利率皆固定的條件下，每期必須償還的貸款金額。

( ) 5. 在函數引數視窗中按下「函數說明」連結，可開啟該函數的說明視窗。

選擇題

( ) 1. 下列關於 CUMPRINC() 函數的敘述何者有誤？

    (A) 其引數為 (rate,nper,fv,start_period,end_period,type)

    (B) 引數 start_period 為計算過程中的第一個付款期

    (C) 屬財務類別函數

    (D) end_period 為計算過程中的最後一個付款期

( ) 2. 使用 PMT() 函數所得的結果將為？

    (A) 負值   (B) 正值   (C) 絕對值   (D) 無號值

( ) 3. 下列關於 FV() 函數的敘述何者有誤？

    (A) FV() 函數會根據週期性、固定支出，以及固定利率，傳回投資的未來總值

    (B) 其引數為 (rate,nper,pmt,pv,type)

    (C) 屬財務類別函數

    (D) 引數 type 如果為「0」或忽略，表示每期初為繳款日；如果為「1」，則表示期末繳款

( ) 4. 開啟插入函數對話框的方法有哪些？

    (A) 按下插入函數鈕   (B) 下拉自動加總鈕並選擇其他函數

    (C) 執行「公式／插入函數」指令   (D) 以上皆可

( ) 5. 當 PMT() 函數中的「type」引數省略時，表示付款期程為？

    (A) 期初   (B) 期中   (C) 期末   (D) 以上皆是

( ) 6. FV() 函數所計算出來的值預設為？

    (A) 正值   (B) 負值   (C) 絕對值   (D) 於引數中設定

( ) 7. 當公式內引數或運算元類型錯誤時會顯示何種錯誤訊息？

    (A) #####   (B) #DIV/0   (C) #VALUE!   (D) #NAME?

問答題

1. 小雯在「台欣銀行」中開立一個「零存整付」的儲蓄帳戶，從現在開始每個月必須存入 2 萬元、為期兩年，年利率為 2.5%，請問在合約期滿後小雯可領回多少錢？

2. 小承是某機械加工廠的負責人，他希望從每月的「營業淨利」中提撥 5% 做為福委會的福利金，而「營業淨利」概略為「營業額」的 30%。請問，如果福委會希望每個月有 2 萬元以上的福利金進帳，則此工廠的營業額必須到達多少才可以？

    提示：使用「目標搜尋」功能

3. 小燕準備向銀行貸款購屋，於是她向銀行詢問了一些有關於利率、還款期限、貸款額度…等相關資訊。現在請各位開啟範例檔「購屋-08.xlsx」，以計算在不同的還款期限與貸款額度組合，分別每個月需償還多少錢？

4. 吳先生向銀行貸款 300 萬元購買某項生產設備，其約定的年利率為 8.5%、分 10 年攤還。同時，吳先生在前三年僅需償還利息，後面的七年再來攤還本息。請問：

   ■ 後面七年每月償還金額為前 3 年的幾倍？

   ■ 這 10 年內吳先生一共支付了多少利息？佔總支出金額（貸款本金＋利息總和）多少百分比？

5. 陳小姐向銀行借貸了 300 萬元，年利率為 7%，分 20 年每月攤還。到了第 3 年底及第 10 年底的時候，各分別提前償還了 20 萬元。請問：

   ■ 自第 4 年到第 10 年底，陳小姐共繳交了多少利息？

   ■ 自第 11 年開始，陳小姐每月還需償還多少金額？

16

股票交易資訊分析與試算

學習重點

- 利用「文字檔」取得外部資料
- 繪製股票 K 線圖及趨勢線

本章簡介

目前最熱門的理財方式莫過於投資股票市場,雖然大環境景氣不佳,不過只要懂得股票分析的方法,以及不貪心的投資心理,往往會有不錯的報酬率(比銀行的定存或共同基金為高)。在本章中,要教各位如何匯入台灣的股市即時(或盤後交易)資訊到 Excel 工作表中,以利使用資料分析工具來瞭解個股。除此之外,連美國的股市資訊都可以輕鬆下載至電腦中。最後,還要將上述的股票資訊,利用 Excel 圖表功能來繪製成股票 K 線圖。

範例成果

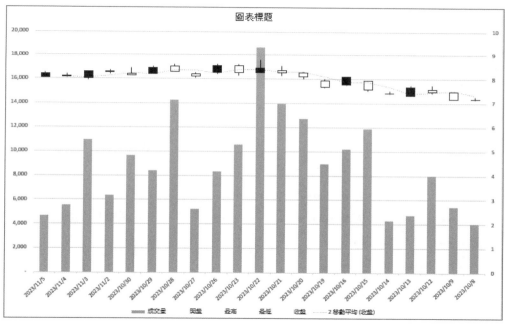

< Excel 提供完善的股票分析工具 >

16-1 利用「文字檔」匯入外部資料

Excel 除了可以用手動的方式逐一建立工作表內的資料內容，也可以利用「匯入外部資料」功能，將本機中其他的資料檔案，或透過網際網路將一些網站資訊匯入 Excel。

現在請開啟一個新的活頁簿檔案，讓我們示範如何將記錄股票行情的外部文字檔下載到 Excel 工作表中。

範例：**下載外部文字檔股票行情資訊**（檔名：股票資訊-01.xlsx）

Step. 01

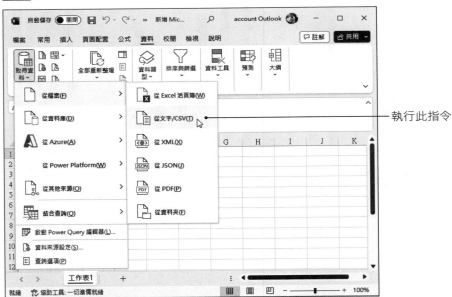

執行此指令

Step. 02

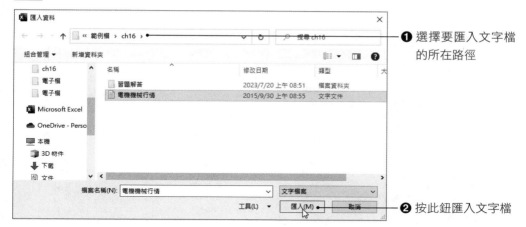

❶ 選擇要匯入文字檔
的所在路徑

❷ 按此鈕匯入文字檔

Step. 03

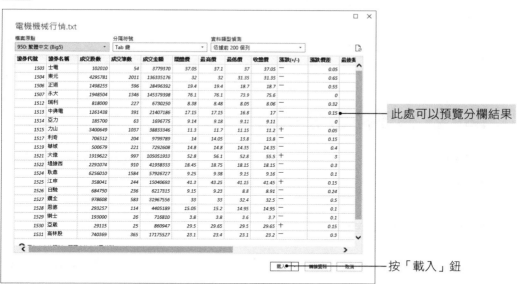

此處可以預覽分欄結果

按「載入」鈕

接下來，該股票的資訊即會下載到 Excel 工作表中，如下圖所示：

	A	B	C	D	E	F	G	H
1	證券代號 ▼	證券名稱 ▼	成交股數 ▼	成交筆數 ▼	成交金額 ▼	開盤價 ▼	最高價 ▼	最低價 ▼
2	1503	士電	102010	54	3779370	37.05	37.1	37
3	1504	東元	4295781	2011	136335176	32	32	31.35
4	1506	正道	1498255	596	28496392	19.4	19.4	18.7
5	1507	永大	1948504	1346	145379398	76.1	76.1	73.9
6	1512	瑞利	818000	227	6730250	8.38	8.48	8.05
7	1513	中興電	1261438	391	21407186	17.15	17.15	16.8
8	1514	亞力	185700	63	1696775	9.14	9.18	9.11
9	1515	力山	3400649	1037	38833346	11.3	11.7	11.15
10	1517	利奇	706512	204	9799789	14	14.05	13.8
11	1519	華城	500679	221	7292608	14.8	14.8	14.35
12	1521	大億	1919622	997	105051933	52.8	56.1	52.8
13	1522	堤維西	2291074	910	41938333	18.45	18.75	18.15
14	1524	耿鼎	6256010	1584	57926727	9.25	9.38	9.15
15	1525	江申	358041	244	15040693	41.3	43.25	41.15
16	1526	日馳	684750	236	6217315	9.15	9.23	8.8
17	1527	鑽全	978608	583	31967556	33	33	32.4
18	1528	恩德	293257	114	4405189	15.05	15.2	14.95
19	1529	樂士	193000	26	716810	3.8	3.8	3.6
20	1530	亞崴	29115	25	860947	29.5	29.65	29.5
21	1531	高林股	740360	365	17175527	23.1	23.4	23.1

電機機械行情 ｜ 工作表1 ｜ +

16-2 繪製股票分析圖

將網頁上的股票資訊匯入工作表後，還可以製作簡易的股票圖，以提供對個股或大盤的分析。

16-2-1 繪製股票圖

Excel 的圖表精靈中已經提供「股票圖」類型的圖表供套用，現在請開啟範例檔，並跟著下面的步驟執行。

範例 **繪製股票圖**（檔名：股票資訊-02.xlsx）

<u>Step</u> 01

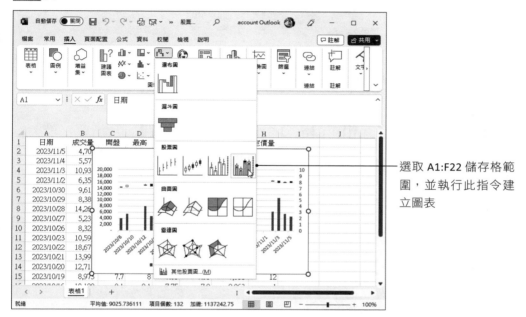

選取 A1:F22 儲存格範圍，並執行此指令建立圖表

Tips 注意事項中提到，當選取不同的副圖表類型時，要特別注意工作表中資料的欄位順序，如果有不符則需事先更換。例如，此副圖表類型所要求的順序為：成交量、開盤、最高、最低及收盤。

Step. 02

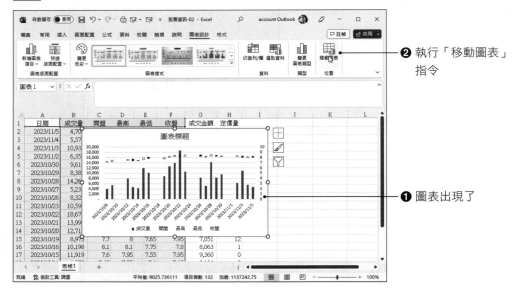

❷ 執行「移動圖表」指令

❶ 圖表出現了

Step. 03

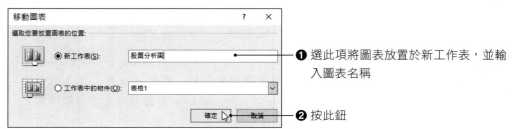

❶ 選此項將圖表放置於新工作表，並輸入圖表名稱

❷ 按此鈕

Step. 04

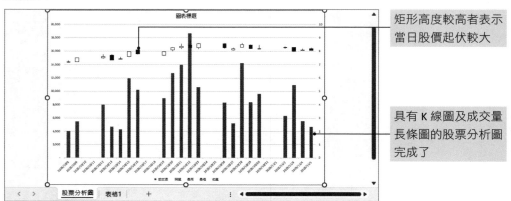

矩形高度較高者表示當日股價起伏較大

具有 K 線圖及成交量長條圖的股票分析圖完成了

認識股票圖

股票圖繪製的時間間隔為每日、每週或每月。以上圖而言,紫色資料數列表示當日的成交量,而中間矩形圖示則表示當日的股價變化情形,如下圖所示:

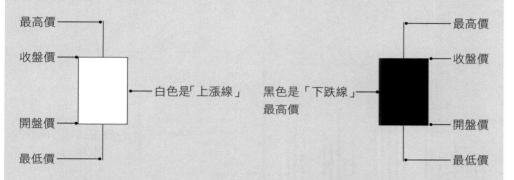

圖表建立後,各位會發現有些天沒有任何的資料數列產生,且圖表上成交量資料數列的顏色也過於灰暗。這是因為上述日期並非股票交易日,所以,必須將這些天剔除,以及更換成交量資料數列的顏色。延續上面的範例繼續進行!

範例 **剔除假日資料及美化圖表**(檔名:股票資訊-02.xlsx)

<u>Step</u> **01**

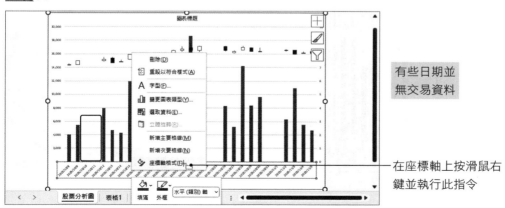

有些日期並無交易資料

在座標軸上按滑鼠右鍵並執行此指令

Step 02

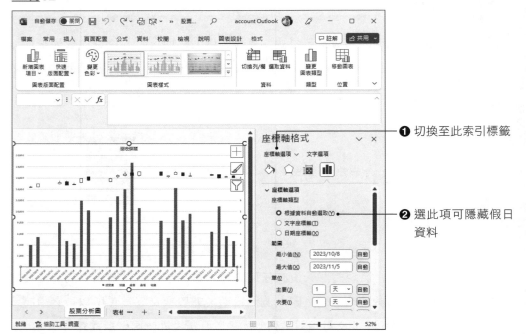

❶ 切換至此索引標籤

❷ 選此項可隱藏假日資料

Step 03

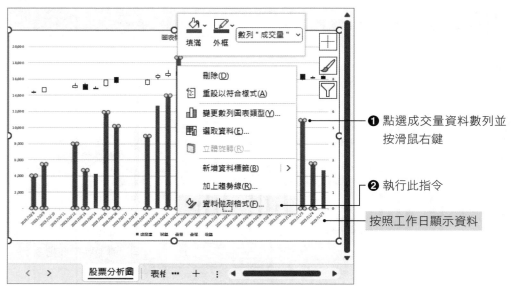

❶ 點選成交量資料數列並按滑鼠右鍵

❷ 執行此指令

按照工作日顯示資料

Step 04

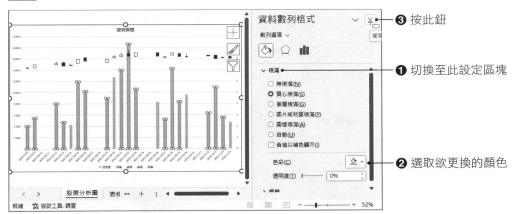

❸ 按此鈕

❶ 切換至此設定區塊

❷ 選取欲更換的顏色

Step 05

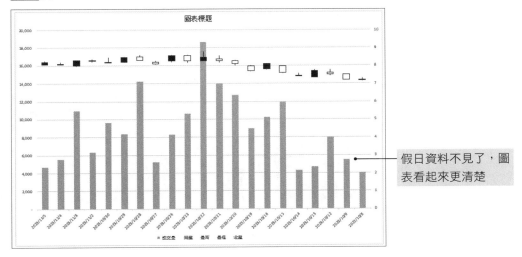

假日資料不見了，圖表看起來更清楚

上述範例的執行結果，筆者將它儲存為範例檔「股票資訊-03.xls」，讀者可以開啟參考對照。

其實讀者還可以運用更多的圖表編輯技巧，例如加大圖表標題、變更 X 座標頭文字方向、加大座標軸字體…等，絕對可以讓整張圖看起來更專業、更美觀。

16-2-2 為股票圖加上趨勢線

　　股票圖除了如上一小節顯示的 K 線圖及成交量長條圖外，各位還可以加入「趨勢線」，以更加瞭解該股票在某段時間內的走勢，藉以判斷其未來的發展。現在請開啟範例檔，並切換到「股票 K 線圖」工作表。

 範例　繪製趨勢線（檔名：股票資訊-03.xlsx）

Step. 01

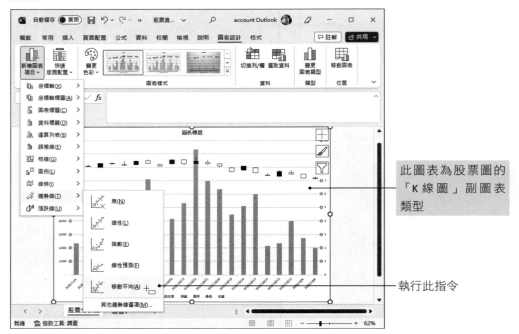

此圖表為股票圖的「K 線圖」副圖表類型

執行此指令

Step. 02

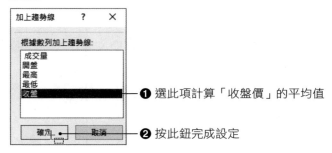

❶ 選此項計算「收盤價」的平均值

❷ 按此鈕完成設定

<u>Step</u> 03

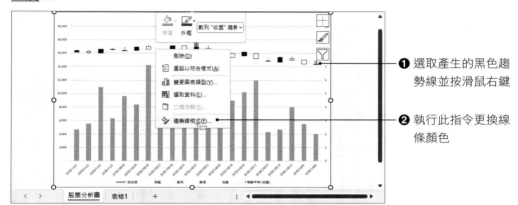

❶ 選取產生的黑色趨
勢線並按滑鼠右鍵

❷ 執行此指令更換線
條顏色

<u>Step</u> 04

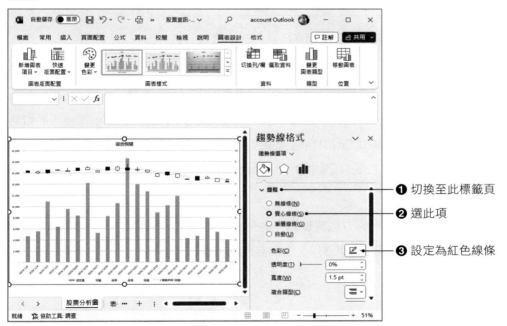

❶ 切換至此標籤頁

❷ 選此項

❸ 設定為紅色線條

Step. 05

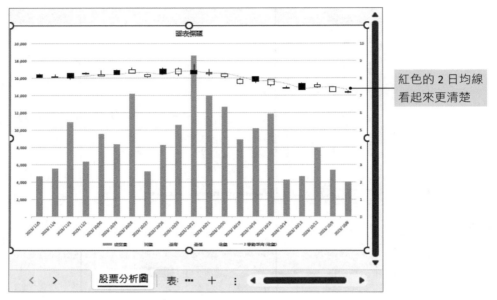

紅色的 2 日均線
看起來更清楚

　　上圖的執行結果，可以開啟範例檔「股票資訊-04.xls」檢視。

　　想要在股市中獲利，絕對不是靠一些「小道消息」或「明牌」，而是要「勤做功課」並廣泛的蒐集最新資訊。本章主要的目的並不在於教各位如何於股市中獲利，而是教各位如何使用 Excel 所提供的股市分析工具，以用來協助各位分析龐大的股市資訊。

　　本章中所示範分析的方法或資訊，各位也許可以在一些財經、證券網站上找到相同的資料（有些必須付費取得），但由自己動手操作而得到的分析結果，不也正是一種樂趣嗎？

Q&A 學習評量

是非題

( ) 1. Excel 股票圖共分五種副圖表類型。

( ) 2. 股票圖為 Excel 預設圖表。

( ) 3. 週期平均移動趨勢線可自行選擇要訂定的週期範圍。

( ) 4. 只有股票圖可加上趨勢線。

選擇題

( ) 1. Excel 工作表內容無法轉存成哪種檔案格式？

    (A) 網頁   (B) XML 試算表

    (C) ASP 式   (D) 純文字

( ) 2. 關於趨勢線的敘述何者有誤？

    (A) 可設定趨勢線的顏色   (B) 可設定趨勢線的週期

    (C) 無法設定趨勢線所根據的數列   (D) 可設定趨勢線的線條樣式

( ) 3. 從外部取得資料時，更新資料的方式有哪些？

    (A) 手動更新   (B) 設定定時更新

    (C) 檔案開啟更新   (D) 以上皆是

問答題

1. 在 Excel 中如何取得外部 Access 資料庫的資料？

MEMO

Excel 小技巧

Excel 中還有許多貼心的小技巧,在本書中無法一一詳盡介紹,在此挑選出幾個常用的小技巧,提供給讀者參考。

A-1 設定摘要資訊

儲存檔案時,不只會儲存編輯的檔案內容,還可以連帶儲存編輯者電腦的個人資訊,例如編輯者的電腦名稱、公司名稱…等。如果想讓其他使用者瞭解這些個人資訊,只需要在「資訊」中進行設定即可。

Step. 01

開啟指定的檔案

Step. 02

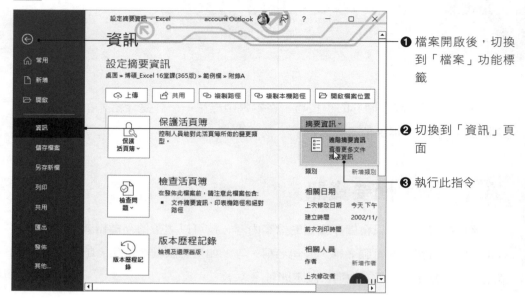

❶ 檔案開啟後，切換到「檔案」功能標籤

❷ 切換到「資訊」頁面

❸ 執行此指令

Step. 03

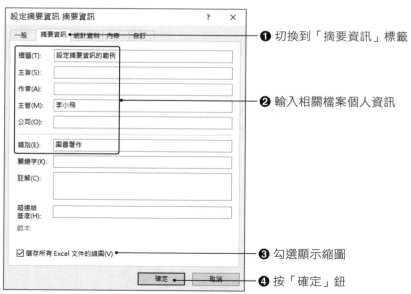

❶ 切換到「摘要資訊」標籤

❷ 輸入相關檔案個人資訊

❸ 勾選顯示縮圖

❹ 按「確定」鈕

<u>Step</u> 04

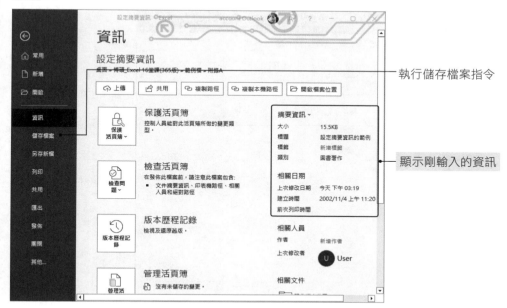

執行儲存檔案指令

顯示剛輸入的資訊

A-2 取消格線

　　活頁簿中的每張工作表都是由儲存格所組成，Excel 會利用格線方便使用者辨別每一個儲存格，雖然儲存格不會列印在紙本文上，有時候為了美觀的需求，還是可以將格線取消。

<u>Step.</u> 01

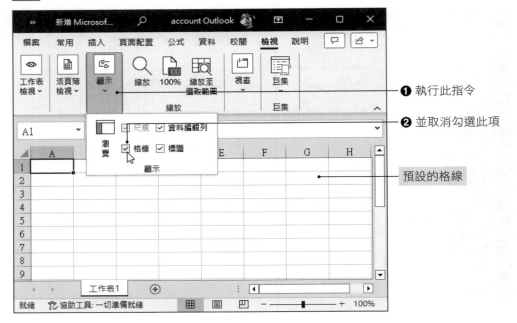

❶ 執行此指令

❷ 並取消勾選此項

預設的格線

<u>Step.</u> 02

工作表變成
像白紙一樣

在頁面配置功能區中也可以取消或重新顯示格線的指令。

A-3 修改預設工作表數量

通常使用者在開啟活頁簿檔案時，都會看到 3 個預設的工作表，如果使用者長期習慣一個檔案只需要一個工作表時，不妨修改預設工作表的數量，節省每次刪除多餘工作表的麻煩。

Step. 01

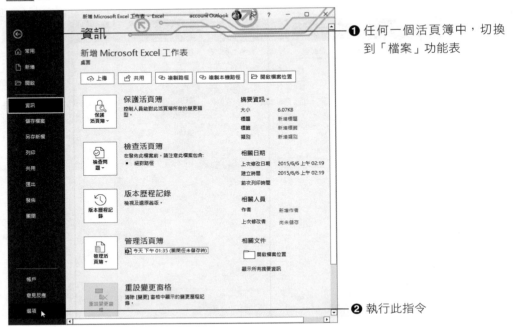

❶ 任何一個活頁簿中,切換
到「檔案」功能表

❷ 執行此指令

Step. 02

❶ 切換到「一般」頁面標籤

❷ 修改工作表數量

❸ 按「確定」鈕後,關閉正
在使用的活頁簿檔案

<u>Step.</u> 03

如果各位再從檔案新增空白
工作表，這種情況下就可以
看到已自動產生兩張工作表

A-4 使用分頁預覽模式

有時候工作表的資料超過 1 頁，可是剛好換頁的地方並不是一個段落，這時候
就可以使用分頁預覽模式，藉由分頁線調整分頁的位置。(範例檔：分頁預覽及跨
頁標題)

<u>Step.</u> 01

❶ 切換到「檢視」功能表，
執行此指令

分頁的位置不是很恰當

❷ 或按此圖示鈕

Step, 02

將藍色虛線的分頁線，拖曳到適當的位置即可

A-5 設定跨頁標題

列印長文件時，往往標題列只會出現在第一頁，想要每一頁都具有相同的標題時，就需要在版面配置中設定列印的標題列（欄）。

Step, 01

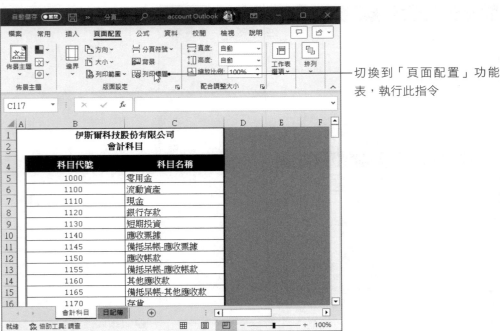

切換到「頁面配置」功能表，執行此指令

<u>Step</u> 02

❶ 切換到「工作表」頁面標籤

❷ 指定標題列範圍位置

❸ 按「確定」鈕

<u>Step</u> 03

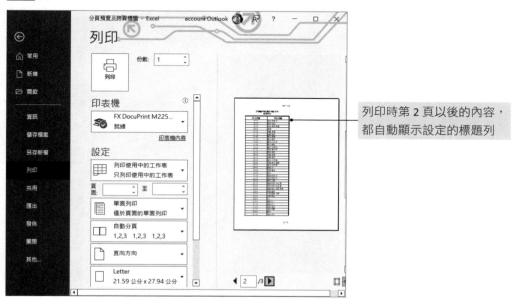

列印時第 2 頁以後的內容，都自動顯示設定的標題列

MEMO